P9-DHP-402

Paul-Emile Borduas
Ecrits / Writings 1942-1958

The Nova Scotia Series
Source Materials of the Contemporary Arts
General Editor:
Benjamin H.D. Buchloh

Bernhard Leitner
The Architecture of Ludwig Wittgenstein

Claes Oldenburg
Raw Notes

Yvonne Rainer
Work 1961-73

Simone Forti
Handbook in Motion

Steve Reich
Writings about Music

Donald Judd
Complete Writings 1959-75

Michael Snow
Cover to Cover

Hans Haacke
Framing and being Framed

Carl Andre—Hollis Frampton
Twelve Dialogues 1962-1963

Dan Graham
Video-Architecture-Television

Published by:
The Press of
The Nova Scotia College of Art
and Design
5163 Duke Street
Halifax, N.S. Canada

Co-published by:
New York University Press
113 - 15 University Place,
New York, N.Y. 10003 U.S.A.

Paul Émile Borduas Écrits/Writings 1942–1958

Présentés et édités par François-Marc Gagnon
Traduction anglaise de François-Marc Gagnon et
Dennis Young

Introduced and edited by François-Marc Gagnon
English translation by François-Marc Gagnon and
Dennis Young

Couverture: Détail de l'enveloppe intérieure, une création jointe par
Claude Gauvreau et Jean-Paul Riopelle pour contenir les pages
non-reliées du manifeste *Refus Global*

Cover: Detail from the inner wrapper created by Claude Gauvreau
and Jean-Paul Riopelle to contain the unbound pages
of the manifesto *Refus Global*

Dessin / Design: *Jean-Paul Riopelle*
Texte / Text: *Claude Gauvreau*

Paul-Émile Borduas
Écrits / Writings 1942-1958

©1978 the authors / les auteurs

Printed in Canada
Imprimé au Canada

Published by / Édité par
The Press of the Nova Scotia College of Art
and Design, Halifax, N.S., Canada

Co-published by / Co-édité par
New York University Press
113 - 15 University Place, New York, N.Y. 10003, U.S.A.

I.S.B.N.:
0-919616-14-3 (Paper)
0-919616-13-5 (Cloth)
0-8147-1018-2 (Paper, U.S. Edition)
0-8147-1017-4 (Cloth, U.S. Edition)
Library of Congress Catalog Card Number: 78-65581

Contents

À Mme. Gabrielle Borduas

Note des traducteurs

Le lecteur du présent recueil est prié de ne pas perdre de vue que l'auteur des textes ici réunis n'eut jamais le privilège d'une longue éducation scolaire. Il quitta l'école primaire à l'âge de douze ans et dut improviser le reste de son éducation par ses propres moyens. Comme il est naturel dans les circonstances, sa culture visuelle fut plus poussée que sa culture littéraire. C'est en tout cas probablement la raison du style parlé de ses écrits. Les textes de Borduas n'ont pas fait l'objet d'un véritable travail de rédaction. Un propos y est suivi d'un autre, qui le précise, le complète, chemin faisant, sans que l'auteur ait senti le besoin de revenir sur ce qu'il venait d'écrire. Le texte recourt à à l'aparté, à la parenthèse, comme on le fait dans la conversation. Par exemple, dans Refus global, un paragraphe entier est entre parenthèses. Il n'est pas rare non plus que des pronoms renvoient à un paragraphe précédent.

On ne s'étonnera pas dès lors que l'interprétation des textes de Borduas ait posé quelques problèmes. Bien souvent, il nous a paru que ses textes demandaient à être "traduits" d'abord en français avant de pouvoir l'être en anglais. Mais ce n'est pas tout. En plus des limites inhérentes à son éducation et au caractère sporadique de ses recours à l'écriture, Borduas écrivain s'est formé à l'école des poètes maudits et des surréalistes. Non seulement il admirait le "pur automatisme psychique" de la poésie de Breton mais l'idée même de manifeste exerçait sur lui une véritable fascination. À la vérité, quand'il écrivit Refus global, il paraît assuré qu'il n'avait pas encore lu les manifestes de Breton. Bien qu'il ne connut pas davantage le manifeste de Marinetti, Refus global a plus d'affinité avec ce dernier qu'avec ceux de Breton. Enfin, on peut penser que la volonté d'atteindre à l' "authenticité" existentielle interdisait à Borduas de revenir sur ses propres écrits dans le but d'en affiner le style ou la présentation.

Il en est résulté que la prose de Borduas est souvent obscure, même si, à l'examen, ces obscurités ne militent pas toujours contre leur auteur. Dans tous ses écrits, on ne peut manquer de percevoir la présence d'une intelligence remarquable aux prises avec ses propres difficultés d'expression. Le courage qu'il a fallu à Borduas non seulement pour lutter contre ces obstacles mais pour nous faire sentir son combat est d'autant plus remarquable. Non seulement Borduas ne recula jamais devant la vérité à dire, parfois au prix de terribles souffrances et pour lui et pour son entourage immédiat, mais il fut conscient des limites de son style. Il ne manqua pas au début de ses Projections libérantes de relever les commentaires malveillants que certains journalistes s'étaient permis de faire sur son style littéraire.

Nous avons reproduit fidèlement le texte français de Borduas, mais nous nous sommes permis quelques libertés dans la

Translators' Note

The reader of these texts should bear in mind that their author left school at the age of twelve, and that his later education was almost entirely visual and oral rather than literary. Hence, perhaps, he writes rather as he might have talked: unwilling to amend a statement by returning to it editorially, he modifies it as he goes along, using great leaps or parenthetic asides, as one is prone to do in conversation. For instance, in "Global Refusal", one whole paragraph is actually written in parenthesis, and one can find pronouns that relate back over paragraphs.

This fact, that Borduas' use of language was limited by his upbringing and that he had little practice with the written word, would be enough to prepare one for problems of interpretation in his literary output. But, besides his early deprivation, by the time he actually came to express himself in writing he had seen the works of the poètes maudits and the surrealists, and had come to understand both the lore of Breton's "pure psychic automatism" and the power of the manifesto style (indeed, his manifesto has the impact of Marinetti's rather than Breton's). Not only this, but the moral absolute of existential "authenticity" had overtaken him, with its prohibition on editings or stylistic polishings.

As a result, his prose often becomes opaque, although it should be noted that, on examination, apparent opacities sometimes respond to Borduas' advantage. For there is, of course, an able if overburdened mind at work in these texts, and it is not difficult to admire its struggle or the courage needed to allow that struggle to be seen: Borduas not only spoke the truth as he saw it, at an exhorbitant cost to himself and those close to him, but he was aware of limitations in his literary style and wrote in the face of sneering journalistic comments on it, as he reveals in Liberating Projections.

In the hope of shedding light on some of the obscurities of the French text, while at the same time preserving its substance and flavour for the Anglophone reader, the translators have inevitably therefore made compromises, although repairs have been made of all such minor errors as Borduas himself might have corrected had he been prepared to check what he wrote. For instance, elementary errors of tense or number have been eliminated and the use of the historic present has been to some extent regularised in its alternation with past tenses. On the other hand, mixed metaphors have sometimes been revised and sometimes left, and enough of Borduas' pleonastic style has been kept for the Anglophone reader to identify it, although it, too, has been frequently modified (for instance, "perfect harmony" becomes simply "harmony", or "faithful mirror of his humanity" becomes "mirror of his humanity", and so on). To some extent Borduas' repetitive, almost compulsive, use of certain words has also been modified. For him, for

traduction. Il importe que le lecteur en soit averti. Voulant à la fois éclairer certaines obscurités du texte et conserver assez de sa substance et de sa saveur pour le lecteur anglophone, nous ne pouvions aboutir qu'à des compromis. Aussi, notre traduction corrige quelques vétilles d'orthographe ou de lexique. Il nous paraît certain que Borduas nous aurait approuvé là-dessus, si nous avions pu le lui signaler. Ainsi, les erreurs dans les temps des verbes ont été éliminées. Borduas fait souvent alterner dans ses écrits le présent historique et le passé. Nous n'avons pas cru devoir le suivre là-dessus. Il nous est arrivé de sursauter devant certaines de ses métaphores et d'en aplanir quelque peu les aspérités. Par ailleurs, notre traduction concède assez à la tournure pléonastique du style de Borduas, pour que le lecteur anglophone la reconnaisse au passage. Même alors, il nous est arrivé d'alléger le style et, par exemple, de rendre par "harmony" "la parfaite harmonie", ou par "mirror of his humanity", "le fidèle miroir de sa complète humanité", etc. Dans une certaine mesure, les répétitions quasi obsessives de certains mots chez Borduas ont été éliminées dans la traduction. Ainsi, pour lui, l'artiste authentique se doit d'être "généreux". Nous avons rendu ce mot par generous, liberal, bountiful, fertile, noble ou même courageous, selon les contextes. "Généreux", par ailleurs, est souvent synonyme de "courageux" sous la plume de Borduas.

Il est bien évident que certains de ces changements s'imposaient plus dans les textes narratifs que dans les textes polémiques. Nous avons tenu compte de ce facteur. Aussi, quand la structure d'un paragraphe ou la syntaxe d'une phrase était le fruit d'une intention polémique, comme c'est souvent le cas dans Refus global, nous les avons respectées. Dans d'autres textes, des changements syntaxiques ont été introduits pour rendre le texte plus intelligible en anglais. Par exemple, le second paragraphe de Manières de goûter une oeuvre d'art consiste en une seule phrase d'au-delà de cent mots. Elle est suivie aussitôt d'une série de courtes phrases, en staccato. Il nous a paru que ce second paragraphe se lisait mieux en anglais s'il était coupé en phrases plus courtes, alors que la suite gagnait à être regroupée en phrases plus longues. Comme ces changements ne compromettaient ni le caractère poétique ni l'intention polémique du texte de Borduas à cet endroit, nous n'avons pas manqué de les introduire.

Ici et là, nous nous sommes permis quelques crochets pour clarifier une obscurité, mais nous avons réduit l'appareil de notes au minimum, réservant pour une autre occasion l'exégèse des textes et l'étude de leurs sources (la monographie que François-Marc Gagnon vient de publier sur Borduas remplira amplement cette fonction). On ne trouvera exception à cette pratique que dans Projections libérantes,

instance, the true artist has to be généreux, a word for which the English can be rendered as generous, liberal, bountiful, fertile, noble or even courageous (indeed, another word frequently associated with the true artist is courageux).

Obviously certain changes are more acceptable in expository than in polemical pieces, and this fact has been respected. Indeed, where the paragraph structure and syntax are the result of a polemical intention, as in "Global Refusal", we have kept strictly to them. In other texts, however, changes of syntax have been made to increase the readability of the English. For instance, in "Ways to Appreciate a Work of Art", the second paragraph consists of a single sentence of over one hundred words, while the third contains a series of short staccato sentences. The former reads more lucidly for being broken into smaller units, while the latter reads more fluently for being built up into larger ones, and, with no polemical or poetic force at sacrifice, this was therefore done.

Here and there square brackets have been used to clarify an obscurity, but footnotes have been kept to a minimum, leaving exegesis and discussion of sources for another occasion (François-Marc Gagnon's recently published biography of Borduas). The only exception to this is in Liberating Projections, where some of the dramatis personae have been identified for the purpose of coherence.

The problem of rendering into English the title Refus Global has concerned over the past years a number of writers — whose alternatives to an exact parallel seem to have been "Total" for global, and "Rejection" for Refus. The present translators have preferred to keep to Borduas' own choice as closely as possible, not only because this permits a visual identity of the two phrases, but also because, at the climax of the manifesto, the repetition of "Refuse", "Refuse", "Refuse" can be rendered in the same magnificently plosive way in both languages, and because the poetic excess and omnipotent ambition of "Global" more clearly express that the "refusal" was not to be confined to Quebec alone — even if the effect was in the end to jolt only Quebec into awareness.

où quelques-uns des acteurs en cause ont été identifiés, dans la mesure où la cohérence même du texte pouvait en souffrir si cela n'était pas fait.

La traduction du titre même du manifeste n'est pas sans avoir posé quelques problèmes dans le passé. On a proposé Total Rejection, Total Refusal, Global Rejection, etc. Nous avons préféré refléter de plus près les termes de Borduas, non seulement parce que Global Refusal permet d'identifier visuellement le titre du manifeste, mais aussi parce qu'au centre même du manifeste, la triple répétition du mot refus a la même puissance explosive que refusal en anglais et parce que l'excès poétique et l'ambition du mot global rend mieux l'idée que dans l'esprit de Borduas, le "refus" ne pouvait pas se confiner au seul Québec — même si de fait le manifeste n'aura eu de répercussions que dans cette province.

Cette première traduction et publication intégrale des écrits de Borduas est le fruit de conversations tenues au Nova Scotia College of Art and Design en 1972. A ce moment, François-Marc Gagnon avait déjà tenté une première traduction de la majeure partie des textes. Mais cette traduction demandait à être révisée, ce que Dennis Young entreprit. Celle que nous présentons au lecteur est le fruit de plusieurs versions qui suivirent ces premières rencontres. Les traducteurs tiennent à remercier pour l'aide précieuse qu'ils leur ont apportée, respectivement pour la traduction anglaise et pour l'édition des textes français, le Dr. Kenna Manos et le Père Benoit Pruche.

F.-M.G.
D.Y.

This first comprehensive publication and translation of the writings of Borduas is the result of a conversation at the Nova Scotia College of Art and Design in 1972. At that time François-Marc Gagnon had already made a tentative translation of most of the texts, which Dennis Young undertook to revise. Further versions were prepared during the dialogues that ensued. The translators are indebted to Dr. Kenna Manos, of the Nova Scotia College of Art and Design, and to Professor Benoîs Pruche, O.P., of the Université de Sherbrooke, for helpful suggestions during the final stages of the book.

F.-M.G.
D.Y.

Borduas avec ses amis à Montréal
Borduas with friends in Montreal

Photo: Susan Véroff
Collection: Musée d'Art Contemporain, Montréal

Borduas avec ses amis à Montréal
Borduas with friends in Montreal

Photo: Susan Véroff
Collection: Musée d'Art Contemporain, Montréal

Montréal/Saint-Hilaire

Présentation

Une consultation même rapide du présent recueil convaincra aisément le lecteur du nombre et de l'ambition des textes rédigés par Paul-Émile Borduas à Montréal ou à Saint-Hilaire entre 1942 et 1952. Même si chacun est né de circonstances particulières, on peut suivre de l'un à l'autre un même fil de pensée.

Les deux premiers, écrits à Montréal, où Borduas demeura jusqu'en 1945, date de son installation définitive à Saint-Hilaire, furent publiés dans Amérique Française. Assez mal définie idéologiquement, cette revue venait tout juste de voir le jour: le premier numéro remontait à novembre 1941. Durant la guerre, l'intelligentsia québécoise, stimulée par ses contacts avec les réfugiés français et prenant nouvelle conscience des problèmes internationaux, tendait à multiplier ses moyens d'expression. Amérique Française fut l'un d'entre eux. On y traitait à l'occasion d'art et de littérature. Maurice Gagnon, François Hertel et Jacques de Tonnancour, tous trois liés à Borduas à l'époque, collaborèrent à cette revue. Rien d'étonnant dès lors à ce que Borduas l'ait fait également. Comme d'autres publications du même genre, Amérique Française eut de la difficulté à survivre après la guerre et parut beaucoup moins régulièrement à la fin des années '40. (Le dernier numéro parut en 1966, mais entre 1956 et 1962 aucun numéro ne fut publié.)

Le premier texte à paraître dans Amérique Française sous la signature de Borduas ne consiste qu'en un court commentaire sur un Fusain de Jacques de Tonnancour. Ce dernier s'adonnait alors aussi bien à des activités d'écriture et de critique d'art que de peinture. C'est à titre de critique qu'il s'était intéressé à Borduas. Il dut le rencontrer dès l'automne 1940, à l'occasion d'une exposition de la Société d'art contemporain, fondée l'année précédente. En août 1942, il avait publié dans La Nouvelle Relève un important article, intitulé "Lettre à Borduas", dans lequel il exposait avec clarté le passage que Borduas venait d'effectuer de la figuration à la non-figuration. Dans cet article, de Tonnancour faisait aussi allusion à des conversations et des rencontres avec Borduas. Vu ces circonstances, il pouvait paraître naturel qu'en novembre 1942, par esprit de courtoisie, Borduas commentât à son tour un dessin de De Tonnancour dans Amérique Française. L'association future de De Tonnancour au groupe de Pellan — il rédigera le texte du manifeste "Prisme d'Yeux" — devait nuire à la bonne entente entre les deux hommes. En 1942, cependant, on n'en était pas encore la.

Le commentaire de Borduas sur le dessin de De Tonnancour contenait, sous mode elliptique, le corps de pensée qu'il développera à loisir dans un second texte, également publié dans Amérique Française et intitulé Manières de goûter une oeuvre d'art (janvier 1943, pp. 31-44).

Introduction

Most of the writings of Borduas appeared during the period 1942-1950, prior to his self-imposed exile in New York and then Paris. The texts of these nine years were called forth by different circumstances, and vary in tone from polemical to studiously theoretical, and they may seem, at first glance, to be scarcely related. However, as an investigation of them will show, they in fact develop consistent and re-emergent themes, and reveal beneath their sometimes obscure use of language a subtle and consistent argument.

The two earliest pieces were written in Montreal, where Borduas lived until his move to Saint-Hilaire in 1945, and were published in Amérique Française. The first of them (November 1942), a short commentary on a charcoal drawing by Jacques de Tonnancour, was probably written in a spirit of "fair exchange", since de Tonnancour was a writer and critic contributing to the same journal, as well as an artist, and, in August 1942, in La Nouvelle Relève, had published "Lettre à Borduas", in which he traced the development of Borduas' paintings from figurative to non-figurative. De Tonnancour expressed in this essay a great enthusiasm for the gouaches of 1942, the first "unpreconceived" paintings of Borduas, and alluded to various conversations they had had. (The later relationship of de Tonnancour to the group around Alfred Pellan — for which he was to write "Prisme d'Yeux", their manifesto — was to create a distance between Borduas and de Tonnancour, but in 1942 this estrangement had not yet taken place.)

The article on de Tonnancour's drawing contains, elliptically, ideas that were haunting Borduas at the time and that were to be expressed in his next text, "Ways to Appreciate a Work of Art", published in Amérique Française (January 1943).

"Ways to Appreciate a Work of Art" was first given as a lecture, sponsored by the Philosophy Department of the Université de Montréal, to the Société d'études et de conférences, in the Prince of Wales Hall of the Windsor Hotel in Montreal, on November 10, 1942. This "Société", which later became a chic French Canadian ladies' cultural club, was at that time organizing weekly afternoon lectures by personalities from the world of letters, arts or philosophy. It is probably for this reason that the Borduas lecture gained much comment in newspapers the following day. One finds, for instance, in each of La Presse, Le Devoir, La Patrie, Le Canada and Montréal-Matin just that kind of confused résumé of the lecture which could create the need to see it printed fully elsewhere. Amérique Française was to provide the opportunity for this, two months later.

Ce nouvel écrit avait d'abord été donné en causerie le 10 novembre 1942, devant les membres de la Société d'études et de conférences, sous les auspices de la faculté de philosophie à l'Université de Montréal, dans le hall du Prince de Galles, à l'hôtel Windsor, à Montréal, sous le titre de ''Mille et une manières de goûter une oeuvre d'art''. Cette ''Société'' qui devint par la suite une sorte de club culturel était plus vivante à l'époque et organisait, une après-midi par semaine, une conférence donnée par une personnalité du monde des lettres, des arts ou de la philosophie. C'est probablement ce qui explique qu'au lendemain de la causerie de Borduas l'événement fut très commenté dans les journaux. On trouve autant dans La Presse, que dans Le Devoir, La Patrie, Le Canada et Montréal-Matin, des tentatives de résumer la conférence de Borduas. Ces sommaires durent paraître assez peu satisfaisants cependant, pour qu'on éprouvât le besoin de voir le texte imprimé intégralement. Amérique Française s'en chargea deux mois après.

La situation chronologique de ces deux premiers textes leur confère un intérêt particulier. Ils suivaient de près la présentation de 45 gouaches qui constituent la première exposition particulière de Borduas, au Théâtre de l'Ermitage (Montréal), du 25 avril au 2 mai 1942. Ils témoignaient de la récente percée de Borduas vers la non-figuration et ''l'automatisme'' et démontraient comment Borduas percevait déjà les conséquences sociales de son engagement esthétique, anticipant une pensée qu'on retrouvera éminemment par la suite.

Trois textes forment en suite la partie essentielle du manifeste automatiste, Refus global, c'est-à-dire la partie rédigée par Borduas lui-même, dont nous donnons aussi une première version, La transformation continuelle. Comme on sait, le manifeste qui a été facsimilé ici dans sa version originale et complète, comprenait également des textes d'autres membres du groupe notamment du poète Claude Gauvreau, de la danseuse Françoise Sullivan, du futur psychiatre. Bruno Cormier et du peintre Fernand Leduc. Toutes ces contributions étaient présentées sous une couverture conçue par Jean-Paul Riopelle et Claude Gauvreau. Précédant ces collaborations, les trois textes de Borduas, Refus global, contresigné par quinze membres du groupe, En regard du surréalisme actuel sous sa seule signature et Commentaires sur des mots courants, non signé mais certainement de Borduas, donnaient à la fois le titre et le ton à l'ensemble. La partie rédigée par Borduas, du moins la préface intitulée Refus global, avait été écrite peu après l'exposition Mousseau-Riopelle qui eut lieu du 29 novembre au 14 décembre 1947. Il est certain que John Lyman et probablement Ozias Leduc eurent une version du texte en main, dès février 1948, puisqu'on connaît la

It is of interest to note that these two earliest statements by Borduas follow the 45 gouaches of his first solo exhibition, of April 25 to May 2, 1942, at the Ermitage Theatre in Montreal, which represented his initial move towards abstraction and ''automatism''. They give an insight into the way Borduas came to this breakthrough and reveal that already he related his aesthetic commitment to social issues. In this, they presage his next writings, which were to appear in the manifesto Global Refusal.

Presented not as a single document but as a compendium of loose leaves (in a folder conceived by Jean-Paul Riopelle and the poet Claude Gauvreau), the total manifesto contained writings by other members of the automatist group: the dancer Françoise Sullivan, the future psychiatrist Bruno Cormier, the painter Fernand Leduc, and Gauvreau; but preceding these contributions and providing a title and mood for the whole, were the texts written by Borduas himself. These were ''Global Refusal'', countersigned by fifteen other members (of which we include a facsimile of the original French printing), ''Concerning Today's Surrealism'', signed by Borduas alone, and ''Commentaries on Some Current Words'', which, though without signature, was undoubtedly also by Borduas. The contribution of Borduas, or at least that section by him which gives the publication its name, was written at the beginning of the winter of 1947-48, and probably derived from an earlier fragmentary essay which we reproduce under the title of ''From the day we are born . . .'' We know that John Lyman,[1] and probably Ozias Leduc, had seen the text by February 1948, since the negative reaction of Borduas to the rather superficial appreciation of it by Lyman is recorded in a letter dated February 13, 1948. Nevertheless, perhaps because Borduas wanted to separate in the mind of the public his activities as a teacher at the École du Meuble from his role as leader of the automatist group, the manifesto was not to be published until the following summer, and was in fact put on sale at the Librairie Tranquille, on August 9, 1948.

réaction indignée de Borduas exprimée dans une lettre datée du 13 février 1948[1] à l'appréciation toute littéraire que Lyman en avait faite.

Toutefois, Refus global et les autres textes du manifeste ne devaient être publiés que l'été suivant et mis en marché à la Librairie Tranquille, le 9 août 1948, Borduas ayant voulu séparer nettement dans l'esprit du public, ses activités de professeur à l'École du Meuble de celles de chef du groupe automatiste.[2]

Publié avec des moyens de fortune, le manifeste se présentait comme une série de feuilles volantes imprimées à la Gestetner. Les droits appartenaient aux éditions Mithra-Mythe, c'est-à-dire à Maurice Perron, un des automatistes vivant alors à Saint-Hilaire, voisin de Borduas. Quatre cents copies furent imprimées et vite vendues, l'événement provoquant une véritable tempête de protestations et d'indignation dans la presse. La conséquence ne se fit pas attendre. Borduas perdit son poste de professeur à l'École du Meuble, le 4 septembre 1948: "... parce que les écrits et les manifestes qu'il publie, ainsi que son état d'esprit ne sont pas de nature à favoriser l'enseignement que nous voulons donner à nos élèves", comme dira la prose officielle.[3]

En plus des remous créés par le manifeste, la presse fit aussi écho à une faible campagne de protestation contre le renvoi de Borduas. Rien de bien convainquant ne sortit de là cependant. Aussi Borduas entreprit lui-même de voir à sa défense dans un long texte autobiographique, dont le but principal était de réhabiliter son enseignement aux yeux du public, d'affirmer les valeurs qui le sous-tendaient et de justifier son activité sur la scène artistique. Rédigé peu après son renvoi, le texte de Projections libérantes était presque achevé en décembre 1948[4] et terminé en février 1949. Publié par le même éditeur que Refus global, ce nouvel écrit fut imprimé sous la forme d'un pamphlet de 40 pages et mis en marché en juillet 1949. Sa parution ne créa pas de perturbations analogues à celles causées l'année précédente par le manifeste.

Les deux derniers écrits de Borduas, pour la période, sont plus circonstanciels. Le premier a été publié en traduction anglaise par la revue Canadian Art, sous le titre "Travelling Exhibitions Display a Confusion of Purpose", dans son numéro de l'automne 1949 (pp. 23-24). Sa version française est inédite et nous la publions ici pour la première fois. Borduas avait déjà été appelé quelques fois à participer d'une ou deux toiles, à de grandes expositions, itinérantes d'"Art canadien", qu'on envoyait aux États-Unis, notamment. Dans son texte, il se dit insatisfait de ce genre de participation, parce qu'elles tendent à des fins d'illustra-

It was printed on an old Gestetner machine under the copyright of the publisher Mithra-Mythe, a pseudonym of Maurice Perron, one of the automatists then living near Borduas at Saint-Hilaire. The edition of only four hundred copies sold fast, and predictably drew a torrent of protest and indignation from the press; but most significantly for Borduas it led to his dismissal from the École du Meuble — a letter from the acting Minister of Youth and Welfare of the province declaring that this was because "... the writings and manifestoes that he is publishing, not to mention his state of mind, are not pertinent to the kind of teaching we want for our students."[2] This victimization however, was followed by only a weak campaign of protest.

It was, perhaps, partly because so little came of that protest that Borduas undertook to prepare his own defense in a long autobiographical essay — justifying in turn his teaching, the values he stood for and his activity in the art world. Thus, by the December of the same year as the manifesto,[3] Liberating Projections was already well advanced and it was completed by the following February. Like Global Refusal it was published by Mithra-Mythe, and it appeared as a booklet of 40 pages, put on the market in July 1949. Significantly, however, it too failed to rekindle the fires of the manifesto.

Borduas' only other published piece of 1949 appeared in the autumn issue of Canadian Art, in translation, and was a short statement entitled "Travelling Exhibitions Display a Confusion of Purpose", in which he declared his discomfort with the large exhibitions containing his work that were then travelling abroad — on the grounds that they promoted an ill-defined "national" character at the expense of more progressive artists.

The last of the Montreal writings, "An Intimate Communication to My Dear Friends", was never intended for publication. It consists of seven sheets of paper and was typed between the first and the ninth of April 1950, and distributed by Borduas to the younger members of the automatist group (who had then just participated in a protest against the 67th Spring Exhibition at the Montreal Museum of Fine Arts and had organized in opposition the "Exposition des Rebelles"). The main intent of the author was to define for them the potential of art as a social force in comparison with direct political action.

tion d'un "art national" encore peu défini et noient dans un vaste ensemble les propositions d'art plus avancées.

Le dernier texte, Communication intime à mes chers amis, est né de tout autre circonstance. Jamais destiné à la publication, il consistait en sept pages dactylographiées écrites les premier et neuf avril 1950 et distribuées par Borduas aux plus jeunes membres du groupe automatiste, qui venaient de participer à une manifestation de protestation contre le 67ᵉ Salon du Printemps au Musée des Beaux-Arts de Montréal (en mars 1950) et d'organiser l'Exposition des Rebelles (du 18 au 26 mars de la même année). Borduas entendait y comparer, à leur profit, l'efficacité sociale de l'art avec celle de l'action politique.

De ces huit écrits, trois seulement ont déjà été traduits en anglais, mais un seul d'entre eux fut publié dans cette langue. Le premier, Refus global, a été traduit à deux reprises. L'écrivain anglais Simon Watson Taylor, ami de Riopelle, le fit une première fois; sa traduction fut approuvée par Borduas en 1950. Puis, en 1969, à l'occasion de la thèse de mademoiselle J. Vann de Winnipeg, les professeurs C. Jensen et G. Swinton de l'Université du Manitoba en firent une nouvelle traduction. Cette même circonstance fournit l'occasion à Béatrice Tellier et au Père Guy, directeur du Collège Saint-Boniface au Manitoba de traduire également Projections libérantes.

Quant à "Travelling Exhibitions Display a Confusion of Purpose", il a été, comme nous l'avons déjà dit, non seulement traduit (probablement par D.W. Buchanan) mais publié.

Aussi disparate et circonstanciel qu'il puisse paraître, ce premier groupe de textes forme un ensemble cohérent et doit être situé, pour être bien compris, dans le contexte idéologique de la période. Ces textes furent tous rédigés à un moment où l'on vit, tant au point de vue politique, social que idéologique, le dernier triomphe d'un régime d'oppression dans la province de Québec. Du même acabit que le renvoi de Borduas en 1948, sera la mémorable répression par la police de Duplessis des forces ouvrières de la compagnie Johns-Manville en grève à Asbestos, l'année suivante. Le régime Duplessis couvrait son ignominie en promouvant une idéologie de conservation des valeurs passées: l'agriculturisme, la religion catholique et un nationalisme étroit.

Aucunement intéressé à la sphère culturelle, le régime n'attachait de l'importance ni aux arts, ni aux lettres. Aussi, lorsqu'un petit groupe de peintres, d'amateurs et de critiques fondèrent la Société d'art contemporain (S.A.C.) en 1939, pour défendre les droits de la liberté d'expression

Of the eight Montreal and Saint-Hilaire writings, only three have already been translated and, of these, the Canadian Art statement is the only one that has actually been published in English, although the core document of the manifesto has been fully translated twice (by Simon Watson Taylor, in a version approved by Borduas in 1950, and then by Professors C. Jensen and G. Swinton of the University of Manitoba). The sole other Borduas writing to have been translated, is the text of Liberating Projections, rendered into English by Beatrice Tellier under the supervision of Father Guy, Director of St. Boniface College, Manitoba. Both this, and the translation by Jensen and Swinton appear in an M.A. dissertation presented at the University of Manitoba by Ms. J. Vann, in 1969.

As dispersed and circumstantial as they may appear, the Montreal and Saint-Hilaire texts nevertheless form a coherent ensemble when they are seen in the ideological climate of their time, for they were all written in a period which, politically, socially and ideologically, saw the last excesses in the Province of Quebec of the regime of oppression of Maurice Duplessis. Certainly, one must view the dismissal of Borduas in 1948, by the Duplessis government, in the same light as the violent police action against workers on strike at the Johns-Manville plant, at Asbestos, in 1949. Duplessis, of course, justified such actions in the name of conserving past values, but his regime was completely philistine and attached no importance to art or letters. And this indifference had been reciprocal: in 1939, when a small group of painters, art lovers and critics founded the Contemporary Art Society, for instance, their motives were exclusively "cultural" and centred solely on the notion that if the arts in Quebec were to have significance they must catch up with the European avant-garde.

Borduas alone seems to have realized that this "catching up" would challenge more than the academic art that prevailed through the influence of the École des Beaux-Arts in Montreal, the regionalist painters of Quebec, or the Group of Seven. His approach, from the first, refused to accept the art of these ivory towers, and insisted that there were broader social and political implications. Thus, his lecture "Ways to Appreciate a Work of Art", appearing at first sight to be a survey of Egyptian, Greek, Roman, Christian and Modern art, dwells conspicuously on the signs of decay in cultures, and there is no doubt that although ostensibly dealing with the great phases of art history, he had in mind, in fact, to hold a mirror up to his own culture,

en art, personne en dehors des cercles artistiques ne s'en soucia, ni n'en soupçonna même l'existence. Bien plus, même si les fondateurs de la S.A.C., John-Lyman en particulier, avaient bien conscience de défier l'hégémonie du Groupe des Sept, comme seul représentant du sentiment ''national'' en peinture canadienne, ils ne le faisaient pas au nom de valeurs québécoises. Ils entendaient plutôt donner une portée internationale à la peinture faite au Canada.

Borduas abondait aussi en ce sens, mais il comprit aussi que le rattrapage du mouvement international entraînait non seulement une remise en question de l'art régionaliste mais aussi bien de l'idéologie conservatrice prônée par le régime établi au Québec. Aussi sa conférence Manières de goûter une oeuvre d'art qui peut paraître à première vue comme une revue rapide des arts égyptien, grec, romain, chrétien et contemporain, traite en réalité des signes de la décadence des cultures. Il ne fait aucun doute que passant en revue les grandes étapes de l'histoire de l'art, il pensait surtout aux signes de la décadence de sa propre culture, dont la faillite idéologique s'imposait à lui comme une évidence. Le manque de générosité, le manque de sensibilité, le manque de désintéressement qu'il dénonce constamment dans le lointain passé, avait aussi ses applications dans le présent. Si les arts devaient rattraper le mouvement international, la société québécoise devait aussi sortir de son isolement provincial et défier les forces de répression, à savoir la religion et la politique conservatrice qui faisaient obstacle à son développement. Vu sous cet angle Manières de goûter une oeuvre d'art annonçait, six ans d'avance le manifeste automatiste.

Quand Borduas écrivit Refus global, l'idéologie dominante était toujours la même. La province de Québec avait pourtant subi un remarquable essor industriel et urbain, à la suite de la relance économique provoquée par la guerre de 1939-1945. La contradiction entre une idéologie prêchant les vertus de la vie rurale et de la religion catholique et la réalité vécue par les masses québécoises d'après guerre était donc devenue plus flagrante, pour ne pas dire plus grotesque. La même clique avait encore en main le pouvoir politique. Sur la scène artistique toutefois, un facteur s'était modifié. Le mouvement contemporain était maintenant divisé en deux tendances. La première, fidèle à l'idéologie dominante de la S.A.C. et ayant le peintre Alfred Pellan comme chef de file, tendait à se fixer dans des formules fauve, expressionniste, cubiste voire même surréaliste à l'imitation de l'École de Paris. L'autre groupe, autour de Borduas, essentiellement constitué par les jeunes peintres automatistes, qui avait partagé la même attitude de

the ideological failure of which appeared to him as evident. The lack of ''generosity'', the lack of ''sensitivity'', the lack of ''disinterestedness'' that he discovered in the remote past, had obvious equivalents in the immediate present. If the arts were truly to ''catch up'' with the international movement, then Quebec society as a whole had to get out of its provincial isolation and challenge the forces of repression — the religion and the conservative politics — that had retarded its development. Seen in this perspective, ''Ways to Appreciate a Work of Art'' is a portent of the automatist manifesto that was to appear six years later.

Indeed, when Borduas came to write ''Global Refusal'', the ideological climate of the Province of Quebec remained unchanged, even though tremendous industrial and urban development had resulted from the economic boom of the war of 1939-1945, and had made more evident, if not more grotesque, the contradiction between an ideology preaching the virtues of rural life and Catholic faith, and the reality lived by the masses. But although the same political clique was in power, on the art scene one thing had developed: the contemporary movement now contained a left-political as well as an a-political wing. On the one hand, faithful to the initial idea of the Contemporary Art Society, a group around the painter Alfred Pellan continued to stand simply for a parity with European fauvist, expressionist, cubist or surrealist formulas, while on the other, the group around Borduas, although sharing the same ideal of ''catching up'' (in their case, exclusively with surrealist automatism), was able to see that it had socio-political implications.

Although these implications were ignored by the regime, Jean-Marie Gauvreau, the director of the École du Meuble where Borduas was teaching, nevertheless came to worry about them. As early as 1946, therefore, Borduas had seen his teaching load reduced, in an attempt to check his

rattrapage à l'égard du surréalisme en particulier, entendait dégager pour la société québécoise les implications du surréalisme.

Une fois de plus, cette prise de position de Borduas et de ses amis, aussi importante pour le développement des arts au Québec qu'on la considère, fut complètement ignorée par le régime, sinon par un petit groupe d'amateurs d'art comprenant les artistes eux-mêmes. Seule la direction de l'école où Borduas enseignait commença à s'en inquiéter. Dès 1946, Borduas vit sa charge d'enseignement considérablement réduite par Jean-Marie Gauvreau, directeur de l'École du Meuble, dans l'espoir de diminuer l'influence qu'il exerçait sur ses étudiants. Quand il publia Refus global, on ne s'en tint pas là cependant. Comme il l'avait fait auparavant, Borduas vit les implications sociales et politiques de son engagement esthétique. Non seulement Refus global dénonçait encore les valeurs de l'idéologie de conservation et les rejetait totalement, mais il proposait un nouvel ensemble de valeurs où ni la religion, ni le capitalisme (ni le communisme, il est vrai) n'avaient de part. Au lieu, étaient proposés l'anarchie et un nouvel espoir collectif de fraternité et de liberté. C'est alors que les gens en place comprirent et accordèrent pour la première fois quelque attention aux événements. Leur réaction fut rapide et brutale. Borduas fut démis de ses fonctions, abandonné à lui-même sans d'autres moyens de subsistance, pour lui et sa famille, que sa production artistique, difficile à vendre. Projections libérantes exprime son amertume et sa révolte à l'endroit du procédé, sans pour autant suggérer la moindre velléité d'en rabattre sur ses positions. Son texte se termine sur une note de défi à l'endroit de ceux qui ont tenté de l'écraser:

Messieurs, vous touchez quand même au terme de votre puissance. Je sens que d'ici peu des centaines d'hommes venant des bas-fonds vous crieront à la face leur dégoût, leur haine mortelle. Des centaines d'hommes revendiqueront leurs droits au travail-passion et vomiront votre travail-corvée insignifiant et stérile. Des centaines d'hommes referont une société où il sera possible de circuler sans honte et de penser haut et net.

Si on la compare à ces textes, il apparaît tout de suite que Communication intime à mes chers amis a une portée plus limitée. Elle ne s'adressait qu'à un petit groupe. Toutefois son contenu n'est pas étranger à celui des textes précédents. Les liens du politique, du social et de l'esthétique étaient perçus avec beaucoup d'acuité au sein du groupe automatiste, en particulier chez ses plus jeunes membres. Leur besoin de travailler à un changement profond de la société québécoise n'était pas moins aigu. Aussi Borduas sentit la nécessité de distinguer à leur usage entre l'action politique et l'action artistique. Une manifestation récente

influence on the students. On the publication of Global Refusal, however, official reaction was at last aroused, since in it Borduas emphasized fully the social and political implications of his beliefs. Not only did he denounce the values and ideology of "conservation", but he proposed a new set of values in which neither religion nor capitalism (nor communism for that matter) were to have any part. Anarchism and a new collective hope of fraternity and freedom were proposed instead. The dismissal of Borduas was immediate and brutal, and, since it was not possible to make a living at that time from his painting, he found himself and his family without means of subsistence. At the end of Liberating Projections he expressed his bitter response to this outrageous process. Defying the regime which had tried to crush him, he concluded his text with these words:

Gentlemen, you are reaching nevertheless the end of your power. I sense that soon hundreds of men will rise from the lower depths to shout their disgust and lethal hatred at your face. Hundreds of men will claim their inherent right to life. Hundreds of men will claim their right to self-inspired work and will vomit up your stupid and sterile forced labour. Hundreds of men will remake a society in which it is possible to move without shame and to think aloud and directly.

Compared with the earlier texts, "An Intimate Communication to My Dear Friends" has a more humble scope. Yet although it addresses itself privately to a small group, its aim is not at all alien to the earlier writings. The connection between the artistic, the social and the political was so well perceived by the automatist group, especially among its younger members, and the urge to work for a profound change in Quebec was so great, that Borduas felt the necessity of setting down for them a distinction between two types of social action: the artistic and the political. As the occasion for this, he chose their recent protest against the exhibition already mentioned.

organisée par eux pour protester contre le Salon du Printemps lui fournit l'occasion de le faire. Ils avaient eu recours à des moyens d'expression symbolique pour faire valoir leurs vues. Ce type d'action paraissait à Borduas plus cohérent avec l'activité artistique que le pur et simple engagement dans un parti politique (fût-il le parti communiste) ou la prise en charge d'une tâche politique visant à des résultats immédiats et à des changements à court terme. Sans mépriser la chose politique, il réaffirmait ce qui allait être son choix: un choix pour l'art et pour l'art seul, étant entendu que les créations d'art ont leur importance sociale et leur efficacité à long terme.

This type of symbolic action seemed to him more congruent with artistic activity than the commitment of oneself purely and simply to a party or a political task, aiming at immediate results and short range change. Without despising the political task, he stated what was to be his own choice: a choice for art and for art alone, in the understanding that great creations had their social importance and their long range effects.

1. Citée par John Lyman, ''Borduas et la Société d'art contemporain''. Paul-Émile Borduas 1905 - 1960, *Musée des Beaux-Arts de Montréal*, 1962, p. 41.

2. Voir François Léger, ''L'affaire Borduas'', in Le Quartier Latin, 8 octobre 1948, p. 1 et 2, où cette raison est invoquée.

3. Lettre de G. Poisson, ministre de la Jeunesse et du Bien-être de la province de Québec, à Jean-Marie Gauvreau, directeur de l'École du Meuble, en date du 2 septembre 1948.

4. Voir C. Doyon, ''À paraître'', Le Clairon de Saint-Hyacinthe, 10 décembre 1948.

1. See Evan H. Turner, Paul-Émile Borduas, 1905 - 1960, *Montreal Museum of Fine Arts*, 1962, p. 41.

2. Dated September 2, 1942, to Jean-Marie Gauvreau, director of the École du Meuble.

3. See C. Doyon, in Le Clairon de Saint-Hyacinthe, *December 10, 1948.*

Fusain

Charcoal

Jacques G. de Tonnancour, servi par un sens critique aigu, par une curiosité d'esprit remarquable — à quinze ans, n'est-il pas un fervent naturaliste — sut très tôt laisser tomber les sottes formules, les faux préceptes.

Doué d'une ardente imagination, d'une maturité d'esprit peu commune, à vingt ans, il découvre, il admire Morrice. Cette conquête lui ouvre largement la voie vers la grandeur dépouillée de l'art contemporain.

D'un côté de l'Océan, Matisse, Bonnard, Maillol, Cézanne, Picasso, Degas, lui révèlent les qualités fondamentales, la beauté permanente de l'objet d'art. De l'autre, Roberts, Pellan le soutiennent, l'encouragent, le guident, peut-être à leur insu.

La puissance qui l'habite retrouve graduellement l'équilibre dans l'harmonie des forces sensibles et des forces intellectuelles.

Poussé par son démon intérieur, il s'engage à son tour, de plus en plus, vers la généreuse, l'exigeante recherche de l'absolu. Il sait maintenant, par sa spontanéité, par sa sensibilité particulière, nous introduire au paradis bien gardé de la beauté plastique. Ce fusain vous y convie.

Jacques G. de Tonnancour était déjà une force critique avec laquelle il fallait compter. Il sera désormais un peintre qu'on ne saurait oublier.

Jacques G. de Tonnancour, assisted by an accurate critical sense and by an admirably inquisitive spirit — at fifteen he was already a fervent naturalist — soon dropped stupid formulas and false precepts.

Gifted by an ardent imagination, by an uncommon maturity of mind, at twenty he discovered and admired Morrice. This achievement opened wide to him the way towards the naked greatness of contemporary art.

From one side of the ocean, Matisse, Bonnard, Maillol, Cézanne, Picasso and Degas disclose to him, the basic qualities, the permanent beauty of the art object. From the other, Roberts and Pellan support, encourage and guide him, maybe unwittingly.

The power which dwells in him gradually achieves equilibrium through the harmony of sensibility and intellect.

Impelled by his inner demon, he commits himself in turn, generously, more and more, to the demanding search for the absolute. He knows now, through his spontaneity and special sensitivity, how to open to us the well-guarded paradise of plastic beauty. This charcoal drawing invites you to it.

Jacques G. de Tonnancour was previously a critical power to be reckoned with. From now on, he is a painter not to be ignored.

Manières de goûter une oeuvre d'art

Ways to appreciate a work of art

Des mille manières de goûter une oeuvre d'art, une seule est absolue. Et elle est peu commune, celle qui permet la contemplation de sa beauté substantielle. Les autres sont relatives, douteuses, franchement mauvaises; quelques-unes sont infâmes. Nous les avons adoptées malgré nous, guidés, à notre insu, par la force dispersante du siècle dernier. Force toute-puissante qui nous donne le sentiment de revivre le XIe chapitre de la Genèse où, à la suite de la construction de la tour de Babel, il est dit: "Allons! descendons, et là confondons leur langage, afin qu'ils n'entendent plus la langue les uns des autres. Et l'Éternel les dispersa loin de là sur la face de toute la terre . . ."

Les causes de cette force furent nombreuses. Notre orgueil métaphysique, la première, qui nous fit croire depuis longtemps que nous possédions la connaissance philosophique parfaite, quand l'essentiel de la vie philosophique n'est pas dans la possession de la connaissance, mais dans la recherche continuelle de cette possession; la fausse littérature d'art, ensuite, les fausses critiques, tous les à-côtés, toutes les niaiseries sentimentales, toutes les turpitudes exécutèrent en nous la sentence biblique. Exécution si complète qu'il est quasi impossible à toute personne cultivée de retrouver dans l'art le lieu de sa beauté.

Un voile fut tissé des beautés illusoires, des qualités extérieures, de la puissance suggestive des chefs-d'oeuvre passés. Ce voile devint si opaque qu'il nous cacha, non seulement l'objet métaphysique de l'oeuvre d'art, mais même l'objet sensible, l'objet matériel.

Ce voile, nous l'avons aimé, enrichi, à notre tour, de notre complète incompréhension. Nous l'avons défendu avec acharnement. Était profanateur quiconque osait y toucher. C'était notre droit. Il nous coûtait des années d'un labeur incessant. Il était devenu indispensable, il remplissait toutes les fonctions, tenait lieu de tout, ne nous quittait plus: il comblait le vide de nos jours, mais du minerai de notre propre richesse subconsciente. Il donnait un prix inestimable aux copies qu'on pouvait avoir sur nos murs et par elles nous faisait croire à la présence des chefs-d'oeuvre éloignés. Si par bonheur nous approchions d'un musée, il était encore là entre nous et l'oeuvre, pour nous distraire, nous disperser.

Ce voile inviolable, sacré, dut être profané, déchiré, puisqu'il nous cachait de la beauté, la vie, le mystère; puisqu'il faussait tout, nous distrayait, nous dispersait, quand le calme, le recueillement eût été nécessaire; puisqu'il nous interdit l'approche de l'objet d'art qui seul aurait pu nous révéler son secret. Il y eut scandale, tourments et pleurs.

Un monde ancien mourait: un monde nouveau renaissait. Un monde ancien mourait, rendu au terme de son évolution.

Among innumerable ways to appreciate a work of art, only one is absolute, and it is not very common: it is the one which allows the contemplation of substantial beauty. The others are relative, of doubtful value, or plainly bad; and some are infamous. We have adopted them in spite of ourselves, swept along without knowing it by divisive currents from the last century, as if to live again chapter XI of *Genesis,* where, after the building of the Tower of Babel it says, "Let us go down, and there confound their language, that they may not understand one another's speech. So the Lord scattered them abroad from thence upon the face of all the earth."

Among these currents we may discern, first, that of metaphysical pride, which had us believe for a long time that we were in possession of perfect philosophical knowledge — when the essential of philosophical life is not possession of knowledge but the constant seeking after that possession; and second, the current of the false literature of art and of deceitful criticism, with all its by-products, all its sentimental stupidities, all its baseness. These have executed upon us the biblical sentence, and carried it out so well that it is almost impossible now for a cultivated person to locate the beauty in art. A veil has been woven from illusory beauties, from external qualities, from the assertive power of the masterpieces of the past, and this veil has become so opaque that it conceals from us, not only the metaphysical nature of a work of art, but its palpable, material nature.

It is a veil we have taken up and elaborated from sheer lack of understanding. We have protected it assiduously. They were profaners who dared to touch it. It was ours by right. It cost us years of labour. It became indispensable to our art, it filled all needs and took the place of everything; we found it everywhere. It filled a certain emptiness, but at the expense of our subconscious wealth. It gave exaggerated value to the reproductions on our walls and made us believe we were, through them, in the presence of distant masterpieces. Fragmenting our sensibility, if by chance we went near a museum, it got between us and the art work, finally replacing it.

This inviolable, sacred veil ought to have been desecrated and torn away: it was hiding from us the life and mystery of beauty and falsifying everything. It was a distraction, when quietness and reflection were necessary, alienating us, by obstructing our approach to the art object — which alone can reveal its secret. Removing this veil meant scandal, pain and tears.

Né dans le spiritualisme le plus pur, il s'effondrait quelques siècles trop tôt dans le matérialisme le plus grossier. Vous en connaissez l'histoire des débuts du christianisme à nos jours. Cette histoire, nous l'avons étudiée sous bien des angles pour en tirer de multiples leçons. Je vous propose cependant d'en rechercher une nouvelle, celle de la nécessité de la vie instinctive et intelligente de l'esprit. Nécessité constatée dans l'art par son évidente évolution.

Revoyons rapidement un album composé des images, dans l'ordre chronologique, des premiers siècles de l'art chrétien à Delacroix. Ne nous arrêtons pas à chaque planche, mais observons avec une attention particulière la transformation de l'ensemble. La vie d'une grande famille spirituelle se développera sous nos yeux. (La part raisonnable de la vie spirituelle, collective ou individuelle, prend, dans un domaine particulier, le nom de discipline intellectuelle.)

Cependant, avant de feuilleter cette collection, j'aimerais que nous remontions plus avant dans l'histoire. Composons de nos souvenirs trois autres albums, l'un de l'art romain, un autre de l'art grec, et enfin, un troisième de l'art égyptien. Nous les regarderons de la même manière. Peut-être retrouverons-nous, par l'étude de sa vie continue, la connaissance objective de l'oeuvre d'art, et par elle, aurons-nous la révélation de sa beauté propre?

Des origines connues de l'histoire de l'art égyptien à son apogée, à la fin du Nouvel Empire, quatre mille ans se succèdent de l'art le plus pur et dans la plus lente évolution. Elle commença longtemps avant cette période qui ne remonte qu'à la naissance du calendrier.

L'art, au cours de la préhistoire, dut servir la magie; passer ensuite, avec l'organisation de la société, au service de la religion ou des rois. Quels que fussent ses maîtres apparents, leurs exigences, il n'en connut jamais de plus puissant que celui de sa propre loi, de sa propre discipline intellectuelle. Elle guida lentement son évolution jusqu'à l'apogée. Faussée, il se faussa avec elle, et ils mirent tous deux dix siècles à disparaître.

La loi fatale qui conduisit cette discipline sans interruption de la vie à la mort, fut celle de la vie même. L'esprit, comme les êtres charnels, y est soumis. Il se prolonge par une transmission pure et vivifiante durant des millénaires. Mais, si un jour, arrivé au faîte de la puissance, il se complaît dans la gloire acquise, le fini du désir, dans la fin de son ultime raison d'être, de l'unique moyen de régénérescence, il se fausse, se détruit lui-même, disparaît, et avec lui, la civilisation qui lui donna le jour.

But, the old world was dying, a new epoch beginning. The old world had reached the end of its evolution: born from the purest spirituality, it had crumbled (centuries too soon) into the coarsest materialism. You know its history, from the beginning of Christianity to our own day, a history we have studied from many angles to draw a multitude of lessons. However, I propose that we search it for a new one based on the necessity of the instinctual and intelligent life of the mind — a necessity evidenced in art by its evolution.

Let us skim rapidly through an album of images, in chronological order, from the first centuries of Christian art to Delacroix. Let us not stop at each plate, but rather pay attention to the transformation of the whole. The life of a great spiritual family will develop under our eyes (the thinking part of spiritual life, whether collective or individual, takes on the name of intellectual discipline).

However, before leafing through such a collection, I would like to go back even further in history. Let us compose from memory three more such albums, one dealing with Roman art, another with Greek, and a third with Egyptian. We will look at them in the same way. Perhaps we can rediscover, by the study of their continuity, a knowledge of the actual work of art, and, through this, reveal its beauty.

From the known origins of the history of Egyptian art to its highest point at the end of the New Empire, four thousand years of the most pure art go by in slow evolution (although art begins long before this period, before the appearance of the calendar).

Art, during prehistoric times, served magic; then, as society developed, it passed into the service of religion or royalty. Whoever were its apparent masters, whatever their needs, however, it recognized only its own laws, its own intellectual discipline. These had slowly guided its evolution to an apogee. Once they were falsified, art was falsified with them, and it declined over ten centuries to extinction.

The inescapable law which brought this culture steadily down was the law of life itself — to which the spirit is subject as much as the flesh. It had been a culture perpetuated by a pure and vivifying tradition over thousands of years. But, one day, having realized its power, it took delight in its acquired glory, and in the consummation of desire; and, in losing sight of its own raison d'être, its only means of regeneration, it falsified itself, destroyed itself and disappeared, and with it the civilization which begot it.

Cette nécessité, ce désir vivifiant, cette fin dernière fut pour l'Égypte, la religion. Elle guida, de sa lumière spirituelle, tous les problèmes supérieurs de la nation; orienta l'existence vers l'infini de la vie de l'âme qu'il fallait conserver au prix de la préservation de l'enveloppe charnelle qui en est le refuge, le soutien indispensable. Vie future et éternelle qu'on souhaita la plus belle, la plus heureuse possible.

Tant que les forces actives de l'intelligence égyptienne furent éclairées par cette foi, les disciplines intellectuelles des diverses activités humaines évoluèrent dans l'ordre, la pureté, la généreuse spontanéité en marche vers l'inconnu, l'infini. Voie essentielle de la vie, de toute vie.

Croyez-vous que l'être humain, par exemple, serait semblable à ce qu'il peut être, si, à sa naissance, il connaissait par expérience — dans ses sens et dans son esprit — l'amour, la mort, la douleur, la pauvreté, le bonheur et la richesse qui l'attendent? Pourrait-il alors être généreux, noble et fier? Ne serait-il pas au contraire méfiant, rusé et mesquin? Vivrait-il dans la plénitude de ses facultés un intérêt extrême? N'est-ce pas cette ignorance même de l'avenir qui permet à la vie sa beauté, sa spontanéité?

La discipline intellectuelle de l'art égyptien toucha cet écueil du connu, à la fin du Nouvel Empire, terme d'un acheminement parfait des origines à cette période. Le premier artiste égyptien comme le dernier de sa race, semblable en cela à tous les véritables artistes du monde et de tous les temps, poussé par un impérieux besoin de rendre témoignage de la vie, poussé par l'amour d'une connaissance plus parfaite pour une possession toujours renouvelée, s'engage résolument dans le champ inexploité que sa vision lui découvre.

Dans l'ignorance de toute technique, il prend un silex et trace, dans l'harmonie parfaite de l'intelligence et des sens, l'image, à l'aspect rudimentaire d'abord, de ses victoires, de ses désirs immédiats. Pour cette image, il avait espéré une libération totale dans une possession absolue. L'image terminée, il désire la contempler: un intérêt unique lui en cache la beauté. Il ne se reconnaît plus lui-même. Sa déception est immense. Pourtant cette image est le fidèle miroir de sa complète humanité. La joie, l'enthousiasme évanouis, il constate son impuissance. Froidement, il en cherche la cause. Il ne confronte plus l'oeuvre à la plénitude anticipée où, dans l'action, son désir vivant se perd. Il l'analyse. Y découvre une force étrangère, celle de l'objectivité apparente du monde extérieur. Il croit en elle, il l'implore. Son tourment ne connaîtra plus de bornes. Un démon le possède: il lui commande: ''Recommence

For Egypt, this vivifying raison d'être was religion. It gave guidance, through its spiritual light, on all the lofty problems of the nation; it directed existence towards the infinite life of the soul (which was secured by preserving the carnal frame that was its refuge and support) — an eternal life that was to be the most beautiful and the happiest possible.

To the extent that the active forces of Egyptian intelligence were illuminated by this faith, the intellectual disciplines of different human activities evolved in order, purity and generous spontaneity towards the unknown infinite: the essential route for all life.

For example, can one believe that a human being would achieve his best potential, if, at birth, he was cognisant in head and heart of the death, the pain, the poverty, or the love, happiness and wealth that might await him? Could he then be generous, noble and proud? Would he live eagerly in the fullness of his powers? Would he not rather become the opposite: suspicious, cunning and mean? Is it not our very ignorance of the future which gives to life its beauty and spontaneity?

The intellectual discipline of Egyptian art met the stumbling block of the known at the end of the New Empire, the end of a path perfect from its beginning until then. The first Egyptian artist, like the last of his line, committed himself to the unexplored terrain that his vision uncovered. Resembling all true artists, he was impelled by the need to bear witness to life, and the love of a knowledge more perfect for being ever-renewed.

Ignorant of technique, but in perfect harmony with his intelligence and his senses, he takes a flint and traces the image, rudimentary at first, of his victories or his desires. Through this image, he hopes for liberation by absolute possession. The image realized, he wants to contemplate it, but a concern with life-likeness conceals its beauty from him. And then he is lost: he is immensely deceived. Although this image bears witness to his humanity, his joy and enthusiasm vanished, he declares his impotence: he is unable to find in the work the satisfaction anticipated. He coldly analyses it and discovers in it an alien demand for the apparent objectivity of the external world. And to this he becomes addicted — endlessly tormented by it. The demon in possession of him commands, ''Start again, and this time with my help grasp the ungraspable!'' Believing in this possibility, he responds with tireless enthusiasm and each time, the joy extreme, he thinks he has achieved that

et saisis cette fois l'insaisissable, je t'aiderai!'' Son esprit et son coeur largement ouverts, avec enthousiasme il obéit sans cesse. Chaque fois, la joie est extrême; il croit atteindre le but de son rêve. Toujours la déception est amère et il recommence avec plus d'ardeur, avec plus de générosité, avec plus de pureté. De déception en déception, une double victoire est toutefois remportée. Celle de la beauté spontanée de l'oeuvre par l'expression parfaite, dans la matière même de l'objet, de la sensibilité, de l'individualité de son auteur. Victoire complète, particulière, inimitable, qui jamais plus ne sera dépassée. Une autre aussi, incomplète celle-là, relative et circonstancielle de la technique qui évolue imperceptiblement.

Les siècles passent. L'artiste graveur devient sculpteur. De demi-victoire en demi-victoire, l'aspect se transformera au fur et à mesure que se transforme en lui la représentation qu'il se fait du monde, au fur et à mesure qu'il recevra l'aide promise. L'objet d'art, d'aspect de rêve qu'il garde longtemps, devient de plus en plus figuratif. La constante objectivité apparente le conduira de la vraisemblance à l'illusion de la réalité.

L'architecture, guidée par sa loi particulière, se développera simultanément à l'évolution de la sculpture. Au service de plusieurs maîtres, des problèmes secondaires se créent pour elle. Ici non plus, cela ne changera rien à sa profonde évolution. Elle reste strictement parallèle aux autres disciplines intellectuelles de la même civilisation.

L'art de l'architecte est plus complexe que celui de la sculpture; il n'est pas comme elle libéré de toutes fonctions utilitaires. Son oeuvre à lui doit faciliter la vie de l'homme au temple, à la cité, au foyer, y créer de l'ordre, de la beauté. Problème fini d'une part, infini de l'autre. D'une part fini, parce que l'homme doit pouvoir y remplir des fonctions exactes; infini par la nécessité de combler son désir de contemplation.

L'architecture, à l'égal de tous les arts, contient une science vivante qui se développe le long des siècles vers le bonheur de sa maturité. D'aspect sauvage, rudimentaire, des époques préhistoriques, graduellement elle s'humanise. La stabilité de sa construction réalisée, elle deviendra plus large, plus souple, plus raffinée, plus fleurie. Là encore de demi-victoire en demi-victoire l'impossible devient possible.

La conquête semble entière dans tous les arts: l'architecture a satisfait les exigences humaines. La statuaire est dans toute sa splendeur. L'art ornemental a raison de tout. La civilisation égyptienne, dans la puissance sans limites de sa maturité, se croit désormais éternelle. Le poids de son

objective; and, even when this proves to be a bitter deception, he begins again, as optimistic as ever. Yet, from deception to deception, a double victory is nevertheless sustained: there is the victory of the material beauty of the work, reflecting the sensibility and individuality of its author — a particular and inimitable achievement which cannot be surpassed — and then the circumstantial victory, incomplete and relative to the technique which imperceptibly evolves.

The centuries pass. The graphic artist becomes sculptor. From half-victory to half-victory, in proportion to the promised ''help'' he actually gets, the image becomes a representation of the world. The art object, once bound to a dream, becomes more and more realistic, and constant apparent objectivity will lead it from semblance to the illusion of reality.

Architecture, under its own law, will develop simultaneously with sculpture. For although, in serving many masters, secondary problems arise for it, we do not find its profound evolution affected. Its development remains in tune with other intellectual disciplines of the civilization.

The art of architecture is more complex than that of sculpture; it is not free, like the latter, from utilitarian functions. The architect must facilitate the life of man in the temple, in the city, in the home, while at the same time creating order and beauty. There are finite problems on one side, infinite problems on the other: finite, from man's need to perform precise tasks, infinite from his desire for contemplation.

Architecture, like every art, embodies a living science which develops over centuries towards the happiness of maturity. From a savage, rudimentary art in prehistoric times, it gradually becomes humanized. Then, the stability of its construction realized, it becomes grander, freer, more refined or more florid, and here again, from one half-victory to another, the once impossible becomes possible.

Such conquest seems total in architecture, statuary and ornament. Egyptian civilization, in the power of its maturity, now believes itself to be eternal. The force of its skill is enormous. But human equilibrium is upset and its fall changes the course of the spirit — in a decline that takes ten centuries. So disappears one tree of spiritual life and its wide ramifications. But it has permitted, for more than four thousand years, the spontaneous beauty of a severe and pure art.

savoir-faire est formidable. Il renverse l'équilibre humain, et fausse dans sa chute l'orientation de l'esprit. La mort mettra dix siècles à tout niveler. Ainsi disparut cet arbre de vie spirituelle aux ramifications profondes. Il avait permis, plus de quatre mille ans, la beauté spontanée d'un art sévère et pur.

Après l'art d'Égypte, fruit de l'immobile grandeur d'une éternité bienheureuse, celui de la Grèce nous convie de son sourire, invitant à la joie de vivre, au sein de laquelle la soif d'un bonheur infini ne fera plus défaut. La recherche passionnée de cette divine harmonie fera son unité spirituelle, orientera sa métaphysique, déterminera sa civilisation. Encore et toujours, l'art suivra son évolution.

L'époque historique est bien courte. Elle ne remonte qu'à la première Olympiade, en 776, pour se terminer avec l'occupation romaine, l'an 146 avant Jésus-Christ; quand au vingtième siècle avant notre ère l'art préhellé-nique existe déjà, se développe des milliers d'années simultanément à l'art égyptien.

La Grèce, dans l'isolement géographique et intellectuel, refit, indépendante, les mêmes conquêtes de l'objectivité. Phidias, au cinquième siècle, situe son apogée. Soit cinq cents ans après l'époque glorieuse de l'Égypte. Dans une pureté exemplaire, l'art grec acquit graduellement l'aspect de tous les charmes de la vie corporelle des êtres. Ces victoires furent l'une des causes extérieures de notre perte par la Renaissance; la seconde du même ordre vient de la même manière, de la Rome ancienne.

La sculpture de Phidias reste fière, noble, pure, généreuse. Elle est surchargée en plus de mille reflets des beautés extérieures qui nous sollicitent: beauté idéalisée des corps et des mouvements, de tous les éléments utilisés par le sculpteur. Beautés intrinsèques par leur harmonieuse expression dans le marbre, mais illusoires dans leur objet. Nous avons goûté jusqu'à l'enivrement l'illusion; nous avons ignoré l'expression. Nous nous sommes empoisonnés du reflet de la vie qui semble circuler dans ces êtres de pierre, mais nous avons oublié la vie particulière, la seule vie réelle de l'oeuvre.

Tout comme le dixième siècle de l'art égyptien, le cinquième de l'art grec voit se rompre l'équilibre: l'unité humaine est perdue. L'expérimentation continuera vers de nouvelles mais fausses conquêtes. La perfection, la science qui avant Phidias et avec lui était gratuite — don magni-fique de la vie dans l'élan vers l'inexprimable — deviennent la fin d'un désir précis, parfaitement calculé. L'artiste ne fait plus tout ce qu'il peut, différence extrême, il acquiert l'habileté nécessaire à l'exécution de tout ce qu'il

After the art of Egypt, fruit of the immobile grandeur of a happy eternity, that of Greece smiles enticingly, and invites us to its joie de vivre, where the thirst for happiness will never want again. The impassioned search for divine harmony will produce a spiritual unity, direct a metaphysics, and determine a civilization. Again, as before, art will pursue its own destiny.

The historical period is quite short. It begins with the first Olympiad, in 776, and ends with the Roman occupation, in 146 B.C. (although pre-Hellenic art has existed in parallel with Egyptian for centuries).

Greece, in geographic and intellectual isolation, repeats independently the conquest of objectivity; and Phidias, in the fifth century, marks its high point five hundred years after the great period of Egypt. With an exemplary purity, Greek art gradually acquires the charms of bodily life. But such victories, via the Renaissance, are to be one of the external causes of our fall; others, of identical kind, will come from ancient Rome.

The sculpture of Phidias remains proud, noble, pure and generous. It is also harnessed to the thousand reflections of exterior beauty which attract us: the idealized beauties of body and movement and all the elements used by the sculptor, beauties intrinsic to a harmonious expression in marble, but finally superficial. We have enjoyed, to the point of intoxication, the superficiality, but we have neglected the expression. We have poisoned ourselves with the reflections of life which seem to inhabit these stone beings, but we have neglected the profounder life of the work.

As in the tenth century of Egyptian art, the fifth century of Greek art sees equilibrium break, and human unity is lost. Experimentation will continue towards new but false conquests. The perfection, the science, which before Phidias and with him were almost a by-product — magnificent gifts of life in its impulse towards the inexpressible — now become the perfectly calculated end. The artist no longer does what he can, but, and the difference is crucial, he

veut. La science, la perfection, de positives qu'elles étaient, deviennent négatives. De sensibles, abstraites.

Le goût sain, vivant dans son désir intransigeant de l'essentiel, se fourvoie; il recherche maintenant la joie prostituée de l'habileté acquise et perfectionnée, de l'accessoire, du secondaire. Le jugement se fausse: il décrète essentiels l'habileté, l'accessoire, le secondaire. Il croit que la science codifiée, complètement exploitée, est indispensable. Il ne se rend pas compte combien nocive elle est pour l'art. La vie puissante et généreuse se perd dans la mesquinerie de vains exercices d'un perfectionnement insensé. Quatre siècles conduiront la civilisation grecque de l'impuissance à la mort.

Au cours de son évolution du connu à l'inconnu, l'art égyptien acquit la science anatomique. Leurs pharaons nus sont des merveilles de précisions. Merveilles autrement plus émouvantes que tous les manuels que l'on met encore, de par le monde, entre les mains de jeunes artistes. Mais les Égyptiens négligèrent la perspective. Aucun soupçon de cette science n'apparaît dans leur art. (Perspective veut dire, dans un sens, science de l'illusion.) De tels problèmes ne se posèrent pas intellectuellement pour eux. L'architecture, la statuaire avec leur réelle profondeur leur suffirent. L'ornementation sculpturale de leur architecture était en ronde bosse partout où l'élément architectonique s'y prêtait, aux colonnes, par exemple. Sur les murs, la sculpture était la plus belle écriture que l'on puisse rêver. Jamais de moyen ou de haut-relief. L'objectivité est obtenue directement par la vivante sensibilité du trait, du modelé d'une finesse extrême. La même discipline est inconsciemment suivie dans la peinture. Je dis inconsciemment, car à la fin de la décadence, sous l'influence grecque, une frise existe, celle de Ptolémée VI entre les déesses du Nord et du Sud du temple d'Edfou, où ce problème illusoire de la profondeur est posé consciemment pour la première fois. Essai malheureux d'une assimilation impossible. Il venait trop tard pour l'art égyptien à jamais perdu. À la Grèce revient d'avoir vécu la découverte de la perspective. De subtils problèmes d'illusion d'optique furent même rigoureusement observés et résolus par l'architecte.

L'art romain peut naître. Il n'aura rien à inventer. En Égypte, en Grèce, les arts furent divins; ils découvrirent spontanément leurs moyens d'expression plastique. L'art romain sera, lui, très humain; il vivra des découvertes étrangères et fabriquera l'art moral. Nécessité métaphysique, conditionnée par l'impureté foncière de sa civilisation d'emprunt. La grandeur romaine résulte de la généreuse impétuosité à vivre, de la rigueur, de la pureté initiale des moeurs, du désintéressement individuel. Sa formidable force vitale lui permettra de tout assimiler.

acquires the facility to execute anything he wants. Science and perfection, positive as they once were, become negative, tangible as they once were, become abstracted.

Sound taste, alive when preoccupied only with the essential, loses its impetus; it looks now for the prostituted joy of acquired and perfected skill, for the accessory, for the secondary. It believes that codified science, rigorously applied, is indispensable, and does not realize how injurious this is for art. Powerful and generous life loses itself in vain exercises which aim at insane perfection. Four centuries will lead Greek civilization from impotence to death.

During its evolution from the known to the unkown, Egyptian art acquired anatomical science. Its naked pharaohs were marvels of precision, more moving than all the anatomical illustrations that we put into the hands of our young artists. But the Egyptians neglected perspective (the science of illusion); no sign of it appeared in their art. They saw no problem in this. Architecture and statuary, dealing with real depth, were sufficient. Sculptural ornamentation was applied on free-standing elements wherever the architecture called for it, as with columns, for instance, or walls. Their reliefs became the most beautiful calligraphy one could dream of. There was never any high relief; their objective was achieved through a lively sensitivity of line and extremely refined modelling. The same may be said of their painting. However, at the end of the decadent period, in an unhappy attempt to assimilate Greek influence, a frieze does exist, of Ptolemy VI, between the northern and the southern goddesses of the Edfou Temple, where the problem of depth was solved consciously for the first time — though too late for Egyptian art, which was almost at an end. To Greece belongs the privilege of having lived the discovery of perspective. Some subtle problems of optical illusion were even rigorously noted and solved by her architects.

Roman art can now appear, with nothing to invent. In Egypt, in Greece, the arts have been divine; they have spontaneously discovered their means of plastic expression. Roman art, for its part, will be very human; it will adopt earlier achievements and make a moral statement: a metaphysical necessity that follows from the impurity of its borrowed civilization. Roman greatness will come from a generous impetuosity, the rigour and the initial purity of its moral life, and the disinterestedness of the individual. Its formidable life force will drive it to assimilate everything.

Muni de ces qualités, puissant de la virginité de l'art étrusque, aidé de ce que la Grèce possède de forces vives et de ce qui n'est pas encore mort de l'Égypte, l'art romain ira à la conquête du monde. D'une bravoure remarquable, aucun problème ne lui fait peur. Pour la première fois dans l'histoire il s'attache à la recherche de l'expression des beautés d'ordre moral. L'âme humaine lui prêtera ses sentiments; il devient familier ou grandiloquent. Son évolution fut aussi rapide que le furent les conquêtes militaires. Dans cent ans il atteint la puissance: il mettra trois siècles à se corrompre au rythme des corruptions ambiantes.

Au sein de cette outrageante splendeur, une philosophie jeune, ardente, une religion nouvelle, se propageait, gagnait chaque jour plus d'adeptes. Loi de vie venue de la Judée conquise par César. Elle s'infiltra sans faiblesse au cœur de Rome et de là rayonna dans ses colonies. Rien n'agit contre elle, ni les persécutions, ni les honneurs. Elle était invulnérable. Progression du christianisme, chute de l'empire romain. L'une ne fut pas la cause de l'autre, la première accompagna seulement la dernière. La civilisation romaine rendue depuis longtemps à la maturité est incapable de renouvellement.

L'individu, de désintéressé qu'il était, devient intéressé, de généreux, calculateur. La vie n'est plus un système, il sait maintenant ce qu'il attend, ce qu'il en désire. Il avait ardemment voulu la force que donnent le travail, l'intelligence, force qui en retour durant la phase empirique de la civilisation apporte généreusement la puissance. Il avait tout donné, tout sacrifié pour la gloire lointaine, incertaine, inconnue. Il désire maintenant la puissance de la gloire par tous les moyens, par la ruse, par le meurtre. Les facultés supérieures de l'être se détruisent elles-mêmes avec un acharnement diabolique. Ce qui est sain ne réussit plus, seule la malhonnêteté a des chances de succès. L'art devient une imposture, la science, une exploitation, la religion, un moyen de subsistance. L'ordre de la vie était disparu, remplacé par le désordre de la mort. Ce fut la seule raison de sa perte. Quelques révolutions faussées à leur point de départ tentèrent en vain le rétablissement de l'équilibre. Les invasions des Barbares purifièrent le monde de cette putréfaction. Aucun pays de la terre ne put prendre pareille succession. Ce fut le chaos où sombra le monde antique.

Seule monta de ces ruines, dans la nuit tremblante d'appréhension qui succéda à ce gigantesque effondrement, la divine flamme de la religion nouvelle. Toutes les intelligences, tous les cœurs devinrent chrétiens.

L'art qui en naquit vécut trois siècles difficiles au centre de la Rome païenne. Possédé de sa raison particulière de vie, il épura d'abord l'art romain pour réagir ensuite violemment

Served by these qualities, inspired by the virginity of Etruscan art, by what still remains of Greek vivacity and by what is not yet dead in Egypt, Roman art will set out to conquer the world. Remarkably brave, no problem will scare it. For the first time in history, art will undertake to express the beauty of a moral order, to which the human soul will lend feeling — both intimate and rhetorical. Evolution will be as rapid as military conquest. One hundred years will see maturity, and three more centuries will see decay, in rhythm with more general decadence.

But amidst outrageous splendour, a young, ardent philosophy, a new religion, nurtured in the Judea conquered by Caesar, begins to grow, winning each day more adherents. It penetrates without compromise into the heart of Rome and from there radiates to the Roman colonies. Nothing hinders it, neither persecution nor approval. It is invulnerable. However, the rise of Christianity and the fall of the Roman Empire are not causally related: they simply accompany each other. Roman civilization, having long since reached its maturity, is incapable of regeneration.

The individual, once disinterested, becomes self-interested; generous as he was before, he becomes calculating. He no longer takes life for granted; he knows now what he expects and desires from it. Once, he wished only for the strength acquired through work and intelligence, which, during the first phase of civilization, brought power with it, and he gave his all, sacrificed everything, for a distant, unpredictable glory. Now, he wants power from his glory by any means, even by cunning or murder, and the higher faculties of mankind are bent on self destruction. Sane values function no longer; dishonesty alone has a chance. Art becomes a deception, science an exploitation, religion a means of livelihood. The natural order of things is replaced by a mortal disorder. A few abortive revolutions attempt vainly to reestablish equilibrium, until barbarian invasions finally cleanse the world of putrefaction. No country can survive such a succession of events, and in the chaos the Ancient World founders.

Alone, there arises from its ruins, in the trembling, apprehensive night that follows this collapse, the heavenly flame of the new religion. Every intelligence, every heart becomes Christian.

contre lui. Ce que les invasions étrangères avaient épargné, il le détruisit pour reconstruire, quelques fois avec ces ruines, selon sa rigoureuse discipline intellectuelle et instinctive. Il ne conserve de l'art païen que la science pratique de construire une voûte, invention étrusque. Dans une absence admirable de moyens, dans une pauvreté évangélique, l'art chrétien refit, à son insu, les expériences anciennes. Il grandit ainsi jusqu'à la fin du Moyen Âge, acquérant sans cesse par la seule vertu de son désintéressement, richesse sur richesse d'expression plastique. Un fait imprévu modifia alors le rythme de son évolution.

Normalement, il aurait mis encore des siècles à atteindre la possibilité technique d'exprimer, dans sa perfection, l'illusion de la beauté objective qui le sollicitait. La découverte de l'art romain sera une révélation. L'artiste réalise instantanément, pour la première fois, dans une lucidité extraordinaire, le terme vers lequel il s'achemine dans une inconscience de moins en moins grande. Simultanément, toutes les sensibilités firent un bond en avant. Ce bond nous l'avons nommé: la Renaissance. C'était plutôt, pour l'art chrétien, une vieillesse prématurée. L'on sentit profondément la beauté accomplie de l'art romain, mais l'on ne comprit pas comment elle avait été possible. La discipline était en retard sur la sensibilité. (L'exact contraire se produit aujourd'hui pour l'art vivant.) Tous les esprits furent saisis d'une soif de connaissance encore inconnue; elle se perpétue dans la science contemporaine. L'on experimente avec fièvre les sciences connexes de l'art. Chaque jour apporte de nouvelles conquêtes. L'Italie, la première, vécut cette gloire extravagante: Léonard de Vinci, Michel-Ange, Raphaël. L'étude de l'art grec fut entreprise avec la même passion. La contagion gagna l'Europe entière. Les artistes se mirent à l'école de Rome; ils participèrent à cette fièvre. De retour au pays, ils y implantèrent la Renaissance. Elle s'acclimata partout: les disciplines anciennes furent abandonnées. Par sa prodigalité, la Renaissance s'épuisa graduellement. De pure, de vivifiante qu'elle fut, elle empoisonna tous les domaines de l'art. Vous seriez surpris de savoir ce que chacun de nous lui doit. N'étudie-t-on pas encore le dessin par la copie de l'antique? Il y a plus de trois siècles qu'il en est ainsi. Il ne reste vraiment qu'un sujet de consolation. L'art égyptien, le plus lent de tous, mit dix siècles à mourir. Trois de dix reste sept: ce n'est pas pour demain.

L'art italien fut le premier à sombrer en croyant que la jouissance négative de la gloire et de la science passées (acquises dans l'action) était une inflexible tradition vivante. Il voulut se conserver intact et pur, sans la règle de vie. Il n'en est pas encore revenu. L'art des autres pays le suivit dans la tombe et pour la sceller à tout jamais, on organisa l'enseignement négatif des Beaux-Arts. La France seul pays

The art born from this new religion lived three difficult centuries in the middle of pagan Rome. Possessed by a life force of its own, it first purified Roman art and then reacted violently against it. What had been spared by foreign invasions, it destroyed in order to rebuild according to a new, rigorous, intellectual and instinctive discipline. It retained from pagan art only the practical science of vault building, an Etruscan invention. With a salutary lack of means, in evangelical poverty, Christian art repeated the old experience unwittingly. It grew thus until the end of the mediaeval era, acquiring constantly, by the sole virtue of disinterestedness, wealth upon wealth of plastic expression. An unforseeable fact then changed the rhythm of its evolution.

Normally, it would have taken centuries to reach the technical means for expressing perfectly that illusionistic, objective beauty which beckoned. But the discovery of Roman art was to be a revelation. The artist realized for the first time, with extraordinary lucidity, the goal towards which less and less unconsciously he had been moving. Simultaneously, all the sensibilities took a leap forward. This leap we have named the Renaissance. But it was rather, for Christian art, a premature old age. Everybody sensed the accomplishment of Roman art, but nobody understood how it had been possible. Technical means lagged behind sensibility (the exact opposite happens now with ''living'' art). All minds were seized with that unprecedented thirst for knowledge which today finds its expression in science. People feverishly experimented in the art-related sciences, and each day brought its new conquest. Italy was first to live this extravagant glory (Leonardo da Vinci, Michaelangelo, Raphael). The study of Greek art was undertaken with the same passion, and, the epidemic spreading all over Europe, artists contracted this fever — putting themselves to school in Rome and returning to their own countries to import the Renaissance. It transplanted easily, and old disciplines were abandoned. But, by its own prodigality, the Renaissance gradually exhausted itself. From being pure and lifegiving, it came to poison every domain of art. You would be surprised to know what each of us owes to it. Do we not still learn to draw through copying the antique? It has been like that for more than three centuries, and it is not going to change tomorrow. Indeed, Egyptian art took ten centuries to die, and three from ten leaves seven!

de l'Europe sut sortir victorieuse de cette calamité. Et quand je dis la France, je ne pense qu'à la France vivante qui crée sans cesse dans la liberté. La France généreuse et ardente dans la poursuite de l'essentiel, de l'éternel, de l'absolu. Cette France-là fut souvent révolutionnaire. Elle le devient une fois de plus et retranche son existence en dehors des cadres de la société faussés, corrompus. La mort et la vie cohabitèrent la même nation. Une lutte ouverte s'engagea entre ces éléments, qui désormais sera peut-être éternelle.

De national que l'art était en Égypte, en Grèce, il devint international avec la civilisation romaine. Il n'a pas cessé de l'être depuis. Cette lutte engagée le fut aussi. L'art français sauva l'art occidental, sinon l'art chrétien.

Il puisa peut-être la force vitale nécessaire dans la réserve créée par ce bond en avant vers la mort prématurée que fut la Renaissance. Il sut, en tout cas, logiquement, normalement, simplement nous conduire à une vie nouvelle, inespérée. Vie nouvelle que nous ne méritons plus. Chardin, Corot, David, Delacroix terminent cette évolution. Après eux, dans la même lignée, c'est le néant. La science du métier, de la technique, l'habileté, le souci du rendu, au poil (en violent langage d'atelier), sont encore une fois dans l'histoire recherchés pour eux-mêmes dans l'abstrait d'une connaissance considérable mais fixe, finie, insensée. C'est la négation de l'art, par la perte de l'équilibre, de l'harmonie humaine. Un monde ancien meurt.

Un nouveau renaît à la lumière, à l'ardeur, à la pureté première. L'Impressionnisme nous le révèle, en découvrant, pour l'art, un champ totalement inconnu d'expérimentation: celui de la lumière physique. Bienheureuse lumière qui chassa du coup toutes les illusoires beautés passées. Le scandale fut retentissant. Nous n'étions plus habitués à tant d'air frais. L'on se rendit cependant à l'évidence après trois quarts de siècle. Aujourd'hui, les personnes soi-disant cultivées acceptent les Impressionnistes, sans beaucoup d'ardeur, sans amour; mais l'on conçoit qu'ils furent utiles.

L'admiration s'arrête là. Pas plus que pour les oeuvres du passé, on ne contemple leur beauté réelle, objective. Sisley, Degas, Renoir nous choquent encore, nous froissent, nous dérangent. Nous étions si bien sans eux, dans notre chambre close. Les faux artistes plus intéressés que le public et sans cesse à l'affût d'un perfectionnement continuel, s'emparent des moyens techniques découverts et les exploitent. Ils continuent ainsi la mort de l'art officiel. D'autres, dans leur candeur par trop juvénile, se vantent, après de longues années d'étude ou même d'enseignement, d'être à la découverte de cette étourdissante lumière, comme si elle pouvait leur être encore inconnue.

Italian art was the first to founder, in the belief that it was an inflexible, living tradition to perpetuate the science and past glory born of a once vital activity. It wanted to preserve that tradition untouched and pure, without regulation from life, and is still not free of this. The art of other countries followed it to the grave, and, to seal their tomb once and for all, the negative instruction of the academy was organized. France was the only European country to survive this calamity. (And when I say France, I think only of that living France which creates ceaselessly in freedom, generous and ardent in its search for the essential, eternal and absolute. This France has been often revolutionary, and now is so once more, and restructures her existence outside the framework of a false, corrupted society. Life is competing with death in the same nation, in an open struggle which from this point may be endless.)

National as art was in Egypt or Greece it became international with Roman civilization, and has remained so — the struggle begun then remains international still. Indeed, French art has saved all Western art, although it has not remained Christian.

Maybe it drew its vital strength from the reserve created in that leap towards premature death which was the Renaissance? It knew, at any rate, how to lead us logically, normally and simply to a new, unhoped for life — one that we no longer deserved. After Chardin, David, Delacroix and Corot had drawn the Renaissance to a close, there was nothing to be seen of their lineage, except craftsmanship and technical ability (the care for the ''rendu'' and the ''au poil'' — to use studio terminology) still sought for their own sake, in the abstract, as a considerable but frozen, final and idiotic amount of knowledge. This was the negation of art, through the loss of equilibrium and human harmony — the last gasp of official tradition.

But an eager tradition was born to light and primal purity: impressionism revealed to us, and discovered for art, a completely unknown field of experiment: that of physical light (which vanquished all the old illusionistic beauties). The scandal was astounding; we were not used to so much fresh air! But we gave in gradually to the evidence, after three quarters of a century, and, today, so-called cultivated persons accept the impressionists, not with too much eagerness or love, but conceding that they had a point.

Enfin l'on crut comprendre les Impressionnistes. Ils expriment encore l'une des formes extérieures de la nature. Après eux tout s'enfonce. C'est le gouffre infranchissable.

En exprimant les formes du monde invisible, l'art occasionne la rupture, la confusion entière, comme si personne, en dehors des artistes ne possédait un monde étranger au monde qui l'entoure, un monde de "monstres familiers" selon la jolie expression de François Hertel.

Il était à prévoir ce gouffre infranchissable. Nous avions toujours recherché les qualités d'emprunt, aimé les beautés idéales, les beautés extérieures de la nature, quand il n'aurait jamais fallu cesser de contempler les beautés réelles, la beauté objective de l'oeuvre d'art. Nous en avions aimé la beauté abstraite, sans en aimer la beauté sensible. Quand sans la beauté sensible, il ne saurait y avoir de réelle beauté abstraite. Nous n'avons aimé dans l'art que ce qu'il y avait d'illusoire, préférant ainsi l'ombre à la proie. Quand jamais cette première, si belle fût-elle, n'aurait dû seule nous satisfaire. Nous avons oublié constamment la beauté essentielle quand elle aurait dû avoir toute notre sollicitude, tout notre amour. Nous n'avons aimé dans l'art que ce qu'il avait de voulu, de réalisé, d'atteint dans la figuration; donc ce qu'il a de définitivement fixé, d'impersonnel et partant de mort. Quand il aurait fallu contempler en lui ce qu'il a de spontané, de généreux, de fatalement personnel, donc, ce qu'il a d'éternellement vivant et par là de forcément changeant.

D'un côté c'est l'illusoire, l'apparence irréelle de la vie, mais la mort réelle dans la fixité. De l'autre, c'est le tangible avec ou sans l'apparence irréelle de la vie, mais c'est la vie réelle dans la constante évolution. Tel est le désaccord: le public vivant dans la mort de l'art; les amis de l'essentiel vivant la vie de l'art.

Ces conditions ingrates confondirent le langage. Si l'art vivant emploie sa langue, nous ne l'entendons plus; s'il emploie la nôtre, sa raison le désapprouve. S'il dit, par exemple, en employant notre langage: "Vous aimez de l'oeuvre d'art les beautés idéales", il pense: "La beauté idéale ne saurait exister que dans son objet qui est l'idée, hors de laquelle aucune réalité ne lui est possible". — "Vous en aimez les beautés naturelles." Il pense: "La beauté naturelle ne saurait exister que dans la nature, hors de laquelle son aspect est illusoire". Nous disons: "Ceci fait bien, cela fait mal". Lui pense: "Ceci est bien, cela est mal. Qu'importe que le bien fasse mal, que le mal fasse bien".

L'extrait de la Genèse ne commençait pas trop haut: "Allons! descendons, et là confondons leur langage, afin qu'ils n'entendent plus la langue les uns des autres ..."

And that is as far as it goes. Real, objective beauty is grasped no more than it is with earlier art. Sisley, Degas, Renoir shock and offend us still. We were better off without them, behind our drawn blinds! Only outsiders, more interested than the public, and avid for perfection, seize upon the new techniques and exploit them (hastening in that way the death of official art), until others, in youthful naivety, and some after years of study or teaching, themselves lay claim to the discovery of this amazing light — as if anyone could still not know the facts. So, at last, the impressionists are thought to be understood (after all, they still refer to recognisable natural forms). However, after them everything is engulfed: we have the unbridgeable abyss.

In turning to the forms of the invisible world, art causes an earthquake, a total confusion; it is as if nobody except the artist possessed an internal world foreign to the one around him — a world of "familiar monsters", as François Hertel puts it.

This abyss was to be foreseen. We had sought always after superficial qualities, ideal beauties or natural appearances, when we should have fixed unblinkingly on real beauty, on the intrinsic beauty of the work. We have loved its abstract beauty, without loving its palpable beauty, when without palpable beauty no other is possible. We have loved in art only that which was illusory, preferring the shadow to the substance, when, as beautiful as it may have been, this alone should not have satisfied us. We have neglected the essential beauty when it should have had our constant solicitude and all our love. We have loved in art only its **willed, realized, figurative achievement** — fixed, impersonal and consequently dead — when we should have seen in it the spontaneous, the generous, the indelibly personal (which is eternally living, and inexorably changing).

On the one hand, we have the illusory, artificial appearance of life, which in effect means fixity and death; and on the other we have a concrete entity (with or without the artificial appearance of life) which in effect partakes of the constant evolution of actual life. Such is the dichotomy: the public living for what is dead in art; the friends of the essential, for what is alive.

Il faudrait reviser nos notions, refaire l'unité. L'art peut être pour nous l'occasion d'un renouvellement complet de notre vie intellectuelle et sensible. Le temps est propice; un puissant intérêt nous anime. Depuis des semaines, des mois, des années, une profonde inquiétude nous gagne, accumulée par la multitude d'oeuvres d'art réputées des chefs-d'oeuvre, qui nous échappent, nous déplaisent ou nous font horreur. Nous sentons qu'un monde neuf, puissant, irrésistible se construit sans nous. Comment lui rester indifférent? Ne faudrait-il pas encore plus de force pour la résistance qu'il n'en faudrait pour abandonner, pendant qu'il en est temps, ce voile épais de nos préjugés qui nous fait tant de mal?

Quelques-uns d'entre nous doutent déjà de certaines convictions d'hier. Nous interrogeons dans le trouble, l'ère nouvelle qui s'avance, accompagnée de l'horrible tragédie universelle. Tragédie dont nous souffrons de tout notre être.

Une époque héroïque est commencée pour plusieurs; elle s'étendra à tous. Pourquoi ne pas en être dès maintenant? Ne savons-nous pas que tous ceux et tout ce qui a réussi en ce siècle et demi passé, n'étaient pas nécessairement le meilleur? Ne savons-nous pas que de grands poètes sont morts inconnus, que de grands savants furent persécutés, que de grands artistes subirent le ridicule toute leur vie? Nous savons que la révision des comptes s'opère, qu'elle continuera; nous savons que tout être humain devrait se remettre à cette tâche éminemment humaine de détruire en lui ce qui a été corrompu, de redresser ce qui a été faussé, pour continuer ce qui est resté sain. L'avenir ne devrait plus nous trouver en défaut.

Les Impressionnistes, les premiers, nous ont donné cet exemple de générosité: le courage d'aller de l'avant vers de nouvelles conquêtes. Par l'expérimentation des problèmes de la lumière colorée ils eurent, sur l'évolution de la discipline intellectuelle, une double action. Ils complètent le cycle de l'expression plastique du monde extérieur qu'avaient entrepris les arts occidentaux passés. (L'art égyptien mit des siècles à la conquête de l'anatomie. L'art grec refit cette conquête en plus de la science optique de la perspective. L'art romain se servit des deux, emprunta en outre les sentiments de l'âme humaine. L'art chrétien suivit aussi ce même chemin et avec l'avènement de la peinture à l'huile s'attache à rendre l'intimité des êtres et des choses. Je pense à Vermeer, à Chardin, à Corot. Les Impressionnistes nous donnèrent la lumière colorée du paysage. Toutes les heures du jour et de la nuit furent mises à contribution, complétant ainsi la discipline intellectuelle de l'objectivisme.)

These difficult conditions create confusion in language. If living art employs its own language, the public does not understand; if it uses the language of the public, its own sense of logic disapproves. If it says, for instance, using common language, ''You like the ideal beauty of a work of art,'' it thinks, ''Ideal beauty can exist only in subject matter, outside of which no reality is possible for it,'' if it says, ''You love its natural beauties,'' it thinks, ''Natural beauty exists only in nature, outside of which its appearance is illusory.'' The public might say, ''This looks good, this looks bad,'' where art thinks, ''What matter if what is good *looks* bad, and what is bad *looks* good?''

The extract from *Genesis* was not idly chosen: ''Let us go down, and there confound their language, that they may not understand one another's speech.'' Society must revise its understanding and rebuild unity. Art could be the occasion of a complete renewal of intellectual and sensuous life. The time is ripe — a profound concern animates society. For years its anxiety has mounted over the number of art works reputed to be masterpieces, but which escape it, displease it or horrify it. Society feels that a whole world is building without its participation. How can it remain indifferent? Even so, it will waste its strength resisting the new, when it could abandon the veil of prejudice which harms it so much, while there is still time.

Some of us already doubt convictions of yesterday. We worry about the new era which progresses accompanied by horrible, universal tragedy — that we suffer in our very being.

An heroic epoch has begun for many; it will spread to everyone. Why not join it — now? Do we not know that the best has not necessarily succeeded in this century? Do we not know that great poets have died unknown, that great scientists have been persecuted, that great artists have been ridiculed all their lives? What we do know is that the account is now being revised and that it will continue to be; and we do know that human beings should deal with the eminently human task of destroying in themselves what has been corrupted or falsified, in order to foster what is healthy. The future must not find us in default again.

The impressionists were first to show such generosity. They had the courage to attempt new conquests. In experimenting with problems of light and colour, they had a double effect. Firstly, they completed the cycle of naturalism undertaken by Western art of the past. (Egyptian art took centuries to conquer anatomy. Greek art recapitulated this conquest and invented the optical science of perspective. Roman art used both, borrowing also from the feelings of the human soul. Christian art followed the

Ils indiquent également le chemin d'une nouvelle discipline intellectuelle, celui du subjectivisme que le public ne veut pas encore admettre. Pourtant rien n'est changé à l'oeuvre d'art et jamais rien n'y sera changé tant que la matière sera ce qu'elle est et que l'homme restera humain. Je répéterai que tout objet d'art est fait de deux choses aussi réelles l'une que l'autre: d'une matière palpable: métaux, pierre, bois, peinture, papier, fusain, etc., d'une part, et de la sensibilité particulière de l'artiste, d'autre part: sensibilité imprimée dans la matière même de l'objet. Sensibilité d'autant plus générale, plus universelle qu'elle sera plus vivante, plus identifiable, plus pure. Cela seul est objectif à l'oeuvre d'art. Le reste n'est qu'illusion.

L'objectivisme de l'art ancien est une illusion de la réalité extérieure à l'artiste. Le subjectivisme du nouveau est une illusion de la réalité intérieure à l'artiste. L'objet d'art reste intact, intouché, inviolé. Seule l'illusion a changé. Et la violence du malentendu prouve combien nous avons aimé, par le passé, cette chère et unique illusion.

L'Impressionnisme en fermant une voie en indiquait une seconde. Les Fauves la suivirent. L'artiste romain sculpta, non seulement l'aspect physique, mais par le physique l'aspect moral de ses modèles. Matisse peignit ni l'un ni l'autre: il est à la poursuite de l'unique expression de son individualité consciente au moyen des êtres et des choses. Cézanne, Gauguin, Van Gogh, nés à l'art au sein de cette école, la quittèrent très tôt pour retourner à la forme extérieure sacrifiée au profit de la forme-lumière. Les tableaux devenant papillotants, ils les reconstruisirent dans une solidité jusqu'alors inconnue.

Cézanne révéla la poésie de la forme. Révélation forte de nouvelles expérimentations. La forme cézannienne étant poétique en elle-même, il restait à prouver si, dégagée de toute figuration, elle le serait encore. Le cubisme entreprit cette vérification. Il rompit complètement avec l'apparence des choses: les désorganisa pour les réorganiser selon la seule rigueur plastique. Des possibilités picturales insoupçonnées se découvrent. Sans rappel immédiat de l'extérieur, sans même la vraisemblance, la poésie, la beauté substantielle persistent. La sensibilité reste intacte, la matière très pure. La preuve éclatante chante victoire.

Le cycle de la nature extérieure est bouclé par Renoir, Degas, Manet. Le cycle de l'expression propre, du moyen employé, intermédiaire entre l'artiste et le monde visible, est clos par le cubisme. Un seul reste ouvert: celui du monde invisible, propre à l'artiste, le surréalisme.

Notre ignorance scientifique de l'homme, de la vie, semble ouvrir un champ infini à l'art, cet éternel explorateur. Des

same path, and, with the appearance of oil painting, endeavoured to express the intimate aspect of beings and things: I am thinking of Vermeer, Chardin, Corot. The impressionists gave us the coloured light of landscape — every hour of day and night was solicited — completing thus the discipline of naturalism.) Secondly, they indicated the path of subjectivism, which the public does not yet want to accept. However, nothing has been changed in the work of art, and nothing will be changed as long as matter remains what it is and man remains human. I insist that every art object is made of two things, each equally real: tangible material (metal, stone, wood, paint, paper, charcoal, etc.) and the sensibility of the artist. Sensibility is invested in matter: the more universal the sensibility the more lively, more identifiable and more pure it will be. This alone is the essence of a work of art. The rest is mere illusion.

The naturalism of ancient art is a mirror of reality external to the artist. The subjectivism of art today is a mirror of his internal reality. The essence of art is left intact. Only the surface has changed. And the violence of our misunder-standing proves how much, in the past, we have loved this precious surface.

Impressionism, by closing one route, opened another. The fauves took it. Where the Roman artist was concerned with both the physical and moral aspect of his models, Matisse painted neither one nor the other, but pursued the unique expression of his conscious individuality. Cézanne, Gauguin, Van Gogh, born to impressionism, left it to return to the external form that had been sacrificed to light. Pictures, formerly shimmering, were reconstructed in a solidity unknown before.

Cézanne revealed the poetry of form. Powerful witness of new experiments, his form was poetical in itself; it remained to be seen if, when disengaged from figuration, it would stay so. Cubism undertook this verification. It broke completely with the appearance of things, dismantling and then reorganizing them according to a single plastic demand, and revealing unexpected pictorial potentialities. Without recalling figuration, the poetry, the substantial beauty, remained; sensibility remained intact; the material remained pure. Such decisive proof sang victory.

directions s'ébauchent. Paul Klee cherche la voie mystérieuse de la raison pure par la géométrie. (Je suis confus de vous dire aussi sommairement ces choses. Il faudrait être poète pour rendre justice à de telles merveilles. J'ai d'ailleurs constamment senti se rapetisser, se minimiser, m'échapper même, au fur et à mesure que j'écris, l'immensité de telles vérités, mystères, beautés.) Cette géométrie de Paul Klee n'est point abstraite, revêche, semblable à quelque géométrie scolaire. Elle est au contraire chargée de la plus divine matière sensible. Elle est tout émotive, tout mystère, toute vie.

Dali dédaigne les découvertes plastiques cézanniennes et cubistes. Il emploie tantôt des moyens d'expression photographique, attendant de l'étrangeté des rencontres, la révélation recherchée: un appareil téléphonique en plein désert. Tantôt, en violente réaction contre la dureté, (l'incomestibilité de la pomme cézannienne à qui il préfère la pomme d'Adam des préraphaélites, tel qu'il l'écrit dans un amusant article), il recherche l'expression du mou imprévisible. Dali encore et quelques jeunes peintres expérimentent l'écran paranoïaque, invention de Léonard de Vinci. À un de ses élèves qui lui demandait quel sujet il pourrait peindre: ''Va,'' lui disait-il, ''près d'un vieux mur de pierre. Regarde-le longtemps; petit à petit tu y verras se dessiner des êtres et des choses. Tu découvriras ainsi un sujet de tableau bien à toi''. Qu'il suffise de dire: la décalcomanie est un des écrans employés. Une autre voie, enfin, est celle de la peinture automatique qui permettrait l'expression plastique, des images, des souvenirs assimilés par l'artiste et qui donnerait la somme de son être physique et intellectuel.

L'avenir reste entier, inconnu. Il ne livrera son secret qu'à ceux qui ne craignent pas la vie, qui s'y donnent généreusement, spontanément en possession du passé.

Je vous ai conjugué plusieurs fois le verbe chercher. Picasso a raison de répondre à qui lui demande ce qu'il cherche: ''Je ne cherche pas, je trouve''. Car trouver en art veut dire, vivre harmonieusement la vie de l'art. Il n'y a qu'une condition possible de vivre harmonieusement toute vie, celle du coeur, de l'esprit largement ouverts. Le reste est ensuite donné par surcroît.

La nature nous invite, avec ses mille beautés indiscutables, à une désintoxication. Devant ses merveilles, oublions un moment notre mémoire surchargée. N'aimons plus, ne contemplons plus les choses qu'à leur endroit particulier. La mer nous attend. Rendons-nous sur la grève. Là, graduellement, par la vue, prenons-en possession. De profondes résonances s'éveilleront en nous. Nous l'aimerons, nous la contemplerons.

But, the cycle of naturalism being closed by Renoir, Degas and Manet, and the cycle of expression through the means used (intermediary between the artist and the visible world) being closed by cubism, one door yet remains open — that onto the internal reality of the artist: surrealism.

Our scientific lack of knowledge of man and life seems to open infinite fields to the artist, the eternal explorer. Some maps are already being sketched. Paul Klee is looking for the mysterious path of pure reason by means of geometry. (I am ashamed to tell you these things so simply. One needs to be a poet to do justice to such marvels. To the extent that I write about them I feel that I am dwarfing, minimizing, even losing altogether, the substance of them — their truths, mysteries and beauties.) This geometry of Paul Klee's is not abstract, or harsh, or comparable to that of schoolbooks. On the contrary, it is filled with the most divine, sensitive material. It is all emotion, all mystery, all life.

Dali scorns the plastic discoveries of Cézanne and the cubists. He uses photographic means of expression, expecting a revelation from bizarre juxtapositions (such as a telephone in the middle of the desert). Sometimes, in violent reaction against ''hardness'' (the inedibility of the Cézannian apple to which he prefers the Adam's apple of the Pre-Raphaelites, as he writes in one entertaining article), he seeks the expression of unpredictable softness. Dali and some young painters still experiment with the paranoiac screen, an invention of Leonardo da Vinci, who, when asked by one of his pupils what subject he should paint said, ''Go to an old stone wall, look at it closely for a long time, and little by little you will see beings and objects appearing in it. You will discover in this way a very personal subject for painting.'' It should suffice to say that decalcomania is one of the screens used. Another, finally, is that of automatic painting, which permits the plastic expression of images or memories assimilated by the artist, and which should reflect the totality of his physical and intellectual being.

The future remains unknown, but it will reveal its secret only to those who do not fear life, who give themselves generously to it, spontaneously transcending the past.

I have often conjugated for you the verb ''to search''. Picasso is right in asserting, ''I do not search, I find,'' because to find, in art, means to live in harmony with the life of art. There is only one possible condition in which to live life in harmony, the condition of the open heart and mind. The rest follows.

Nous la contemplerons, non pour les beautés morales qu'elle pourra éveiller, car alors, ce ne serait plus la mer, mais la beauté de la morale que nous contemplerions. Ceci est tout autre chose. Ne la contemplons pas non plus pour les souvenirs poétiques qu'elle pourra nous rappeler, elle qui fut le prétexte de bien des chefs-d'oeuvre de la poésie, car là encore, la mer s'effacerait pour faire place à la beauté de ces souvenirs. Si réelles, si pures, si intenses que soient ces beautés, la mer n'y serait pour presque rien.

Non, aimons, contemplons la mer pour elle-même, pour ses qualités objectives. Pour son immensité, pour sa mobilité, pour son rythme, pour son calme, pour sa colère, pour ses couleurs. Contemplons la mer pour sa beauté unique, inimitable. Un pêcheur, un navigateur, un touriste peuvent l'aimer ou la haïr pour bien d'autres raisons, mais aucun être humain ne peut la contempler pour autre chose que ce qu'elle est.

Lorsque nous pourrons ainsi retrouver de toute la nature, les beautés spécifiques, les contempler, nous pourrons de l'oeuvre d'art, retrouver les beautés spécifiques, différencier les beautés illusoires des beautés réelles, contempler cette beauté dans sa substance, dans son mystère infini.

Nature invites us, with a thousand indisputable beauties, to cleanse ourselves. Before its marvels, let us lose for a while our overburdened memory. Let us love and contemplate things only in their natural surroundings. The sea beckons us. Let us go to the beach, and, gradually, with our eyes, let us possess it. Profound resonances will awaken in us. Then we shall love. Then we shall contemplate.

We shall survey it, not for moral beauties that it may awaken, because then it would be not so much the sea that we contemplated as the moral beauty — a completely different thing. Nor let us contemplate it for the poetic echoes it can recall, because there again we shall lose sight of the sea itself. As real, as pure, as intense as might be those beauties, the sea would here count for almost nothing.

No, let us love and contemplate the sea for itself, for its intrinsic qualities, for its immensity, for its mobility, for its rhythm, for its stillness, its wrath, or its colour. Let us contemplate the sea for its unique, inimitable beauty. A fisherman, a sailor, a tourist may love or hate it for many reasons, but no human being should contemplate it for something other than what it is.

When we are able to discover in nature its intrinsic beauties and to contemplate them, we shall be able to rediscover the specific beauty of a work of art and to differentiate superficial beauty from true beauty, which will be seen in its substance and its infinite mystery.

La transformation continuelle . . .

From the day we are born . . .

La transformation continuelle de la naissance à la mort s'opère dans la préscience de nos besoins à venir. Cette préscience désaxe nos désirs en avant du moment présent. Demain nous espérons être un peu plus forts, un peu plus lucides, un peu plus riches de toute espèce, être un peu plus libres, un peu plus humains, un peu moins misérables. Et si nous disons un peu ce n'est pas par humilité. Notre mémoire, notre raison agissent comme modérateurs sur nos désirs. Au fond nous voudrions briser immédiatement toutes les entraves à notre totale réalisation. Ce qui ne saurait être si facile.

D'abord il ne peut y avoir de liberté sans une certaine connaissance. Plus: nous croyons que notre liberté sera toujours proportionnée à notre connaissance sensible.

Par liberté on entend celle d'être au meilleur de soi-même. Ce meilleur est bien caché, il faut d'abord le connaître. Durant des années nous préférions être un tel, ou tel autre plutôt qu'être ce que nous sommes et que nous seuls pouvons être. Ensuite, notre individualité acceptée, en toute humilité cette fois, lorsque enfin nous sommes d'accord avec l'univers, nous nous trouvons en désaccord de plus en plus grave avec nos semblables.… Il ne saurait y avoir de liberté pour un seul.

La possibilité existe de ne rien faire, dans un tel cas, ou d'exploiter les autres par la connaissance acquise. Deux solutions exécrables qui s'opposent d'ailleurs à notre libération et à celle d'autrui.

Ce sont cependant les solutions courantes.

Les désirs de l'homme couvrent la gamme des possibilités de satisfactions de l'espèce. À chacun les siens.

Certains désirs ont des joies sans espoir.

D'autres offrent plus de résistance à l'usure.

D'autres enfin ne donnent toute la vie que l'espoir d'une réalisation lointaine.

Ces désirs généreux, englobant dans leurs soucis le bien de tous les hommes, ont de fortes tenailles pour quelques individus. Ces individus ne sont ni pratiques ni utilisables pour les œuvres du jour.

Leurs espoirs, leurs rêves, les rendent pleins de naïveté de toutes sortes.

On va de l'objet d'un désir à un autre selon l'état particulier, selon les circonstances.

From the day we are born, until we die, we live with the knowledge of approaching needs, and in that light put off the satisfaction of our desires until tomorrow. Tomorrow we hope to be stronger, a bit more lucid, richer in different ways, freer, more human and a bit less miserable. And if we put this just in terms of "a bit", it is not from humility, but because memory and reason act to moderate desire. Deep down we want a total break with the restraints that hold us back from realizing our desires. But that is not so easy.

First, such freedom demands a certain awareness. Even more, we believe freedom will be in proportion to conscious knowledge.

By "freedom" we imply being at our best. But our best is well hidden. First we have to find it. Over the years we prefer to be such and such another, rather than what we really are and what we alone can be. Later, our individuality accepted, in all humility, when at last we have found accord with the universe, we find ourselves more and more in discord with others. Liberty for one alone is an impossibility.

In such a case we may do nothing, or we may exploit the others with our acquired knowledge: two execrable options that oppose our own freedom to theirs.

Nevertheless, they are our current choices.

The desires of man cover the entire gamut of satisfactions possible to his species. To each his own.

Some desires contain joy without hope.

Others are more resistant.

Others finally give nothing throughout life except ever-receding hopes.

Bountiful desires, embracing the good of all men, cling tenaciously to certain individuals — individuals who find themselves impractical in the work-a-day world.

Hopes and dreams keep them naive in every sense.

We pass from one object of desire to another, depending on our moods and circumstances.

With hope in one exhausted we call on another like it or contrary to it.

Un objet épuisé d'espoir en appelle un autre neuf, contraire ou renouvelé.

L'orientation des désirs individuels, des désirs collectifs peut s'exprimer par l'espoir d'une parfaite liberté.

Liberté de réaliser pleinement sa vie sensible, sa vie morale. Réalisation complète de l'homme dans la collectivité. Liberté de réaliser l'avènement humain.

À l'occident de l'histoire se dresse l'anarchie, comme la seule forme sociale ouverte à la multitude des possibilités des réalisations individuelles. Nous croyons la conscience sociale susceptible d'un développement suffisant pour qu'un jour l'homme puisse se gouverner sans police, sans gouvernement. Les services d'utilité publique devant suffire. Nous croyons la conscience sociale susceptible d'un développement suffisant pour qu'un jour l'homme puisse se gouverner dans l'ordre le plus spontané, le plus imprévu.

Certes nous sommes loin d'un tel état. C'est quand même notre seul espoir en l'avenir, sans lui la vie vaut-elle d'être vécue?

Nous sommes loin d'un tel état mais notre espoir en la perfectibilité de l'être humain nous permet ce rêve dont la réalisation est continuellement retardée par les forces qui s'y opposent. Forces de l'ignorance, volontairement imposées, forces de la crainte de perdre une parcelle d'un bien déjà périmé, forces que procure ''l'odieuse exploitation de l'homme par l'homme'', forces d'opposition centralisées dans relativement bien peu de mains.

Toutes ces forces d'opposition à la marche en avant de la connaissance sensible de la foule, connaissance qui éclaire les objets de ses désirs, sont puissamment organisées dans les cadres actuels de la société.

Ces cadres font l'impossible pour conserver chez les peuples, chez les individus, les espoirs anciens et les désirs périmés.

Ils ne céderont ni leurs places, ni leurs privilèges de gaieté de cœur. Privilèges et places qu'ils croient d'ailleurs mérités de toute éternité, ou par leur froide insensibilité.

Pour un individu, il est aussi impossible de se conformer à ce qui fut qu'il est impossible de le rejeter.

Seule l'obéissance au meilleur de soi-même au moment présent est justifiable. (Meilleur qui ne saurait nous être donné après coup par qui que ce soit.)

The direction of desire, individual or collective, can be towards the hope for perfect freedom.

Freedom to realise fully our moral and tender feelings — the complete realization of each one of us within the collectivity — the freedom to attain our human destiny.

On the west side of history anarchy signals to us as the only social form open to a multitude of possible individual realizations. We believe that social conscience has the capacity to develop to the point when one day man will be capable of governing himself without police and without governments: when public utilities alone suffice. We believe that social conscience can develop so that one day mankind will govern itself through a spontaneous, unrehearsed sense of order.

For sure, we are far from such a situation. All the same, it is our sole hope for the future. Without that hope, is life worth the living?

We are far from such a situation, but our hope in perfectibility of the human being allows us this dream, the realizing of which is continually held back by opposing forces. Forces of ignorance, knowingly imposed, forces of the fear of losing a scrap of our already out-moded advantages, forces that promote ''the odious exploitation of man by man'', opposition centralized in relatively few hands.

These forces that oppose the march forward of the sensitive understanding of the crowd, an understanding that illuminates the objects of its desire, are powerfully organized among today's ruling classes. These classes are ready to do the impossible to keep alive among the general public, and at the individual level, old hopes and out-of-date desires.

They will cede neither their position nor their privileged gaiety of heart, both of which they think they merit for all eternity, coldly insensitive as they are.

For the individual, it is as impossible to conform to things as they were as to reject them. Obedience to the best in oneself at a given moment is all that can be justified (that ''best'' which comes only from within us).

Demain sera plus ou moins libre selon que nous aurons été plus ou moins simples aujourd'hui.

Nous devons réaliser que nous sommes les fruits de désirs anciens. Nos désirs à leur tour transformeront le monde. Les fruits de nos activités passionnelles seront aussi détachés de nous que nous le sommes des désirs anciens. Nous n'avons pas à nous soucier d'eux avant qu'ils ne soient.

Les cadres de la société tuent lentement la vie qu'ils exploitent. Ces cadres sont sans espoir. Ils seront brisés un jour dans une suprême tentative de délivrer les possibilités du lendemain.

Ces cadres seront remplacés par d'autres qui céderont aussi jusqu'à ce que l'homme ait conquis sa liberté entière. Alors l'anarchie s'opposera à toute utilisation de la vie.

Plus l'objet d'un désir est transformant, rayonnant d'espoir, plus il semble fixe.

Au cours des siècles et des siècles les civilisations passées dans leur impuissance à justifier le désir de liberté, de totale délivrance autrement qu'en Dieu mirent durant toute leur histoire l'espoir sur les valeurs surnaturelles, spirituelles.

Notre connaissance actuelle de l'homme, notre intelligence des mouvements de l'histoire, si minime soit-elle, nous permet de ramener ce terme de liberté sur terre.

Il n'est plus insensé de croire à la complète réalisation des possibilités humaines en son milieu, de son vivant, au jour le jour.

Les civilisations passées en maintenant l'accent sur les valeurs spirituelles affinèrent nos perceptions sensibles et découvrirent spontanément comme malgré elles, le monde physique.

La civilisation qui monte, en maintenant l'accent sur les valeurs matérielles, objectives, par le même phénomène amoureux découvrira le monde subjectif et continuera l'évolution de nos perceptions sensibles.

Choisir n'est possible que pour ce qui existe déjà. Nous conservons la manie d'employer comme substantif: vérité et beauté. Ce ne saurait être pour nous que des qualités, des relations que nous déterminons avec les objets. Relations nulles sans ces objets, nulles aussi avec ces mêmes objets mais dans un autre état de la connaissance sensible.

La vérité est une relation rassurante à un moment donné de notre vie, ou de l'histoire.

Tomorrow will be free to the extent that we have been genuine today.

We should recognize that we are the fruits of bygone desires. Our desires in turn will change the world, but their fruits will be as separate from us as we are from those of former times. It is not for us to dwell on them before they arrive.

The ruling classes slowly extinguish the life they exploit. They are without hope. They will be broken one day by a supreme endeavour to set free the possibilities of tomorrow.

They will be replaced by others who will give place in turn, until man has gained complete freedom. Then, anarchism will set itself against all exploitation of life.

The more an object of desire is transforming, radiating with hope, the more stable it seems.

In the course of centuries, past civilizations in their powerlessness to justify the desire for liberty, for total deliverance, otherwise than through reference to God, have put their faith in supernatural, spiritual values.

Our present knowledge of man, our understanding of historical trends, however minimal it is, permits us to reestablish the term "liberty on earth".

It is no longer senseless to believe in the complete realization of human possibilities and in the living of them from day to day.

Past civilizations, by emphasizing spiritual values, refined our perceptions and, as if in spite of them, spontaneously uncovered the physical world.

The civilization that rises while keeping the accent on objective material values, by the same loving process uncovers the subjective world and continues the evolution of our perceptions.

One can only choose from what exists already. We have the habit of using "truth" and "beauty" as substantives, when they can really only ever be qualities of the relation that we establish with objects: empty relations without these qualities, empty also with them at another level of sensitive understanding.

Truth is a reassuring relation to a given moment of our life or of history.

Beauty is a troubling relation. Both have need of hope.

La beauté une relation troublante.
Toutes deux ont besoin de l'espoir.

Une vérité crue durant vingt siècles et qui n'a pas encore apporté le mieux que l'homme était en droit d'attendre d'elle se révèle sans espoir, injustifiable. Une beauté sans espoir ne saurait nous émouvoir longtemps. Quand il y a comme ça dans le monde beaucoup de relations anciennes, la tentation est forte de vouloir choisir la vérité et la beauté de demain, ou encore son utilité.

Quelle troublante aventure cependant pour un homme adulte (en pleine possession du passé) d'obéir généreusement au présent qui façonne l'imprévisible devenir.

L'enfant, un des fruits du désir de l'amour, n'est uni au désir qui lui permet d'être que par magie surrationnelle.

Dans l'amour fou[1], le désir délirant est la possession totale de l'objet aimé, possession qui exige un don équivalent de soi. Le bonheur désiré est sans limites, indéfini.

Chaque plaisir si violent soit-il n'est qu'un moyen.

L'enfant naît d'un de ces moyens.

Le pommier fait lui-même ses fleurs. Elles seront cependant impuissantes à produire leur fruit sans les hasards heureux de la pollinisation.

Les pommes sont des grâces surrationnelles pour le pommier. Voilà des objets non préconçus, généreux, spontanés.
L'objet en soi est insaisissable, inépuisable.

Tant qu'un être sensible existera, il permettra de nouvelles relations, de nouveaux rapports. Une relation ancienne en libérant une nouvelle.

L'homme ne s'intéresse à ce qui est que pour se mieux connaître de relation en relation.

La vie de la pensée suit la vie des corps. Elle ne peut sauter les étapes; force lui est de les assimiler.

Les formes du ciel, de la terre, du feu et de l'air ne nous effrayent plus. De relation en relation elles nous sont devenues familières.

La matière nous livre ses secrets physiques. Ses possibilités émotives nous affolent encore. Les limites de la vie semblent les limites même de la matière.

A truth believed over twenty centuries, but which has not yet delivered the best that man has a right to, reveals itself to be without hope, unjustifiable. A beauty without hope will not move us for long. When there are a lot of decrepit relations like that in the world the temptation is strong to opt for tomorrow's beauty — or, more likely, its utility.

What a troubled undertaking it is, however, for an adult human being (fully possessed of the past) to respond openly to the present which fashions an unforeseeable future.

The infant, one of the fruits of the desire for love, is united with the desire that brings it into existence only by superrational magic.

In mad love,[1] the delirious desire is for total possession of the loved object, a possession that demands equally a giving of the self. The desired happiness is limitless and undefined.

Each pleasure, as violent as it might be, is only a means.

The child is conceived by these means.

The apple tree provides its own flowers, but they are powerless to produce fruit without the happy chance of pollination.

Apples are a superrational grace for the apple tree.

Such are unpreconceived, bountiful, spontaneous things.

The object in itself is ungraspable and inexhaustible.

Inasmuch as a sensitive being exists, new relations are possible, and new rapports: an old relationship generating a new one.

Man is interested only in what furthers his knowledge from one such relationship to the next.

The life of mind follows from bodily life, step by step. That is inescapable: none of them may be skipped.

Configurations of sky, earth, fire or air no longer alarm us. From one experience to the next they have become familiar to us.

Matter divulges to us its physical secrets. Its emotive potential still disturbs us. The limit of life seems to be purely material.

Aucune connaissance rationnelle n'est possible. Seul le savoir est rationnel.

La forme que nous prêtons à l'objet de nos désirs est fournie par notre connaissance sensible.

Notre connaissance sensible est déterminée par la somme de nos perceptions sensibles, par leurs qualités, par notre possibilité relationnelle.

La qualité de l'espoir en l'objet désiré détermine la qualité de notre activité.

Si l'espoir est sans limites, notre activité sera sans compromis, sans restrictions mentales: au sommet de la vitalité, de l'efficacité.

Aucune connaissance rationnelle n'est possible ni pour les comportements émotifs de la matière, ni pour ses mouvements physiques.

Les sciences abstraites rationnelles ne font que rendre compte des connaissances acquises par les perceptions sensibles hors desquelles il n'y a plus de contacts.

Pour les sciences morales rendre compte devient de plus en plus possible.

L'exception d'hier, incompréhensible, injustifiable autrement que par une intervention surnaturelle se justifie aujourd'hui par les comportements émotifs de la matière à tous les stages de la vie.

Prévoir, non dans le sens de l'assurance, mais de l'imprévisible, reste le grand espoir du poète le plus dénudé de moyens, du savant au centre d'un laboratoire d'un million de dollars.

Seul les espoirs morts les séparent.

Le désir de connaître débute dans la magie. La science rend compte de la connaissance en cours de route.

Le désir de connaître n'a jamais cessé d'être magique. Seule la communication scientifique à la société a perdu son caractère magique, remplacé graduellement par un caractère rationnel, utilitaire.

Une religion rendue au stade de l'intégration a depuis longtemps perdu la force dynamique. Elle développe un complexe de défense contre cette vie qui n'est plus la sienne. Elle interdit dès lors à la connaissance d'utiliser des pouvoirs qu'elle reconnaît à elle seule et monopolise. Elle

Complete knowledge cannot be gained solely from reason. Only science can afford to be purely rational.

The forms we ascribe to objects of desire are the product of our sentient understanding.

Our sentient understanding is determined by the sum of our sensitive perceptions, by their quality, and by our potential for relating to each other.

The quality of hope in the desired object determines the quality of our activity.

If hope is boundless our activity will not be compromised or mentally cramped, but will function at the height of vitality and efficiency.

Reason can give us no knowledge of the emotional behaviour of matter, nor of its physical motion.

The abstract and rational sciences can only give an account of ideas acquired through sense perception — which is our only means of contact with matter.

With the moral sciences a rendering of account becomes more and more possible.

Yesterday's exception, incomprehensible, unjustifiable except by reference to supernatural intervention, can be justified today by the emotional behaviour of matter at every point of life.

To predict the future, not out of anxiety, but in order to penetrate the unknown, remains the hope of the poet alone in his room as much as of the scientist in a million dollar laboratory.

They are separated only by dead hopes.

The desire to know issues at first in magic. Science takes over en route.

The desire to know has never lost its magical aspect. It is just that scientific communication, with its utilitarian, rational character, makes it seem so.

Integrated religion long ago lost its dynamism, but it has become defensive towards the life with which it lost touch. It forbids the use of powers that it still claims for itself alone and tries to monopolize. It persecutes new ideas when they appear, though it digests them later if it can.

persécute toute connaissance nouvelle d'abord, tente ensuite de l'intégrer selon sa puissance digestive.

Sous ces pressions le communiqué devient de plus en plus rationnel. Il ne contient que l'expérience stricte, le résultat tangible. L'espoir, le désir, l'émoi, le délire du savant en est exclu.

Le contact humain, sensible, mystérieux, magique avec l'objet du désir est rompu pour la foule.

À la place d'une opération troublante elle a un objet mort de plus.

L'accent se reporte sur les techniques rassurantes.

Si la communication à la foule avait normalement continué de se faire à la seule place digne d'elle, sur l'autel du sacrifice, l'émoi du savant, du sacrificateur eut été aussi celui de la foule.

Il n'y aurait pas eu rupture entre l'abstraction et l'objet; entre l'objet et son perpétuel mystère relationnel.

L'évolution émotive eut été ininterrompue.

Pour les activités morales les réflexes de défense sont encore plus violents. Après deux siècles les œuvres de Sade sont introuvables en librairie. Ce n'est pourtant pas Sade qui est hors de la société des hommes, ce sont les cadres de cette société qui le rejettent.

Les poètes ont tous plus ou moins le même sort selon leur pouvoir transformant. Seuls les affineurs sont fêtés. L'accent passe des passions ardentes aux techniques intéressées.

Ces techniques président officiellement aux destinées communes. Il n'en fut pas toujours ainsi.

Des prêtres dont l'inconséquence est inqualifiable persistent avec acharnement à répéter indéfiniment la même messe de la fausse adolescence, d'une adolescence immobilisée. Depuis des siècles, répètent les mêmes faux mystères.

L'horreur du présent, fruit d'un long passé sans amour, est que presque seul le comportement immoral, intéressé, soit pratique, efficace.

Dans une société en route vers l'anarchie comme dans une vie sur la même voie, au contraire il n'y a que la générosité qui soit positive, efficace.

Under that kind of pressure the style of communication becomes more rational, containing only the clear and the tangible. The hope, the desire, the emotion, the delirium of the intellectual life is ignored.

A humane, sensuous, mysterious, magical contact with the object of desire is denied to the average man.

In place of a challenging relationship we find something dead.

The accent is placed on reassurances.

If communication with the people had been maintained in the one place suited for it, the sacrificial altar, the excitement of the thinker, the sacrificial priest, would have been shared with the average man.

There would have been no discontinuity between the object and the idea, between the object and its perpetually mysterious relativeness.

Emotional evolution would not have been disrupted.

In the moral sphere, defensiveness is even more violent. After two centuries one still cannot find the works of de Sade in a library. But it is not really de Sade who is alien to human society, it is the ruling classes who are censoring his work.

The poet gets this treatment in proportion to his power to transform things. Only the refiners are feted. Ardour and passion are ignored in favour of self-serving technicalities.

Technicalities determine our common destiny. It was not always so.

Totally inconsequential priests go on vindictively repeating the same liturgy of false and frozen adolescence, perpetuating the same old pseudo-mysteries across the centuries.

The horror right now, the fruit of a long and loveless past, is that only immoral, self-interested behaviour is effective.

Yet, for a society on the way to anarchy, as for a life on the same track, it is, on the contrary, only unselfishness that will work.

As long as the government of the people remains commanded by a utilitarian mentality acting in predefined ways, then, no matter what social class is climbing to power, decadence will continue to increase. But it must penetrate

Tant que le gouvernement des peuples sera aux mains des esprits utilitaires agissant dans des cadres définis d'avance, quelle que soit la classe ascendante (vers le pouvoir) la décadence n'aura pas atteint sa limite.

Elle descendra ainsi au cœur de la foule qui alors la vomira et avec elle tous ses faux guides.

Pour hâter ce moment il faudrait redonner à la foule les généreux scandales de la vérité qu'on lui a cachés ou défigurés délibérément. Il faudrait que son évolution émotive retrouve les mystères où ils sont rendus. Eux ne peuvent revenir en arrière sans perdre contact avec le réel.

Il faut tout au moins se rendre compte que pour la foule un espoir limité ne saurait être délirant, dynamique.

Pas plus que pour un individu.

C'est même un désespoir de plus.

Le risque total serait autrement dynamique.

Mais pour ce risque, il faut une évolution émotive, pour soi, pour la foule, que l'on refuse et se refuse.

L'homme préfère ne pas voir, ne pas entendre avec le fallacieux espoir que sa visière et ses oreillères ainsi rabattues l'empêcheront de vieillir, de mourir.

La crainte de perdre pied, d'être seul, la crainte de perdre une parcelle d'un passé déjà lointain, dépassé, qui n'a plus pour lui qu'une valeur sentimentale, lui fait manquer l'occasion d'un contact autrement émouvant avec une réalité neuve. La crainte de risquer sa tranquillité, sa sécurité illusoire lui fait préférer grignoter un fruit sec, encore réel en lui peut-être, mais déshydraté depuis mille ans d'espoirs déçus.

L'homme n'a pas le courage de prendre l'entière responsabilité du lendemain.

Toute son ingéniosité ne sert au'à freiner.

Toute son ingéniosité n'empêchera pas les freins de sauter.

in that case into the very heart of the people — and they will then vomit it up with all its false operators.

To hasten this moment we must give back to the people all those heart-warming but scandalous truths that have been distorted or deliberately kept from them. Their emotional evolution must regain the mystery that has been discarded. But this cannot be done by going back because to do so would be to lose contact with reality.

One must understand that to improve the lot of the masses in a limited way cannot be delirious and dynamic for them.

Any more than for the individual.

It would even be an extra measure of despair.

For total dynamism, total risk is needed.

But for this risk there must be an emotional evolution, for oneself, for the crowd; and that we all refuse to take.

Mankind prefers not to see and not to hear, with the fallacious hope that its blinkers and its ear-plugs will retard old age and death.

The fear of losing one's foothold, or of being alone; the fear of losing a bit of the past already left behind and with only sentimental value, prevents us from grasping opportunities for more moving contact with a new reality. The fear of risking our peace of mind, our illusory security, makes us prefer to nibble at a dried-up fruit, still real perhaps, but dehydrated by a thousand years of deceptive hope.

Mankind has not the courage to take entire responsibility for tomorrow.

All its talent only serves to apply the brakes.

All its talent cannot prevent the brakes from jumping.

---

1. Le terme *amour fou* réfère au titre d'André Breton de 1937.

1. The use of the phrase ''mad love'' reveals Borduas' debt to André Breton's book *L'Amour fou* (1937).

Le portefeuille de Riopelle présentant les documents
comprenant le manifeste *'Refus Global'* (1948)

Riopelle's portfolio-style presentation of the documents
comprising *'Refus Global'* (1948)

Le portefeuille de Riopelle présentant les documents
comprenant le manifeste *'Refus Global'* (1948)

Refus Global

Global Refusal

Rejetons de modestes familles canadiennes-françaises, ouvrières ou petites bourgeoises, de l'arrivée au pays à nos jours restées françaises et catholiques par résistance au vainqueur, par attachement arbitraire au passé, par plaisir et orgueil sentimental et autres nécessités.

Colonie précipitée dès 1760 dans les murs lisses de la peur, refuge habituel des vaincus; là, une première fois abandonnée. L'élite reprend la mer ou se vend au plus fort. Elle ne manquera plus de le faire chaque fois qu'une occasion sera belle.

Un petit peuple serré de près aux soutanes restées les seuls dépositaires de la foi, du savoir, de la vérité et de la richesse nationale. Tenu à l'écart de l'évolution universelle de la pensée pleine de risques et de dangers, éduqué sans mauvaise volonté, mais sans contrôle, dans le faux jugement des grands faits de l'histoire quand l'ignorance complète est impraticable.

Petit peuple issu d'une colonie janséniste, isolé, vaincu, sans défense contre l'invasion de toutes les congrégations de France et de Navarre,[1] en mal de perpétuer en ces lieux bénis de la peur (c'est-le-commencement-de-la-sagesse!) le prestige et les bénéfices du catholicisme malmené en Europe. Héritières de l'autorité papale, mécanique, sans réplique, grands maîtres des méthodes obscurantistes nos maisons d'enseignement ont dès lors les moyens d'organiser en monopole le règne de la mémoire exploiteuse, de la raison immobile, de l'intention néfaste.

Petit peuple qui malgré tout se multiplie dans la générosité de la chair sinon dans celle de l'esprit, au nord de l'immense Amérique au corps sémillant de la jeunesse au cœur d'or, mais à la morale simiesque, envoûtée par le prestige annihilant du souvenir des chefs-d'œuvre d'Europe, dédaigneuse des authentiques créations de ses classes opprimées.

Notre destin sembla durement fixé.

Des révolutions, des guerres extérieures brisent cependant l'étanchéité du charme, l'efficacité du blocus spirituel.

Des perles incontrôlables suintent hors les murs.

Les luttes politiques deviennent âprement partisanes. Le clergé contre tout espoir commet des imprudences.

Des révoltes[2] suivent, quelques exécutions capitales succèdent. Passionnément les premières ruptures s'opèrent entre le clergé et quelques fidèles.

Descendants of modest French Canadian families, labourers or petit-bourgeois, from our arrival on this soil up to the present day kept French and Catholic by resistance to the conqueror, by an irrational attachment to the past, by self-indulgence and sentimental pride and other compulsions.

A colony trapped and abandoned as long ago as 1760[1] beneath unscalable walls of fear (familiar refuge of the vanquished) — its leaders taking to sea or selling themselves to the conqueror, as always when the time is ripe.

A little people, huddled to the skirts of a priesthood viewed as sole trustee of faith, knowledge, truth and national wealth, shielded from the broader evolution of thought as too risky and dangerous, and educated misguidedly, if without ill intent, in distortions of the facts of history, when complete ignorance was impracticable.

A little people, grown from a Jansenist colony, isolated and cowed; and defenceless against the horde of clerics of France and Navarre[2] — out to perpetuate in this fear-ridden place (fear-as-the-beginning-of-wisdom!) the prestige and advantages of a Catholicism despised in Europe. Heirs of a mechanical papacy, invulnerable to redress, great masters of obscurantism, their institutes of learning still hold sway through an exploiting use of memory, static reason, and paralysing intention.

A little people, that multiplied in generosity of flesh, if not of spirit, in the north of this immense America with its sprightly band of golden-hearted youth and its superficial morality; spellbound by the annihilating prestige of remembered European masterpieces, and disdainful of the authentic creations of its own oppressed.

Our destiny seems harshly fixed.

But, revolutions, foreign wars, disturb the most efficient blockade of the spirit, however disarming.

Some pearls slip through, inevitably.

Political struggles become bitter. Against all prediction, the clergy acts rashly.

Rebellions follow, executions result,[3] and impassioned first ruptures occur between the church and some of the faithful.

The breach widens, shrinks, then widens further.

Travel abroad increases. Soon, Paris is the rage. But, too far in time and space, too volatile for our timorous souls, it is often only the occasion for time off to complete a retarded

Lentement la brèche s'élargit, se rétrécit, s'élargit encore.

Les voyages à l'étranger se multiplient. Paris exerce toute l'attraction. Trop étendu dans le temps et dans l'espace, trop mobile pour nos âmes timorées, il n'est souvent que l'occasion d'une vacance employée à parfaire une éducation sexuelle retardataire et à acquérir, du fait d'un séjour en France, l'autorité facile en vue de l'exploitation améliorée de la foule au retour. À bien peu d'exceptions près, nos médecins, par exemple, (qu'ils aient ou non voyagé) adoptent une conduite scandaleuse (il-faut-bien-n'est-ce-pas-payer-ces-longues-années-d'études!).

Des oeuvres révolutionnaires, quand par hasard elles tombent sous la main, paraissent les fruits amers d'un groupe d'excentriques. L'activité académique a un autre prestige à notre manque de jugement.

Ces voyages sont aussi dans le nombre l'exceptionnelle occasion d'un réveil. L'inviable s'infiltre partout. Les lectures défendues se répandent. Elles apportent un peu de baume et d'espoir.

Des consciences s'éclairent au contact vivifiant des poètes maudits: ces hommes qui, sans être des monstres, osent exprimer haut et net ce que les plus malheureux d'entre nous étouffent tout bas dans la honte de soi et la terreur d'être engloutis vivants. Un peu de lumière se fait à l'exemple de ces hommes qui acceptent les premiers les inquiétudes présentes, si douloureuses, si filles perdues. Les réponses qu'ils apportent ont une autre valeur de trouble, de précision, de fraîcheur que les sempiternelles rengaines proposées au pays du Québec et dans tous les séminaires du globe.

Les frontières de nos rêves ne sont plus les mêmes.

Des vertiges nous prennent à la tombée des oripeaux d'horizons naguère surchargés. La honte du servage sans espoir fait place à la fierté d'une liberté possible à conquérir de haute lutte.

Au diable le goupillon et la tuque![3] Mille fois ils extorquèrent ce qu'ils donnèrent jadis.

Par-delà le christianisme nous touchons la brûlante fraternité humaine dont il est devenu la porte fermée.

Le règne de la peur multiforme est terminé.

sexual education and to acquire, on the basis of a stay in France, facile authority for improved exploitation of the crowd upon return. For example, the conduct of our doctors, with very few exceptions, is scandalous (after all, those-long-years-of-study-have-to-be-paid-for, whether they have travelled or not!).

Revolutionary works, when by chance they come to hand, seem but the sour grapes of a few eccentrics. The academics acquire prestige from our lack of information.

Exceptionally, among these travels, some produce awakenings. The normally unthinkable is found increasingly. Forbidden readings circulate, spreading solace and hope.

Minds are enlightened by discovery of the *poètes maudits*: those who, without being monsters, dared express loud and clear what the unhappiest among us stifle quietly within, in shame and in terror of being overwhelmed. Illumination comes from the example of these men — the first to acknowledge contemporary anxieties, so painful and pathetic — whose insights prove of greater value, in their disturbing precision and freshness, than the interminable litanies chanted in the land of Quebec, or in all the seminaries of the globe together.

The limits of our dreams become no longer what they were.

We are dizzied by the fall of tawdry finery so recently obscuring truth. The shame of hopeless bondage gives place to pride in a freedom obtainable by vigorous struggle.

To hell with the *goupillon* and the *tuque!*[4] They have seized back a thousand times what once they gave.

Beyond Christianity, we attain the burning human brotherhood on which they have closed the door.

The reign of hydra-headed fear has ended.

In the wild hope of effacing its memory, I enumerate:

fear of facing prejudice — fear of public opinion — of persecutions — of general disapproval;

fear of being alone, without the God and the society which isolate you anyway;

Dans le fol espoir d'en effacer le souvenir je les énumère:

peur des préjugés — peur de l'opinion publique — des persécutions — de la réprobation générale;

peur d'être seul sans Dieu et la société qui isolent très infailliblement;

peur de soi — de son frère — de la pauvreté;

peur de l'ordre établi — de la ridicule justice;

peur des relations neuves;

peur du surrationnel;

peur des nécessités;

peur des écluses grandes ouvertes sur la foi en l'homme — en la société future;

peur de toutes les formes susceptibles de déclencher un amour transformant;

peur bleue — peur rouge — peur blanche: maillons de notre chaîne.

Du règne de la peur soustrayante nous passons à celui de l'angoisse.

Il aurait fallu être d'airain pour rester indifférents à la douleur des partis pris de gaieté feinte, des réflexes psychologiques des plus cruelles extravagances: maillot de cellophane du poignant désespoir présent (comment ne pas crier à la lecture de la nouvelle de cette horrible collection d'abat-jour faits de tatouages prélevés sur de malheureux captifs à la demande d'une femme élégante; ne pas gémir à l'énoncé interminable des supplices des camps de concentration; ne pas avoir froid aux os à la description des cachots espagnols, des représailles injustifiables, des vengeances à froid). Comment ne pas frémir devant la cruelle lucidité de la science.

À ce règne de l'angoisse toute-puissante succède celui de la nausée.

Nous avons été écœurés devant l'apparente inaptitude de l'homme à corriger les maux. Devant l'inutilité de nos efforts, devant la vanité de nos espoirs passés.

Depuis des siècles les généreux objets de l'activité poétique sont voués à l'échec fatal sur le plan social, rejetés violemment des cadres de la société avec tentative ensuite d'utilisation dans le gauchissement irrévocable de l'intégration, de la fausse assimilation.

Depuis des siècles les splendides révolutions aux seins

fear of oneself — of one's brother — of poverty;

fear of the established order — or ridiculous justice;

fear of new relationships;

fear of the superrational;

fear of necessities;

fear of floodgates opening on one's faith in man — on the society of the future;

fear of forces able to release transforming love;

blue fear — red fear — white fear; links in our shackles.

From the reign of debilitating fear we pass to that of anguish.

One would have to be of stone to remain indifferent to the grief of deliberately feigned gaiety, of psychological reflexes of the cruellest extravagance: transparent disguises of poignant, present despair (how is it possible not to cry out on reading the news of that horrifying collection of lampshades made of tattoos stripped from unfortunate captives, at the whim of some elegant woman; not to moan at endless accounts of torment in the concentration camps; not to chill to the marrow at descriptions of Spanish prisons, unjustifiable reprisals and cold-blooded revenge?). How can one not quiver before the cruel lucidity of science?

Overwhelming anguish is replaced by nausea.

We are sickened by the apparent inability of man to correct evils, by the uselessness of our endeavours, by the vanity of our past hopes.

For centuries, the bountiful products of poetic activity have been doomed on the social level: violently rejected by the upper strata of society, or warped irrevocably by them and falsely assimilated.

For centuries, splendid revolutions, their hearts high in hope, have been brutally suppressed after a moment of delirious optimism — scarcely noticeable interruptions in our slither to headlong descent:

the French revolutions

the Russian revolution

the Spanish revolution

aborted in international confusion, despite the wishful thinking of so many simple souls around the world.

regorgeant de sève sont écrasées à mort après un court moment d'espoir délirant, dans le glissement à peine interrompu de l'irrémédiable descente:

les révolutions françaises,

la révolution russe,

la révolution espagnole,

avortées dans une mêlée internationale, malgré les voeux impuissants de tant d'âmes simples du monde.

Là encore, la fatalité fut plus forte que la générosité.

Ne pas avoir la nausée devant les récompenses accordées aux grossières cruautés, aux menteurs, aux faussaires, aux fabricants d'objets mort-nés, aux affineurs, aux intéressés à plat, aux calculateurs, aux faux guides de l'humanité, aux empoisonneurs des sources vives.

Ne pas avoir la nausée devant notre propre lâcheté, notre impuissance, notre fragilité, notre incompréhension.

Devant les désastres de nos amours …

En face de la constante préférence accordée aux chères illusions contre les mystères objectifs.

Où est le secret de cette efficacité de malheur imposée à l'homme et par l'homme seul, sinon dans notre acharnement à défendre la civilisation qui préside aux destinées des nations dominantes.

Les États-Unis, la Russie, l'Angleterre, la France, l'Allemagne, l'Italie et l'Espagne: héritières à la dent pointue d'un seul décalogue, d'un même évangile.

La religion du Christ a dominé l'univers. Voyez ce qu'on en a fait: des fois sœurs sont passées à des exploitations sœurettes.

Supprimez les forces précises de la concurrence des matières premières, du prestige, de l'autorité et elles seront parfaitement d'accord. Donnez la suprématie à qui vous voudrez, le complet contrôle de la terre à qui il vous plaira, et vous aurez les mêmes résultats fonciers, sinon avec les mêmes arrangements des détails.

Toutes sont au terme de la civilisation chrétienne.
La prochaine guerre mondiale en verra l'effondrement dans la suppression des possibilités de concurrence internationale.

Son état cadavérique frappera les yeux encore fermés.

Death triumphing over life, again.

How can one not be nauseated by the liars, by the forgers, by the makers of the stillborn object, by the tricksters, the obsequious, the opportunistic, the false prophets of humanity, the polluters of springwater, or by rewards obtained for brutal cruelty?

By our own cowardice, impotence, fragility and lack of understanding?

By the disasters of our loves . . . .

By the constant preference for cherished illusion over objective mysteries. Where is the source of all the cursed efficiency which man imposes on himself, but in his fury to defend a civilization shaping the destinies of dominant nations?

The United States, Russia, England, France, Germany, Italy and Spain: sharp-fanged inheritors of a single decalogue, an identical gospel.

The religion of Christ has dominated the universe. What has been done with it when sisterhoods become exploiting little sisters!

Remove the motivation of competition for raw materials, prestige and authority, and nations might live harmoniously. But grant supremacy to whom you wish, give world control to whom you please, and the same deep-rooted patterns will emerge — although perhaps with different details.

They signify the end of Christian civilization.

The next world war will witness its collapse, by destroying any possibility of international competition.

Its state of decadence will even strike those eyes that are still closed.

La décomposition commencée au XIVe siècle donnera la nausée aux moins sensibles.

Son exécrable exploitation, maintenue tant de siècles dans l'efficacité au prix des qualités les plus précieuses de la vie, se révélera enfin à la multitude de ses victimes: dociles esclaves d'autant plus acharnés à la défendre qu'ils étaient plus misérables.

L'écartèlement aura une fin.

La décadence chrétienne aura entraîné dans sa chute tous les peuples, toutes les classes qu'elle aura touchées, dans l'ordre de la première à la dernière, de haut en bas.

Elle atteindra dans la honte l'équivalence renversée des sommets du XIIIe.

Au XIIIe siècle, les limites permises à l'évolution de la formation morale des relations englobantes du début atteintes, l'intuition cède la première place à la raison. Graduellement l'acte de foi fait place à l'acte calculé. L'exploitation commence au sein de la religion par l'utilisation intéressée des sentiments existants, immobilisés; par l'étude rationnelle des textes glorieux au profit du maintien de la suprématie obtenue spontanément.

L'exploitation rationnelle s'étend lentement à toutes les activités sociales: un rendement maximum est exigé.

La foi se réfugie au cœur de la foule, devient l'ultime espoir d'une revanche, l'ultime compensation. Mais là aussi, les espoirs s'émoussent.

En haut lieu, les mathématiques succèdent aux spéculations métaphysiques devenues vaines.

L'esprit d'observation succède à celui de transfiguration.

La méthode introduit les progrès imminents dans le limité. La décadence se fait aimable et nécessaire: elle favorise la naissance de nos souples machines au déplacement vertigineux; elle permet de passer la camisole de force à nos rivières tumultueuses en attendant la désintégration à volonté de la planète. Nos instruments scientifiques nous donnent d'extraordinaires moyens d'investigation, de contrôle des trop petits, trop rapides, trop vibrants, trop lents ou trop grands pour nous. Notre raison permet l'envahissement du monde, mais d'un monde où nous avons perdu notre unité.

L'écartèlement entre les puissances psychiques et les puissances raisonnantes est près du paroxysme.

Its decomposition, begun in the XIVth century, will nauseate the most insensitive.

Its loathsome exploitation, effective for so many centuries at the cost of life's most precious qualities, will be finally revealed to all its victims: docile slaves, the more eager to defend it as they were made more miserable.

There will be an end to putrefaction.

Christian decadence will have dragged down in succession all the peoples, all the classes it has touched, from first to last, from top to bottom.

It will end in shame at the inverse of its achievements of the XIIIth century.

In the XIIIth century, when the peak of moral evolution had been reached, intuition gave way to reason: gradually, to preserve a supremacy which had once been spontaneous, acts of faith gave place to calculation. Exploitation began in the very bosom of religion through its self-interested use of petrified sentiments and through the rational study of glorious texts.

This exploitation of reason spread to all society's activities, in response to demands for maximum production.

Faith, taking refuge in the heart of the crowd, became its only hope of revenge and ultimate compensation. But there, also, expectations were dulled.

In high places, mathematics succeeded obsolete metaphysical speculation. The spirit of observation succeeded that of transfiguration.

The method hastened some impending progress in limited fields; it encouraged the birth of our versatile machines with their vertiginous speed, it allowed the straight-jacketing of our tumultuous rivers — and decadence seemed amiable and necessary, even if inviting the destruction of the planet. Scientific instruments brought us unanticipated means of investigating and regulating what was too small, too quick, too vibrant, too slow, or too huge for us. Our reason enabled us to over-run the world, but a world in which our harmony was lost.

The rending of psychic from rational faculties is close to paroxysm.

Les progrès matériels, réservés aux classes possédantes, méthodiquement freinés, ont permis l'évolution politique avec l'aide des pouvoirs religieux (sans eux ensuite) mais sans renouveler les fondements de notre sensibilité, de notre subconscient, sans permettre la pleine évolution émotive de la foule qui seule aurait pu nous sortir de la profonde ornière chrétienne.

La société née dans la foi périra par l'arme de la raison: *l'intention.*

La régression fatale de la puissance morale collective, en puissance strictement individuelle et sentimentale, a tissé la doublure de l'écran déjà prestigieux du savoir abstrait sous laquelle la société se dissimule pour dévorer à l'aise les fruits de ses forfaits.

Les deux dernières guerres furent nécessaires à la réalisation de cet état absurde. L'épouvante de la troisième sera décisive. L'heure H du sacrifice total nous frôle.

Déjà les rats européens[4] tentent un pont de fuite éperdue sur l'Atlantique. Les événements déferleront sur les voraces, les repus, les luxueux, les calmes, les aveugles, les sourds.

Ils seront culbutés sans merci.

Un nouvel espoir collectif naîtra.

Déjà il exige l'ardeur des lucidités exceptionnelles, l'union anonyme dans la foi retrouvée en l'avenir, en la collectivité future.

Le magique butin magiquement conquis à l'inconnu attend à pied d'œuvre. Il fut rassemblé par tous les vrais poètes. Son pouvoir transformant se mesure à la violence exercée contre lui, à sa résistance ensuite aux tentatives d'utilisation (après plus de deux siècles, Sade reste introuvable en librairie; Isidore Ducasse, depuis plus d'un siècle qu'il est mort, de révolutions, de carnages, malgré l'habitude du cloaque actuel reste trop viril pour les molles consciences contemporaines).

Tous les objets du trésor se révèlent inviolables par notre société. Ils demeurent l'incorruptible réserve sensible de demain. Ils furent ordonnés spontanément hors et contre la civilisation. Ils attendent pour devenir actifs (sur le plan social) le dégagement des nécessités actuelles.

D'ici là notre devoir est simple.

Rompre définitivement avec toutes les habitudes de la société, se désolidariser de son esprit utilitaire. Refus d'être

Material progress, reserved for the propertied classes but elsewhere held in check, has allowed political evolution with the guidance of religion (later without it), yet without renewal of our sensibility, our subconscious — without allowing the emotional evolution of the crowd — which alone could have rescued us from the deep Christian rut.

Society, born in faith, will perish by the weapon of reason: *intention.*

The inexorable regression of collective moral power to a strictly individual and sentimental level has helped to weave an amazing cloak of abstract knowledge — behind which society hides to devour at ease the fruit of its crimes.

Two world wars have been necessary to bring us to a recognition of this absurd state. The terror of the third will be conclusive. The H hour of total sacrifice is close upon us. Europe's rats already try to build a bridge of frantic escape over the Atlantic.[5] But events will catch up with the greedy, the satiated, the self-indulgent, the appeasers, the blind and the deaf.

They will be put down without mercy.

A new collective hope will be born.

Already it commands the ardour of exceptional lucidities, anonymously bonded by a new faith in the future and the collectivity to come.

Magic booty, magically wrested from the unknown, lies at our feet. It has been gathered by the true poets. Its power to transform is measured by the violence shown against it and by its resistance in the end to exploitation. After more than two centuries, de Sade is still not found in bookstores, and Isidore Ducasse, dead for more than a century of revolutions and carnage, remains too virile for flabby contemporary consciences, in spite of the cesspool customs of today.

The items of this treasure reveal themselves, inviolable, to our society. They remain the incorruptible, sensitive legacy for tomorrow. They were ordained spontaneously outside of and in opposition to civilization, and await freedom from its restraints to become active in the social scheme.

Therefore, our duty is simple:

To break definitively with all conventions of society and its utilitarian spirit! We refuse to live knowingly at less than our spiritual and physical potential; refuse to close our eyes to the vices and confidence tricks perpetuated in the guise of learning, favour, or gratitude; refuse to be ghettoed in an

sciemment au-dessous de nos possibilités psychiques et physiques. Refus de fermer les yeux sur les vices, les duperies perpétrées sous le couvert du savoir, du service rendu, de la reconnaissance due. Refus d'un cantonnement dans la seule bourgade plastique, place fortifiée mais trop facile d'évitement. Refus de se taire — faites de nous ce qu'il vous plaira mais vous devez nous entendre — refus de la gloire, des honneurs (le premier consenti): stigmates de la nuisance, de l'inconscience, de la servilité. Refus de servir, d'être utilisables pour de telles fins. Refus de toute *intention*, arme néfaste de la *raison*. À bas toutes deux, au second rang!

Place à la magie! Place aux mystères objectifs! Place à l'amour! Place aux nécessités!

Au refus global nous opposons la responsabilité entière.

L'action intéressée reste attachée à son auteur, elle est mort-née.

Les actes passionnels nous fuient en raison de leur propre dynamisme.

Nous prenons allègrement l'entière responsabilité de demain. L'effort rationnel, une fois retourné en arrière, il lui revient de dégager le présent des limbes du passé.

Nos passions façonnent spontanément, imprévisiblement, nécessairement le futur.

Le passé dut être accepté avec la naissance, il ne saurait être sacré. Nous sommes toujours quittes envers lui.

Il est naïf et malsain de considérer les hommes et les choses de l'histoire dans l'angle amplificateur de la renommée qui leur prête des qualités inaccessibles à l'homme présent. Certes, ces qualités sont hors d'atteinte aux habiles singeries académiques, mais elles le sont automatiquement chaque fois qu'un homme obéit aux nécessités profondes de son être; chaque fois qu'un homme consent à être un homme neuf dans un temps nouveau. Définition de tout homme, de tout temps.

Fini l'assassinat massif du présent et du futur à coups redoublés du passé.

Il suffit de dégager d'hier les nécessités d'aujourd'hui. Au meilleur, demain ne sera que la conséquence imprévisible du présent.

Nous n'avons pas à nous en soucier avant qu'il ne soit.

ivory tower, well-fortified but too easy to ignore; refuse to remain silent — do with us what you will, but you shall hear us; refuse to make a deal with *la gloire* and its attendant honours: stigmata of malice, unawareness or servility; refuse to serve and to be used for such ends; refuse all *intention*, evil weapon of *reason* — down with them, to second place!

Make way for magic! Make way for objective mysteries!
Make way for love!
Make way for necessities!

To this global refusal we contrast full responsibility.

The self-seeking act is fettered to its author; it is stillborn.

The passionate act breaks free, through its very dynamism.

We gladly take on full responsibility for tomorrow. Rational effort, once in its proper place, will be available again to disengage the present from the limbo of the past.

Passions shape the future spontaneously, unpredictably, necessarily.

The past is a contingency of birth, it thus cannot be sacred. We are always quits with it.

It is naive and misleading to consider the men and things of history through the magnifying glass of fame, which lends them qualities beyond the reach of clever academic monkey tricks, although such qualities come automatically when man obeys the deep necessities of being — when he elects to become a new man in a new age (the definition of any man, of any time).

End the cascade of blows from the past which annihilates both present and future.

It is enough to disengage yesterday from the needs of today. A better tomorrow will be but the unforeseeable consequence of the present.

No need to concern ourselves with it before it comes.

Règlement final des comptes

Les forces organisées de la société nous reprochent notre ardeur à l'ouvrage, le débordement de nos inquiétudes, nos excès comme une insulte à leur mollesse, à leur quiétude, à leur bon goût pour ce qui est de la vie (généreuse, pleine d'espoir et d'amour par habitude perdue).

Les amis du régime nous soupçonnent de favoriser la ''Révolution''. Les amis de la ''Révolution'', de n'être que des révoltés: ''... nous protestons contre ce qui est, mais dans l'unique désire de le transformer, non de le changer.''

Si délicatement dit que ce soit, nous croyons comprendre.

Il s'agit de classe.

On nous prête l'intention naïve de vouloir ''transformer'' la société en remplaçant les hommes au pouvoir par d'autres semblables. Alors, pourquoi pas eux, évidemment!

Mais c'est qu'eux ne sont pas de la même classe! Comme si changement de classe impliquait changement de civilisation, changement de désirs, changement d'espoir!

Ils se dévouent à salaire fixe, plus un boni de vie chère, à l'organisation du prolétariat; ils ont mille fois raison. L'ennui est qu'une fois la victoire bien assise, en plus des petits salaires actuels, ils exigeront sur le dos du même prolétariat, toujours, et toujours de la même manière, un règlement de frais supplémentaires et un renouvellement à long terme, sans discussion possible.

Nous reconnaissons quand même qu'ils sont dans la lignée historique. Le salut ne pourra venir qu'après le plus grand excès de l'exploitation.

Ils seront cet excès.

Ils le seront en toute fatalité sans qu'il y ait besoin de quiconque en particulier. La ripaille sera plantureuse.

D'avance nous en avons refusé le partage.

Voilà notre ''abstention coupable''.

À vous la curée rationnellement ordonnée (comme tout ce qui est au sein affectueux de la décadence). À nous l'imprévisible passion; à nous le risque total dans le refus global.

(Il est hors de volonté que les classes sociales se soient succédées au gouvernement des peuples sans pouvoir autre

Final Settlement of Accounts

The organized forces of society reproach us for our eagerness to work, our inflated anxieties, our excesses; such things insult their tolerance and gentleness, and their good taste (generous and full of hope and love, merely from habit).

Friends of the present regime suspect us of supporting the ''Revolution''. Friends of the ''Revolution'' call us merely rebels, saying we ''protest against what now exists but only to transform it not to displace it.'' As delicately as this is put, we think we understand.

It is a question of class.

We are credited with the naïve intention of wanting to ''transform'' society by exchanging the men in power with others of the same kind — and of ignoring the friends of the ''revolution''!

But the only distinction between these ''friends'' and those presently in power is that they belong to different classes — as if a change of class implied a change of civilization, a change of desires, a change of hope!

They would devote themselves at a fixed salary (plus a cost-of-living bonus) to the organizing of the proletariat. So far, so good: the trouble is that, once in power, besides low wages they will foist on the same proletariat always, and always in the same manner, a renewable levy of supplementary charges, without discussion.

We recognize, nevertheless, that they might still be serving history. Salvation will come only after the most excessive exploitation.

And this excess they will achieve.

They will achieve it naturally, with no need of special talents, and the feasting will be lavish. We have refused to participate, already.

Therein lies our ''guilty abstention''.

For them, the rationally organized spoils (and everything in the affectionate bosom of decadence); for us, the unpredictable passion; for us, the risk of all in global refusal.

chose que poursuivre l'irrévocable décadence. Hors de volonté que notre connaissance historique nous assure que seul un complet épanouissement de nos facultés d'abord, et, ensuite, un parfait renouvellement des sources émotives puissent nous sortir de l'impasse et nous mettre dans la voie d'une civilisation impatiente de naître.)

Tous, gens en place, aspirants en place, veulent bien nous gâter, si seulement nous consentions à ménager leurs possibilités de gauchissement par un dosage savant de nos activités.

La fortune est à nous si nous rabattons nos visières, bouchons nos oreilles, remontons nos bottes et hardiment frayons dans le tas, à gauche, à droite.

Nous préférons être cyniques spontanément, sans malice.

Des gens aimables sourient au peu de succès monétaire de nos expositions collectives. Ils ont ainsi la charmante impression d'être les premiers à découvrir leur petite valeur marchande.

Si nous tenons exposition sur exposition, ce n'est pas dans l'espoir naïf de faire fortune. Nous savons ceux qui possèdent aux antipodes d'où nous sommes. Ils ne sauraient impunément risquer ces contacts incendiaires.

Dans le passé, des malentendus involontaires ont permis seuls de telles ventes.

Nous croyons ce texte de nature à dissiper tous ceux de l'avenir.

Si nos activités se font pressantes, c'est que nous ressentons violemment l'urgent besoin de l'union.

Là, le succès éclate!

Hier, nous étions seuls et indécis.

Aujourd'hui un groupe existe aux ramifications profondes et courageuses; déjà elles débordent les frontières.

Un magnifique devoir nous incombe aussi: conserver le précieux trésor qui nous échoit. Lui aussi est dans la lignée de l'histoire.

Objets tangibles, ils requièrent une relation constamment renouvelée, confrontée, remise en question. Relation impalpable, exigeante qui demande les forces vives de l'action.

(Inevitably each social class will succeed to the government of the people, unable to avoid the path of decadence. And, equally for certain, as history affirms, only a full blossoming of our faculties and a perfect renewal of their emotional sources will extricate us — directing us towards the civilization impatient to be born.)

All of them, those in power, and those who want the power, would pamper us, if we agreed to overlook their crookedness by wilfully restricting our activities.

Integrity depends on pulling down our visors, plugging our ears, lacing our boots and boldly clearing a way through the pack of them, whether of left or right.

We prefer being cynical spontaneously, without malice.

Nice people smile at the meagre success of our exhibitions. They are amused to think themselves the first to spot some bargain prices.

If we continue to hold such shows, however, it is not in the naive hope of making fortunes. We know the wealthy stay away from us. They could not with impunity make contact with incendiaries.

In the past, misunderstanding of exactly that has generated sales.

We believe this text will help dispel misunderstandings for the future.

If our activities increase, it is because we feel the urgent need for union with others.

It is there that success has been gained.

Yesterday, we were alone and indecisive.

Today, a group exists with wide, courageous branches that extend beyond frontiers.

A magnificent duty falls on us: history elects us to preserve the precious treasure it bequeaths.

Real things require relationships repeatedly renewed, or challenged, or put to question: relationships impalpable, exacting and dependent on the vivifying force of action.

Ce trésor est la réserve poétique, le renouvellement émotif où puiseront les siècles à venir. Il ne peut être transmis que *transformé*, sans quoi c'est le gauchissement.

Que ceux tentés par l'aventure se joignent à nous.

Au terme imaginable, nous entrevoyons l'homme, libéré de ses chaînes inutiles, réaliser dans l'ordre imprévu, nécessaire de la spontanéité, dans l'anarchie resplendissante, la plénitude de ses dons individuels.

D'ici là, sans repos ni halte, en communauté de sentiment avec les assoiffés d'un mieux-être, sans crainte des longues échéances, dans l'encouragement ou la persécution, nous poursuivrons dans la joie notre sauvage besoin de libération.

Paul-Émile Borduas

Magdeleine Arbour, Marcel Barbeau, Bruno Cormier, Claude Gauvreau, Pierre Gauvreau, Muriel Guilbault, Marcelle Ferron-Hamelin, Fernand Leduc, Thérèse Leduc, Jean-Paul Mousseau, Maurice Perron, Louise Renaud, Françoise Riopelle, Jean-Paul Riopelle, Françoise Sullivan

Our treasure is poetic resource: the emotional wealth on which the centuries to come will draw. It cannot be passed on unless it is *transformed*, and lacking this it is deformed.

Let those who are inspired by this endeavour join us.

We foresee a future in which man is freed from useless chains, to realize a plenitude of individual gifts, in necessary unpredictability, spontaneity and resplendent anarchy.

Until then, without surrender or rest, in community of feeling with those who thirst for better life, without fear of set-backs, in encouragement or persecution, we shall pursue in joy our overwhelming need for liberation.

Paul-Émile Borduas

Magdeleine Arbour, Marcel Barbeau, Bruno Cormier, Claude Gauvreau, Pierre Gauvreau, Muriel Guilbault, Marcelle Ferron-Hamelin, Fernand Leduc, Thérèse Leduc, Jean-Paul Mousseau, Maurice Perron, Louise Renaud, Françoise Riopelle, Jean-Paul Riopelle, Françoise Sullivan

1. Borduas utilise ironiquement une expression qui était jadis réservée aux rois de France.

2. Allusion probable à la Rébellion de 1837-1838.

3. Le goupillon et la tuque symbolisent les valeurs traditionnelles prônées par les tenants de l'''idéologie de conservation'': la foi catholique, l'agriculturisme et le nationalisme étroit.

4. La fin de la deuxième guerre mondiale provoqua un mouvement d'émigration européenne vers l'Amérique. Cette vague d'émigration n'apporta pas que des éléments désirables. D'anciens ''collaborateurs'' tirèrent avantage de la situation et espérèrent de cette façon échapper aux représailles des ''résistants''.

1. 1760 marked the defeat of the French army by the English invaders of New France and is a traumatic date in the French Canadian mind.

2. The phrase ''of France and Navarre'' was used in designating the titles of the French monarch, and is used here ironically.

3. Probably the Rebellion of 1837 - 1838: an abortive attempt at national liberation, still celebrated as the first great moment of Quebecois consciousness.

4. The *goupillon* was an instrument used at the beginning of high mass, when the faithful were blessed by the sprinkling on them of holy water, as a reminder of their baptism. Traditionally, the *tuque* was the distinctive hat of the French Canadian *habitant*. Here, both the holy-water-sprinkler and the *tuque* stand as symbols of the traditional values of French Canada: Catholic faith, ruralism, and narrow nationalism.

5. A reference to the immigration of Nazi sympathizers after World War II.

Refus global (facsimilé)

REFUS GLOBAL

———————————————

paul émile borduas

Rejetons de modestes familles canadiennes françaises, ouvrières ou petites bourgeoises, de
l'arrivée du pays à nos jours restées françaises
et catholiques par résistance au vainqueur, par
attachement arbitraire au passé, par plaisir et
orgueil sentimental et autres nécessités.

Colonie précipitée dès 1760 dans les murs lisses de la peur, refuge habituel des vaincus; là,
une première fois abandonnée. L'élite reprend
la mer ou se vend au plus fort. Elle ne manquera plus de le faire chaque fois qu'une occasion sera belle.

Un petit peuple serré de près aux soutanes restées les seules dépositaires de la foi, du savoir, de la vérité et de la richesse nationale.
Tenu à l'écart de l'évolution universelle de la
pensée pleine de risques et de dangers, éduqué
sans mauvaise volonté, mais sans contrôle, dans
le faux jugement des grands faits de l'histoire
quand l'ignorance complète est impraticable.

Petit peuple issu d'une colonie janséniste, isolé, vaincu, sans défense contre l'invasion de
toutes les congrégations de France et de Navarre,
en mal de perpétuer en ces lieux bénis de la peur
(c'est-le-commencement-de-la-sagesse!) le prestige et les bénéfices du catholicisme malmené
en Europe. Héritières de l'autorité papale, mécanique, sans réplique, grands maîtres des méthodes obscurantistes nos maisons d'enseignement
ont dès lors les moyens d'organiser en mono-

1

nopole le règne de la mémoire exploiteuse, de la raison immobile, de l'intention néfaste.

Petit peuple qui malgré tout se multiplie dans la générosité de la chair sinon dans celle de l'esprit, au nord de l'immense Amérique au corps sémillant de la jeunesse au coeur d'or, mais à la morale simiesque, envoûtée par le prestige annihilant du souvenir des chefs-d'oeuvre d'Europe, dédaigneuse des authentiques créations de ses classes opprimées.

Notre destin sembla durement fixé.

Des révolutions, des guerres extérieures brisent cependant l'étanchéité du charme, l'efficacité du blocus spirituel.

Des perles incontrôlables suintent hors les murs.

Les luttes politiques deviennent âprement partisanes. Le clergé contre tout espoir commet des imprudences.

Des révoltes suivent, quelques exécutions capitales succèdent. Passionnément les premières ruptures s'opèrent entre le clergé et quelques fidèles.

Lentement la brèche s'élargit, se rétrécit, s'élargit encore.

Les voyages à l'étranger se multiplient. Paris exerce toute l'attraction. Trop étendu dans le temps et dans l'espace, trop mobile pour nos âmes timorées, il n'est souvent que l'occasion d'une vacance employée à parfaire une éducation sexuelle retardataire et à acquérir, du fait d'un séjour en France, l'autorité facile en vue de l'exploitation améliorée de la foule au retour. A bien peu d'exceptions près, nos médecins, par exemple, (qu'ils aient ou non voyagé)

adoptent une conduite scandaleuse (il-faut-bien-
n'est-ce-pas-payer ces-longues-années-d'études!).

Des oeuvres révolutionnaires, quand par hasard
elles tombent sous la main, paraissent les
fruits amers d'un groupe d'excentriques. L'activité académique a un autre prestige à notre
manque de jugement.

Ces voyages sont aussi dans le nombre l'exceptionnelle occasion d'un réveil. L'inviable s'infiltre partout. Les lectures défendues se répandent. Elles apportent un peu de baume et d'espoir.

Des consciences s'éclairent au contact vivifiant
des poètes maudits: ces hommes qui, sans être
des monstres, osent exprimer haut et net ce que
les plus malheureux d'entre nous étouffent tout
bas dans la honte de soi et la terreur d'être
engloutis vivants. Un peu de lumière se fait
à l'exemple de ces hommes qui acceptent les premiers les inquiétudes présentes, si douloureuses,
si filles perdues. Les réponses qu'ils apportent ont une autre valeur de trouble, de précision, de fraîcheur que les sempiternelles rengaines proposées au pays du Québec et dans tous
les séminaires du globe.

Les frontières de nos rêves ne sont plus les mêmes.

Des vertiges nous prennent à la tombée des oripeaux
d'horizons naguère surchargés. La honte du servage
sans espoir fait place à la fierté d'une liberté
possible à conquérir de haute lutte.

Au diable le goupillon et la tuque! Mille fois
ils extorquèrent ce qu'ils donnèrent jadis.

Par delà le christianisme nous touchons la brû-*lante*
fraternité humaine dont il est devenu la porte
fermée.

3

Le règne de la peur multiforme est terminé.

Dans le fol espoir d'en effacer le souvenir
je les énumère :

    peur des préjugés - peur de l'opinion
    publique - des persécutions - de la
    réprobation générale

    peur d'être seul sans Dieu et la société
    qui isolent très infailliblement

    peur de soi - de son frère - de la pauvreté

    peur de l'ordre établi - de la ridicule
    justice

    peur des relations neuves

    peur du surrationnel

    peur des nécessités

    peur des écluses grandes ouvertes sur la foi
    en l'homme - en la société future

    peur de toutes les formes susceptibles de
    déclencher un amour transformant

    peur bleue - peur rouge - peur blanche: mail-
    lons de notre chaîne.

Du règne de la peur soustrayante nous passons à
celui de l'angoisse.

Il aurait fallu être d'airain pour rester indifférents à la douleur des partis-pris de gaieté
feinte, des réflexes psychologiques des plus
cruelles extravagances: maillot de cellophane du
poignant désespoir présent (comment ne pas crier
à la lecture de la nouvelle de cette horrible

4

collection d'abat-jour faits de tatouages
prélevés sur de malheureux captifs à la demande d'une femme élégante; ne pas gémir à l'é-
noncé interminable des supplices des camps de
concentration; ne pas avoir froid aux os à la
description des cachots espagnols, des représailles injustifiables, des vengeances à froid).
Comment ne pas frémir devant la cruelle lucidité de la science.

A ce règne de l'angoisse toute puissante succède celui de la nausée.

Nous avons été écoeurés devant l'apparente inaptitude de l'homme à corriger les maux. Devant
l'inutilité de nos efforts, devant la vanité de nos
espoirs passés.

Depuis des siècles les généreux objets de l'activité poétique sont voués à l'échec fatal sur le
plan social, rejetés violemment des cadres de la
société avec tentative ensuite d'utilisation dans
le gauchissement irrévocable de l'intégration, de
la fausse assimilation.
Depuis des siècles les splendides révolutions
aux seins regorgeant de sève sont écrasées à mort
après un court moment d'espoir délirant, dans le
glissement à peine interrompu de l'irrémédiable
descente:

        les révolutions françaises

        la révolution russe

        la révolution espagnole

avortée dans une mêlée internationale, malgré
les voeux impuissants de tant d'âmes simples du
monde.

Là encore, la fatalité fut plus forte que la générosité.

5

Ne pas avoir la nausée devant les récompenses
accordées aux grossières cruautés, aux menteurs,
aux faussaires, aux fabricants d'objets mort-nés,
aux affineurs, aux intéressés à plat, aux calculateurs, aux faux guides de l'humanité, aux
empoisonneurs des sources vives.
Ne pas avoir la nausée devant notre propre lâcheté, notre impuissance, notre fragilité, notre
incompréhension.
Devant les désastres de nos amours...
En face de la constante préférence accordée aux
chères illusions contre les mystères objectifs.

Où est le secret de cette efficacité de malheur
imposée à l'homme et par l'homme seul, sinon
dans notre acharnement à défendre la civilisation qui préside aux destinées des nations dominantes.

Les Etats-Unis, la Russie, l'Angleterre, la
France, l'Allemagne, l'Italie et l'Espagne: héritières à la dent pointue d'un seul décalogue,
d'un même évangile.

La religion du Christ a dominé l'univers. Voyez
ce qu'on en a fait: des fois soeurs sont passées
à des exploitations soeurettes.

Supprimez les forces précises de la concurrence
des matières premières, du prestige, de l'autorité et elles seront parfaitement d'accord. Donnez la supré tie à qui vous voudrez, le complet
contrôle de la terre à qui il vous plaira, et vous
aurez les mêmes résultats fonciers, sinon avec
les mêmes arrangements des détails.

Toutes sont au terme de la civilisation chrétienne.

La prochaine guerre mondiale en verra l'effondrement dans la suppression des possibilités de

6

concurrence internationale.

Son état cadavérique frappera les yeux encore fermés.

La décomposition commencée au XIVe siècle donnera
la nausée aux moins sensibles.

Son exécrable exploitation, maintenue tant de
siècles dans l'efficacité au prix des qualités
les plus précieuses de la vie, se révèlera enfin à la multitude de ses victimes: dociles
esclaves d'autant plus acharnés à la défendre
qu'ils étaient plus misérables.

L'écartèlement aura une fin.

La décadence chrétienne aura entraîné dans sa
chute tous les peuples, toutes les classes
qu'elle aura touchées, dans l'ordre de la première à la dernière, de haut en bas.

Elle atteindra dans la honte l'équivalence renversée des sommets du XIIIe.

Au XIIIe siècle, les limites permises à l'évolution de la formation morale des relations
englobantes du début atteintes, l'intuition
cède la première place à la raison. Graduellement l'acte de foi fait place à l'acte calculé.
L'exploitation commence au sein de la religion
par l'utilisation intéressée des sentiments
existants, immobilisés; par l'étude rationnelle
des textes glorieux au profit du maintien de la
suprématie obtenue spontanément.

L'exploitation rationnelle s'étend lentement à
toutes les activités sociales: un rendement ma-

7

ximum est exigé.

La foi se réfugie au cœur de la foule, devient l'ultime espoir d'une revanche, l'ultime compensation. Mais là aussi, les espoirs s'émoussent.

En haut lieu, les mathématiques succèdent aux spéculations métaphysiques devenues vaines.

L'esprit d'observation succède à celui de transfiguration.

La méthode introduit les progrès imminents dans le limité. La décadence se fait aimable et nécessaire: elle favorise la naissance de nos souples machines au déplacement vertigineux, elle permet de passer la camisole de force à nos rivières tumultueuses en attendant la désintégration à volonté de la planète. Nos instruments scientifiques nous donnent d'extraordinaires moyens d'investigation, de contrôle des trop petits, trop rapides, trop vibrants, trop lents ou trop grands pour nous. Notre raison permet l'envahissement du monde, mais d'un monde où nous avons perdu notre unité.

L'écartèlement entre les puissances psychiques et les puissances raisonnantes est près du paroxysme.

Les progrès matériels, réservés aux classes possédantes, méthodiquement freinés, ont permis l'évolution politique avec l'aide des pouvoirs religieux (sans eux ensuite) mais sans renouveler les fondements de notre sensibilité, de notre subconscient, sans permettre la pleine évolution émotive de la foule qui seule aurait pu nous sortir de la profonde ornière chrétienne.

La société née dans la foi périra par l'arme de la raison: l'INTENTION.

La regression fatale de la puissance morale
collective en puissance strictement individuelle et sentimentale, a tissé la doublure
de l'écran déjà prestidigieux du savoir abstrait sous laquelle la société se dissimule
pour dévorer à l'aise les fruits de ses forfaits.

Les deux dernières guerres furent nécessaires
à la réalisation de cet état absurde. L'épouvante de la troisième sera décisive. L'heure
H du sacrifice total nous frôle.

Déjà les rats européens tentent un pont de fuite
éperdue sur l'Atlantique. Les évènements déferleront sur les voraces, les repus, les luxueux,
les calmes, les aveugles, les sourds.

Ils seront culbutés sans merci.

Un nouvel espoir collectif naîtra.

Déjà il exige l'ardeur des lucidités exceptionnelles, l'union anonyme dans la foi retrouvée
en l'avenir, en la collectivité future.

Le magique butin magiquement conquis à l'inconnu
attend à pied d'oeuvre. Il fut rassemblé par
tous les vrais poètes. Son pouvoir transformant
se mesure à la violence exercée contre lui,
à sa résistance ensuite aux tentatives d'utilisation (après plus de deux siècles, Sade reste
introuvable en librairie; Isidore Ducasse, depuis plus d'un siècle qu'il est mort, de révolutions, de carnages, malgré l'habitude du cloaque actuel reste trop viril pour les molles consciences contemporaines).

Tous les objets du trésor se révèlent inviolables par notre société. Ils demeurent l'incorruptible réserve sensible de demain. Ils furent

9

ordonnés spontanément hors et contre la civilisation. Ils attendent pour devenir actifs (sur
le plan social) le dégagement des nécessités
actuelles.

D'ici là notre devoir est simple.

Rompre définitivement avec toutes les habitudes
de la société, se désolidariser de son esprit
utilitaire. Refus d'être sciemment au-dessous
de nos possibilités psychiques et physiques. Refus de fermer les yeux sur les vices, les duperies perpétrées sous le couvert du savoir, du
service rendu, de la reconnaissance due. Refus
d'un cantonnement dans la seule bourgade plastique, place fortifiée mais trop facile d'évitement. Refus de se taire --- faites de nous ce
qu'il vous plaira mais vous devez nous entendre ---
refus de la gloire, des honneurs (le premier
consenti): stigmates de la nuisance, de l'inconscience, de la servilité. Refus de servir, d'être
utilisables pour de telles fins. Refus de toute
INTENTION, arme néfaste de la RAISON. A bas toutes
deux, au second rang!

PLACE A LA MAGIE! PLACE AUX MYSTERES OBJECTIFS!
PLACE A L'AMOUR!
PLACE AUX NECESSITES!

Au refus global nous opposons la responsabilité
entière.

L'action intéressée reste attachée à son auteur,
elle est mort-née.

Les actes passionnels nous fuient en raison de
leur propre dynamisme.

Nous prenons allègrement l'entière responsabilité
de demain. L'effort rationnel, une fois re-

10

tourné en arrière, il lui revient de dégager
le présent des limbes du passé.

Nos passions façonnent spontanément, imprévisiblement, nécessairement le futur.

Le passé dut être accepté avec la naissance, il
ne saurait être sacré. Nous sommes toujours quittes envers lui.

Il est naïf et malsain de considérer les hommes
et les choses de l'histoire dans l'angle amplificateur de la renommée qui leur prête des qualités inaccessibles à l'homme présent. Certes, ces
qualités sont hors d'atteinte aux habiles singeries
académiques, mais elles le sont automatiquement
chaque fois qu'un homme obéit aux nécessités profondes de son être; chaque fois qu'un homme consent
à être un homme neuf dans un temps nouveau. Définition de tout homme, de tout temps.

Fini l'assassinat massif du présent et du futur à
coup redoublé du passé.

Il suffit de dégager d'hier les nécessités d'aujourd'hui. Au meilleur demain ne sera que la conséquence imprévisible du présent.

Nous n'avons pas à nous en soucier avant qu'il ne
soit.

REGLEMENT FINAL DES COMPTES

Les forces organisées de la société nous reprochent notre ardeur à l'ouvrage, le déborde-

11

ment de nos inquiétudes, nos excès comme une
insulte à leur mollesse, à leur quiétude, à
leur bon goût pour ce qui est de la vie (généreuse, pleine d'espoir et d'amour par habitude perdue).

Les amis du régime nous soupçonnent de favoriser la "Révolution". Les amis de la "Révolution" de n'être que des révoltés: "...nous protestons contre ce qui est, mais dans l'unique
désir de le transformer, non de le changer."

Si délicatement dit que ce soit, nous croyons
comprendre.

Il s'agit de classe.

On nous prête l'intention naïve de vouloir "transformer" la société en remplaçant les hommes au
pouvoir par d'autres semblables. Alors, pourquoi pas eux, évidemment!

Mais c'est qu'eux ne sont pas de la même classe!
Comme si changement de classe impliquait changement de civilisation, changement de désirs,
changement d'espoir!

Ils se dévouent à salaire fixe, plus un boni de
vie chère, à l'organisation du prolétariat; ils
ont mille fois raison. L'ennui est qu'une fois
la victoire bien assise, en plus des petits salaires actuels, ils exigeront sur le dos du même
prolétariat, toujours, et toujours de la même
manière, un règlement de frais supplémentaires
et un renouvellement à long terme, sans discussion possible.

Nous reconnaissons quand même qu'ils sont dans
la lignée historique. Le salut ne pourra venir
qu'après le plus grand excès de l'exploitation.

12

Ils seront cet excès.

Ils le seront en toute fatalité sans qu'il y ait besoin de quiconque en particulier. La ripaille sera plantureuse. D'avance nous en avons refusé le partage.

Voilà notre "abstention coupable".

A vous la curée rationnellement ordonnée (comme tout ce qui est au sein affectueux de la décadence); à nous l'imprévisible passion; à nous le risque total dans le refus global.

(Il est hors de volonté que les classes sociales se soient succédées au gouvernement des peuples sans pouvoir autre chose que poursuivre l'irrévocable décadence. Hors de volonté que notre connaissance historique nous assure que seul un complet épanouissement de nos facultés d'abord, et, ensuite, un parfait renouvellement des sources émotives puissent nous sortir de l'impasse et nous mettre dans la voie d'une civilisation impatiente de naître.)

Tous, gens en place, aspirants en place, veulent bien nous gâter, si seulement nous consentions à ménager leurs possibilités de gauchissement par un dosage savant de nos activités.

La fortune est à nous si nous rabattons nos visières, bouchons nos oreilles, remontons nos bottes et hardiment frayons dans le tas, à gauche, à droite.

Nous préférons être cyniques spontanément, sans malice.

Des gens aimables sourient au peu de succès mo-

13

nétaire de nos expositions collectives, Ils
ont ainsi la charmante impression d'être les
premiers à découvrir leur petite valeur marchande.

Si nous tenons exposition sur exposition, ce
n'est pas dans l'espoir naïf de faire fortune.
Nous savons ceux qui possèdent aux antipodes
d'où nous sommes. Ils ne sauraient impunément
risquer ces contacts incendiaires.

Dans le passé, des malentendus involontaires ont
permis seuls de telles ventes.

Nous croyons ce texte de nature à dissiper
tous ceux de l'avenir.

Si nos activités se font pressantes, c'est que
nous ressentons violemment l'urgent besoin de
l'union.

Là, le succès éclate!

Hier, nous étions seuls et indécis.

Aujourd'hui un groupe existe aux ramifications
profondes et courageuses; déjà elles débordent
les frontières.

Un magnifique devoir nous incombe aussi: conserver
le précieux trésor qui nous échoit. Lui aussi
est dans la lignée de l'histoire.

Objets tangibles, ils requièrent une relation
constamment renouvelée, confrontée, remise en
question. Relation impalpable, exigeante qui
demande les forces vives de l'action.

Ce trésor est la réserve poétique, le renouvellement émotif où puiseront les siècles à venir.
Il ne peut être transmis que TRANSFORME, sans

14

quoi c'est le gauchissement.

Que ceux tentés par l'aventure se joignent à nous.

Au terme imaginable, nous entrevoyons l'homme
libéré de ses chaînes inutiles, réaliser dans
l'ordre imprévu, nécessaire de la spontanéité,
dans l'anarchie resplendissante, la plénitude
de ses dons individuels.

D'ici là, sans repos ni halte, en communauté
de sentiment avec les assoiffés d'un mieux être,
sans crainte des longues échéances, dans l'encouragement ou la persécution, nous poursuivrons dans la joie notre sauvage besoin de
libération.

                    Paul-Emile BORDUAS.

Magdeleine ARBOUR, Marcel BARBEAU, Bruno CORMIER,
Claude GAUVREAU, Pierre GAUVREAU, Muriel GUILBAULT,
Marcelle FERRON-HAMELIN, Fernand LEDUC, Thérèse
LEDUC, Jean-Paul MOUSSEAU, Maurice PERRON, Louise
RENAUD, Françoise RIOPELLE, Jean-Paul RIOPELLE,
Françoise SULLIVAN.

15

En regard du surréalisme actuel

Les surréalistes nous ont révélé l'importance morale de l'acte non préconçu.

Spontanément ils mirent l'accent sur les "hasards objectifs" primant la valeur rationnelle. Leurs intentions n'ont pas changé.

Cependant les jugements rendus, depuis quelques années, portent de plus en plus les marques de l'attention accordée aux intentions de l'auteur. Cette attention domine de beaucoup celle portée à la qualité "convulsive" des oeuvres.

D'où répétitions d'erreurs inconnues à la phase empirique.

L'intention est nécessaire, non suffisante.

Impossibilité de reconnaître l'intention vivante, fatale, de la fausse: attitude adoptée, recherchée, calculée, intéressée.

La qualité convulsive ne peut être que la résultante d'une opération magique; exprimant une imprévisible relation matérielle.

Le reste est relatif, intéressant et nécessaire, non suffisant.

Si à la vue de ce dessin, j'ai la certitude morale d'être devant un Mousseau, ce n'est certes pas pour telle ou telle intention de l'auteur. Cette intention m'est encore en grande partie inconnue! Si j'ai la certitude d'être devant un Mousseau, c'est à cause d'une relation plastique non intentionnelle, fatale et constante à Mousseau que ma mémoire me rappelle comme une chose unique et propre à tous les objets qu'il façonne.

Si je reconnais telle aquarelle comme étant de Riopelle (exemples d'une des récentes expositions) ce n'est pas à cause des moyens employés, volumes, lumières, mouvements, matières, couleurs (ces moyens ont peu changé depuis toujours) mais uniquement à cause d'une relation plastique propre et tout aussi involontaire à Riopelle que la qualité de ses sens, de son esprit.

Là réside toute la puissance convulsive, transformante.

C'est cette puissance qu'ont perdue les artistes les plus connus de notre époque dans l'exploitation consciente de leur personnalité.

Breton seul demeure incorruptible.

Concerning today's surrealism

The surrealists have shown us the moral significance of the unpreconceived act.

Spontaneously they put the accent on "chance encounter" before rational value. This is still their emphasis.

Nevertheless, pronouncements of the last few years bear more and more the marks of increasing concern for the author's intention. This concern prevails markedly over that given to the "convulsive" quality of the work.

Hence an accumulation of errors unknown during the empirical phase.

The intention is necessary, but not sufficient.

It is an impossibility to distinguish the lively, fated intention from the false one: posed, recherché, calculated, selfish.

Convulsive quality can only be the consequence of magic processes, expressing unpredictable material relations.

Anything else is relative: interesting and necessary, but not sufficient.

If, at the sight of this drawing, I am morally sure I am in front of a Mousseau, it is not because of such and such an intention of the author. This intention is still for the greater part unknown to me! If I have the certainty of being in front of a Mousseau, it is because of unintentional plastic relationships, inexorable and constant for Mousseau, which my memory recognizes as a unique characteristic, particular to all the objects he fashions.

If I recognize a watercolour as being by Riopelle (take an example from one of the recent exhibitions), it is not because of the elements used (volumes, lights, movements, materials, colours — these means have never varied much) but solely because of plastic relationships particular to his art, and as unintentional to Riopelle as the quality of his senses and his mind.

It is in this that all the convulsive, transforming power resides.

It is this power that the best known artists of our time have lost through the conscious exploitation of their personality.

Breton alone stands incorruptible.

Commentaires sur des mots courants

Commentaries on some current words

Abstrait
adj. Qui désigne une qualité, abstraction faite du sujet comme blancheur, bonté. Qui opère sur des qualités pures et non sur des réalités: sciences abstraites. Difficile à comprendre: écrivain abstrait. (Larousse)

Abstraction plastique
Désigne les objets volontairement constructifs dans une forme régularisée.

Abstraction baroque
Fut proposé[1] pour désigner les objets sans souci d'ordonnance, non nécessairement sans ordre.

(Hist. Depuis les expériences cubistes le mot abstraction désigne abusivement tout objet difficile à comprendre.)

Académique
adj. Propre à une académie: fauteuil, séance académique; où l'art se fait trop sentir. Pose académique: prétentieuse. (Larousse)

Synonymes: mort, froid, volontaire, systématique, rationnel, intentionnel, répétitif, double emploi, impersonnel, insensible, calculé, etc., etc., etc., et zut! faites un petit effort.

Automatique
adj. Caractère de tout geste, de toute oeuvre non préméditée.

Automatisme
Un des moyens suggérés par André Breton pour l'étude du mouvement de la pensée. On distingue trois modes d'automatisme: mécanique, psychique, surrationnel.

Automatisme mécanique
Produit par des moyens strictement physiques: plissage, grattage, frottements, dépôts, fumage, gravitation, rotation, etc. Les objets ainsi obtenus possèdent les qualités plastiques universelles (les mêmes nécessités physiques façonnent la matière). Ces objets sont peu révélateurs de la personnalité de leur auteur. En revanche ils constituent d'excellents écrans paranoïaques.

Automatisme psychique
En littérature: écriture sans critique du mouvement de la pensée. Dans des états sensibles particuliers, a permis les hallucinantes prophéties des temps modernes: surréalisme. Contribua largement au bond en avant de l'observation du processus de la création artistique.

En peinture: a surtout utilisé la mémoire. Mémoire onirique: Dali; mémoire d'une légère hallucination: Tanguy,

Abstract
adj. Designating a quality abstracted from an object, as whiteness, kindness. That which operates on pure qualities, not on realities: abstract sciences. Hard to understand: abstract writer. (Larousse)

Plastic abstraction
Designates objects constructed voluntarily in a formalized way.

Baroque abstraction
Suggested[1] as designating objects without formal planning but not neccessarily without order.

(Hist. Since cubism, the word abstraction abusively designates anything difficult to understand.)

Academic
adj. Of or relating to an academy: academic seat, academic session; where art is too affected. Academic pose: pretentious. (Larousse)

Synonyms: dead, cold, voluntary, systematic, rational, intentional, repetitive, over-done, impersonal, insensitive, calculated, etc., etc., etc. — add the rest yourself.

Automatic
adj. Character of any unpremeditated gesture or work.

Automatism
One means of studying the dynamics of thought proposed by André Breton. Three methods of automatism should be distinquished: mechanical, psychic and superrational.

Mechanical Automatism
Produced by strictly physical means such as folding, scratching, rubbing, depositing, smoking, gravitation, rotation, etc. Objects so made possess universal plastic qualities (the same physical laws fashion the matter). These objects reveal little of the personality of their author. On the other hand, they are excellent paranoiac screens.

Psychic Automatism
In literature: writing, without restraint on the movement of the mind. In particular states of sensitivity, has permitted the hallucinatory prophecies of modern times: surrealism. Has greatly stimulated increased interest in the process of artistic creation.

In painting: has mainly used the memory. Oneiric memory: Dali; memory of mild hallucinations: Tanguy, Dali; memory of chance events of many kinds: Duchamp, etc. Because of the use of memory, interest attaches more to

Dali; mémoire des hasards de toute espèce: Duchamp, etc. À cause de la mémoire utilisée, l'intérêt se porte davantage sur le sujet traité (idée, similitude, image, association imprévue d'objets, relation mentale) que sur le sujet réel (objet plastique, propre aux relations sensibles de la matière employée).

Automatisme surrationnel
Écriture plastique non préconçue. Une forme en appelle une autre jusqu'au sentiment de l'unité ou de l'impossibilité d'aller plus loin sans destruction.

En cours d'exécution aucune attention n'est apportée au contenu. L'assurance qu'il est fatalement lié au contenant justifie cette liberté: Lautréamont.

Complète indépendance morale vis-à-vis l'objet produit. Il est laissé intact, repris en partie ou détruit selon le sentiment qu'il déclenche (quasi-impossibilité de reprise partielle). Tentative d'une prise de conscience plastique au cours de l'écriture (plus exactement peut-être ''un état de veille'' — Robert Élie). Désir de comprendre le contenu une fois l'objet terminé.

Ses espoirs: une connaissance aiguisée du contenu psychologique de toute forme, de l'univers humain fait de l'univers tout court.

Cubisme
n.m. Période récente de l'histoire de l'art. 1911. Les premiers tableaux de cette école seraient attribuables à Georges Braque: des petits paysages aux éléments naturels traités en des formes géométriques, d'où le nom de cubisme. De cette tentative hasardeuse, mais limitée, aidée de la fameuse ligne spatiale de Cézanne, l'on détruisit assez rapidement jusqu'à la vraisemblance des sujets d'emprunt, sans cependant abandonner l'idée. Picasso dans la phase aiguë alla jusqu'à l'emploi exclusif d'éléments géométriques sans autres similitudes.

La qualité émotive du tableau, contrairement à la crainte provoquée par une telle amputation, devient plus troublante. Ces expériences irrationnelles détruisirent les valeurs sentimentales passées, jugées jusque là à tout jamais indispensables.

L'école devient vite rationaliste. Les répétitions incessantes de ses nombreux ''missionnaires'' se montrant encore capables de satisfaire leur peu de curiosité.

the theme treated (idea, similarity, image, unforeseen association of objects, mental association) than to the real subject (plastic object, springing from the physical properties of the material used).

Superrational Automatism
Unpremeditated plastic writing. One shape demands another until a feeling of unity is achieved, or a feeling of the impossibility of going further without destruction.

During the process, no attention is given to content. The conviction that content is inevitably linked to the process justifies this freedom: Lautréamont.

Complete moral independence with regard to the object produced. It is left intact, or retouched in part or destroyed, according to the feeling that it provokes (partial retouching is well nigh impossible). A coming to consciousness during the process of plastic writing (more exactly maybe ''a state of awakening'' — Robert Élie). Desire to grasp the content once the object is finished.

Its hopes: an acute knowledge of the psychological content of any form, of the human universe — in short, the universe itself.

Cubism
n. Recent period of art history: 1911. The first paintings of this school could be attributed to Georges Braque: small landscapes, with natural elements treated in geometric forms, hence the name cubism. From this hazardous but limited attempt, helped by the famous spatial line of Cézanne, the likeness of the subject was swiftly enough destroyed, though without losing its essence.

In the extreme phase, Picasso went as far as the exclusive use of geometric elements without outside reference.

The emotional quality of the picture, contrary to what one might be led to expect by such a loss, became more disconcerting. These irrational experiments destroyed the sentimental values of the past, presumed, up to that time, to be indispensable.

A school which became rapidly conventionalized. Its numerous ''missionaries'' satisfy their meagre curiosity by continuous repetition.

Delirium
n. Mental disturbance provoked by fever, or sickness. Great agitation of the soul caused by passions: delirium of ambition. Enthusiams, raptures. (Larousse)

Délire
n.m. Égarement causé par la fièvre, la maladie. Grande agitation de l'âme causée par les passions: le délire de l'ambition. Enthousiasme, transports. (Larousse)

Écran paranoïaque
Surface dont la vue prolongée sert à fixer les phantasmes en une vision claire.

Exemple: conseil de Léonard de Vinci à l'un de ses élèves: "...tu t'es arrêté à contempler des taches aux murs, dans les cendres du foyer, dans les nuages ou les ruisseaux; et si tu les considères attentivement, tu y découvriras des inventions très admirables dont le génie du peintre peut tirer parti, pour composer des batailles d'animaux ou d'hommes, des paysages ou des monstres, ou autres choses qui te feront honneur."

Forme
n.f. Un signe, même un point, s'il exprime un volume, non une seule surface qui déterminerait une silhouette. L'ensemble des surfaces d'un objet donné.

La forme ne sera émouvante que si elle est réinventée à tous les degrés de la connaissance sensible.

La conscience détermine le caractère de la forme: naturaliste, impressionniste, futuriste, fauviste, cubiste, surréaliste, surrationnelle.

Impossibilité pour la forme de conserver sa puissance émotive dans l'utilisation consciente. Elle devient alors académique. Synonyme: insensible.

Magie
n.f. Imprévisible transformation apportée par le désir-passion.

Mythe
n.m. Le mythe ne saurait naître d'une imagination gratuite. De tout temps les nécessités rationnelles sont évidentes et actives.

Un mythe est le symbole le plus parfait, à un moment donné de la connaissance, d'une réalité mystérieuse évidente et constante. Symbole exprimant dans une relation englobante le connu et l'inconnu de cet objet même.

L'erreur passée n'est pas attribuable au mythe de sa naissance à son apogée, mais aux cadres qui l'utilisent dans un état d'immobilité par prestige de la gloire passée à un

Paranoiac Screen
Surface, which when stared at lengthily serves to produce phantasms.

Example: advice of Leonardo da Vinci to one of his pupils: "... you have at times contemplated spots on walls, ashes of a fireplace, clouds or streams; if you look attentively, you will discover in them admirable inventions which the genius of the painter can exploit to compose battles of animals and men, landscapes or monsters, or other subjects which will bring you honour."

Form
n. A sign, even a point, if it expresses volume, but not just a flat surface which produces a silhouette. The sum of the surfaces of a given object.

Form will move us only if it is recreated at all levels of our sensibility.

Consciousness determines the character of the form: naturalist, impressionist, futurist, fauvist, cubist, surrealist, superrational.

It is impossible for the form to keep its emotional power if used consciously. It then becomes academic. Synonym: insensitive.

Magic
n. Unpredictable transformation brought about by desire-passion.

Myth
n. Myth could never come from mere imagination. At all times, rational necessities are evident and active.

A myth is the most perfect symbol, at a given moment in the development of knowledge, of mysterious, evident and constant reality. A symbol which expresses in totality the known and unknown of this reality.

Past errors are not to be blamed on myth in its growing phase, but on those powers that preserve it artificially, because of its past glories, at a time when it ought to be replaced. These powers propagate unjustifiable attitudes of mind, shamelessly exploit them and retard the evolution of sensibility.

As for us: time to release the brake. Make way for new attitudes!

moment où il devrait être remplacé, qui entretiennent ainsi les relations devenues injustifiables, enfin l'exploitation sans vergogne, et freinent l'évolution sensible.

Pour nous, fini le freinage. Gloire aux relations neuves!

Plastique

adj. (du grec, plastikos, de plastos: qui façonne). Propre à être modelé: argile plastique. Qui concerne la reproduction des formes: la statuaire, la peinture sont des arts plastiques. n.f. Art de modeler les figures: la plastique grecque. Abusivement: ensemble des formes d'une personne: la plastique irréprochable d'Apollon. (Larousse)

Révolution

n.f. Les révolutions marquent les grands étapes de la décadence d'une civilisation (d'un ''égrégore''[2] —Pierre Mabille). Tant que la connaissance ne permet pas d'en comprendre le mécanisme, elles provoquent l'espoir délirant d'une correction définitive du sort. Les révolutions marquent aussi les grandes étapes du progrès scientifique, mécanique. Dans une civilisation ascendante née du chaos dans la foi retrouvée en l'amour, le pouvoir met des siècles à s'unifier: le temps que met l'intelligence à préciser l'objet de sa foi, de son amour. Au terme de la précision, le pouvoir est réuni sur un seul être — personnification humaine — de l'objet spirituel éternel.

L'utilisation inconsciente, consciente, et enfin scandaleusement cynique en use le dynamisme social. Il est alors violemment rejeté par les foules pour qui il ne devient plus qu'une valeur sentimentale.

Le pouvoir absolu, appuyé par une classe relativement restreinte, tout en restant unifié, perd son caractère personnel et devient le privilège d'une classe plus nombreuse, intermédiaire entre le peuple et la noblesse. L'écartèlement commencé sous la royauté entre les puissances psychiques — chevaleresques — et les puissances rationnelles — laborieuses — se poursuit. L'exploitation use alors les concepts dynamiques de liberté, égalité, fraternité, inconsciemment d'abord, consciemment ensuite, enfin jusqu'au cynisme le plus odieux.

La liberté, l'égalité, la fraternité ne semblent plus possibles qu'au sein d'une même et seule classe. Le prolétariat s'empare alors du pouvoir et, de force, exploite l'efficacité méthodique, dernière phase possible de l'écartèlement entre la passion et la raison. Dernier stage dynamique de la froide cruauté intentionnelle. Le fond de la marmite où l'unification, la centralisation du pouvoir éclatera de nouveau pour retomber

Plastic

adj. (from the Greek, plastikos, from plastôs: that which gives shape) ready to be modelled: plastic clay. That which concerns the reproduction of forms: statuary, painting are plastic arts.

n. Art of modelling figures: Greek plastic art. Incorrect usage, the physical aspect of a person: the plastic perfection of Apollo. (Larousse)

Revolution

n. Revolutions mark off each step of the decadence of a civilization (of an ''egregore''[2] — Pierre Mabille). As long as knowledge does not permit the understanding of their mechanism, they provoke the delirious hope of a final amendment of fate. Revolutions indicate also the great steps of scientific and technical progress.

In an ascending civilization, born out of chaos through a recovered faith in love, power takes centuries to become unified: in fact, just as long as it takes the intelligence to identify the object of its faith and its love. Once the object is identified, power is invested in one being alone — a human personification of the eternal, spiritual object.

Its initially unconscious, then conscious, and at last scandalously cynical exercise weakens its social dynamic. It is then violently rejected by the crowd for whom it becomes only of sentimental value.

Absolute power, supported by a relatively small class, while remaining unified, loses its personal character and becomes the privilege of a more numerous class, intermediate between the people and the nobility. The estrangement of the psychic powers (chivalrous) from the rational powers (hard-working), which begins under monarchies, grows. Next, exploitation uses the dynamic concepts of Liberty, Equality and Fraternity, at first unconsciously, then consciously, and then with the most odious cynicism.

Liberty, equality and fraternity, seem possible only inside one class alone. The proletariat then takes power and, by force, exploits methodical efficiency — the last phase possible of the estrangement between passion and reason. This is the last, dynamic stage of cold, intentional cruelty: the bottom of the barrel, when this unified and centralized power will disintegrate in an eruption whose sparks will fire the most emotional, the least rational heads.

en étincelles sur les têtes les plus ardentes, les moins rationnelles.

Sensible
adj. Qui réagit généreusement aux perceptions sensibles.

Les dessins d'enfants ne sont si émouvants qu'à cause de leur inaptitude à résoudre rationnellement les problèmes posés à leur sensibilité. Il suffit au maître d'indiquer un moyen, une solution rationnelle pour qu'aussitôt l'enchantement disparaisse de leurs dessins.

Pouvoir d'exprimer une relation formelle directement liée aux perceptions sensibles.

Spontané
adj. (du latin sponte: de son propre mouvement). Que l'on fait soi-même sans y être poussé par une influence extérieure: déclaration spontanée. Qui s'exécute de soi-même et sans cause apparente: les mouvements du coeur sont spontanés. (Larousse)

La spontanéité est le signe de la générosité.

Surrationnel
adj. Indique un dessus des possibilités rationnelles du moment. Un acte surrationnel aujourd'hui pourra être parfaitement rationnel demain.

L'acte surrationnel tente la possibilité inconnue; la raison en récolte les bénéfices.

Tableau
Un tableau est un objet sans importance. Il n'empêche pas des milliers d'êtres de souffrir de la faim, du froid, des maladies; il ne peut éviter non plus que des villes entières sautent corps et biens, d'un seul coup, sous le choc explosif de nos engins meurtriers.

Cependant il a su lentement situer l'homme dans sa foi, son espoir d'éternité, d'éternité de bonheur: étape religieuse du début du christianisme à la fin du Moyen-Âge. Ensuite nous révéler les formes du ciel, de la terre et de l'homme, assimiler les cultures païennes de l'Égypte, de la Grèce et de Rome: de la Renaissance à l'impressionnisme. Nous familiariser aux formes diffuses de la lumière: impressionnisme; ou au mécanisme du mouvement: futurisme. Définir la relation individuelle de l'artiste dans le monde de la forme, assimiler l'art nègre; fauvisme. Dévoiler les réalités

Sensitive
adj. One who generously reacts to sense data.

Children's drawings move us only because of the child's incapacity to find rational solutions to the problems that confront its sensibility. The teacher only has to suggest a means or a rational solution to a problem, to see the magic disappear from such drawings.

Capacity to express a formal relation in response to sense data.

Spontaneous
adj. (from the Latin *sponte*: by its own movement). What one does by oneself without having been prompted by an external influence: a spontaneous declaration. That which works by itself without evident cause: movements of the heart are spontaneous. (Larousse)

Spontaneity is a sign of generosity.

Superrational
adj. Means something transcending the rational possibilities of the moment. A superrational act of today may be perfectly rational tomorrow.

The superrational act attempts the unknown possibility: reason reaps the profits from it.

Picture
A picture is an unimportant object. It does not prevent thousands of human beings from suffering starvation, cold, sickness: it cannot protect whole cities from destruction under the explosive assault of our murderous engines.

Nevertheless, it has succeeded slowly in identifying man in his faith, in his hope of eternity and eternal happiness: the religious age, from the beginning of Christianity to the end of mediaeval times.

Next, it has revealed to us the forms of the sky, of the earth and of man, assimilating the pagan cultures of Egypt, Greece and Rome: from the Renaissance to impressionism. Later still it has familiarized us with the diffuse forms of light: impressionism; or with the mechanism of movement: futurism.
It has defined the individual situation of the artist within the world of form, assimilating negro art: fauvism.
It has revealed the plastic realities of the picture: cubism.
It has finally opened to us a vast domain, until now taboo and unexplored, the province of angels and devils: surrealism.

plastiques du tableau: cubisme. Enfin nous découvrir un vaste domaine jusqu'alors inexploré, tabou, réservé aux anges et aux démons: surréalisme.

Nous avons la conviction que ce monde-là, comme pour le physique, le tableau finisse par nous le rendre familier, dût-il y consacrer les siècles à venir d'une civilisation nouvelle.
Cette équipe vous présente ces similitudes nouvelles.*

Les secrets de ces tableaux, de même que pour les oeuvres du passé, sont emprisonnés dans les formes.

Peu de personnes savent lire ces formes: exactement le nombre de celles qui peuvent vivre la réalité d'un tableau ancien, ou du plus modeste caillou. Seuls les enfants et les simples possèdent ce don merveilleux du contact direct avec la forme sans l'intermédiaire des mots (similitudes), le pouvoir de recréer en eux la réalité émotive de l'objet sous la main, sous les yeux.

Les yeux, le tact en viennent, après quelques années de dévitalisation (appelez ça: instruction, si vous voulez, ou éducation) à n'être utiles qu'à reconnaître le mot tout-fait, l'illusion vague, ou la similitude précise, abstraite, dévitalisée, sans mystère. Ces yeux-là croient voir un tableau ancien parce que, à la vue de la toile ou de sa reproduction, ils peuvent dire: *"La Vierge à la Chaise,* Raphaël, XVIe siècle",* etc.

La réalité plastique, seule réalité de l'oeuvre, reste cachée sous l'amas des illusions: femme, chaise, sourire, robe, etc.; inconnue, non touchée, non vue ni dans le détail, ni dans l'ensemble. Seul le côté illusoire du tableau fut perçu; et encore parce que familier.

Devant un caillou vous dites: c'est un caillou rond ou anguleux; et vous n'y pensez plus.

En face des tableaux de cette exposition vous serez sans idée. L'idée même d'un tableau vous sera interdite ils ne correspondent ni à un paysage, ni à une nature morte ou à une scène quelconque de votre connaissance, pas même à une abstraction régularisée — aussi dans la déroute de vos habitudes mentales, dans l'impossibilité d'établir tout contact visuel, vous aurez la pénible impression d'un malaise grave, d'une amputation douloureuse et inutile, d'une frustration.

We are convinced that for that domain, as for the physical one, the picture will serve as a source of understanding, even if it takes several centuries of a civilization to come. This group offers you such sources of understanding.*

The secrets of these pictures, as of the works of the past, are encoded in their forms.

Few people know how to decipher them — no more than can live the reality of earlier pictures or the most insignificant pebble. Only children and the simple-minded possess the marvellous gift of direct contact with form without the help of words — the power directly to recreate in themselves the emotional reality of the object that they see at hand.

The eyes, the touch, after a few years of devitalization (call it instruction, if you want, or eduction), become useful only to acknowledge the common word, the vague illusion, or the photographic likeness, abstract, dead and without mystery. Such eyes believe they understand an old master because when they see it or its reproduction they can say, "*Madonna della Sedia,* Raphael, XVIth century," etc.

Plastic reality, the only reality of the work, stays hidden under a mass of illusions (woman, chair, smile, gown, etc.), unknown, out of reach, completely missed, either as a whole or in detail. Only the illusionistic aspect of the picture is perceived; and that because it is already familiar.

In front of a pebble, you see it as a round or rough pebble; and you pay no more attention to it.

In front of the pictures of this exhibition, you will be at a complete loss. The very notion of a picture will be denied you — they correspond neither to landscape, nor still-life nor genre, nor anything you know, not even to a geometric abstraction — and at the frustration of your mental habits, in the impossibility of establishing visual contact, you will have a painful feeling of malaise, of an afflicting and unnecessary amputation.

In spite of the clarity of the visible form, you will protest at the sacrilege, the madness, the premature senility, the hoax; or, if you are less honest and more cunning, at the déjà vu and too familiar: at the false fashionable rebellion (and the louder you shout, the more evident your failure will be).

---

*Ce texte fut originalement écrit pour servir de préface à un catalogue d'exposition. [Note de P.-É. Borduas]

*At first, this text was written to be used as a preface to the catalogue of an exhibition [Borduas' own footnote].

Vous crierez au sacrilège, à la démence, à la sénilité précoce, à la fumisterie; si moins honnête, plus rusé: au déjà vu et connu, à la fausse révolution de salon; et d'autant plus fort que votre impuissance sensible sera évidente, en dépit de la clarté de la forme écrite.

Vous serez dans un état psychologique idéal à une critique vengeresse contre cet excès d'impudeur, de snobisme; pour prêcher le retour à la terre, au bon sens, aux vertus chrétiennes. Votre ardeur sera d'autant plus tapageuse qu'involontaire et stérile.

Les violentes nécessités de la connaissance sensible poursuivront leur destin.

Vraiment ces peintres sont pour les enfants et les simples, et pour les ''grandes personness'' de demain; lorsqu'elles pourront y déceler les illusions, lorsqu'elles pourront nommer les similitudes qui s'y trouvent.

You will be in the ideal psychological state to produce a piece of revengeful criticism against this excess of impudence and snobbism, and to preach a return to the land, to common sense, to Christian virtues. Your vehemence will be as noisy as it is uncontrolled and sterile.

Yet, the compelling necessities of sensitive understanding will finally triumph.

Truly these painters are for children and the simple-minded, and for the ''grown ups'' of tomorrow — when all will be able to see beneath the surface and identify the truths that it conceals.

1. Probablement, à cette époque, par Robert Élie qui dans son petit livre sur *Borduas* (Éd. de l'Arbre, Montréal, 1943, p. 16) avait rapproché le ''surréalisme'' de l'''esprit baroque''.

2. ''Égrégore'' est un terme d'origine grecque (''égrégoraô'' — veiller) que le livre apocryphe d'Énoch appliquait à une catégorie d'anges (''les veilleurs''). Pierre Mabille, auteur surréaliste à qui Borduas a emprunté le terme, lui donnait un sens différent: ''J'appelle *égrégore*, mot utilisé jadis par les hermétistes, le groupe humain doté d'une personnalité différente de celle des individus qui le forment'' *(Égrégores ou la vie des civilisations,* Éd. Jean Flory, Paris 1938, p. 29). Il donnait comme exemples d'''égrégores'', le couple humain, les comédiens et leur public durant un moment d'exaltation dramatique, les civilisations. . ., transposant en réalités sociales, un terme spiritualiste. Les automatistes aimaient désigner leur groupe comme un ''égrégore''. Claude Gauvreau dans sa pièce *Les oranges sont vertes* l'emploie constamment dans ce sens.

1. Probably by Robert Élie, who related surrealism to the baroque in his book *Borduas* (L'Arbre, Montreal, 1943).

2. The word ''Egregore'' is from the Greek and can be found in *The Book of Enoch* to designate a category of angel. Borduas seems to have borrowed it from the surrealist author Pierre Mabille, who used it in his book *Egrégores ou la vie des civilisations* (Ed. Jean Flory, Paris. 1938) to refer to the collective personality of a group. The automatists saw themselves as an ''egregore'', and Claude Gauvreau employed the term in this sense in his play *Les Oranges sont vertes.*

PAUL-EMILE BORDUAS

PROJECTIONS LIBÉRANTES

MITHRA-MYTHE EDITEUR

Projections libérantes # Liberating projections

Un sursis est accordé à la misère noire prochaine.

A reprieve is granted from the black misery to come.

Un sursis de six mois, d'un an peut-être, si nous sommes bien sages!

A reprieve of six months, of one year perhaps, if we are economical.

Ce congé tentateur me hante Il répond à un vieil écho: *enfin libre de peindre.*

The idea of a vacation haunts me. It manifests an old echo: *at last, free to paint!*

Comme d'autres espoirs, de joie longtemps caressée d'avance, le moment vient-il par hasard, provisoire, accidentel, que je le reconnais à peine et passe outre dédaigneux.

As with other hopes for joy, cherished in advance, the opportunity might have come by chance, so provisionally, so accidentally, that I barely noticed it and passed on with disdain.

Une exigence plus ancienne, profonde, familière et tyrannique, me laisse entrevoir pour plus tard — toujours plus tard — à la condition de la pire sévérité, dans l'acceptation du sacrifice de tout ce que je juge secondaire, les joies indéfinies d'un accord parfait du social et du particulier.

Now, as I accept the sacrifice of all that I judge secondary, a more ancient, profound, familiar and tyrannical need — for the vague joys of perfect harmony between social and personal — prompts me to realize how bad things may become in the more distant future.

Cet espoir d'un dynamisme irrésistible sans cesse m'entraîne au tourbillon des périlleuses aventures spirituelles. Il sait faire miroiter, à mes yeux éblouis, les certitudes trompeuses —toujours retardées — d'un amour désormais parfait dans une connaissance complète, d'un embrassement sans voile avec la réalité présente par l'assimilation du passé.

But hope of irresistible, unceasing dynamism pulls me into the vortex of perilous spiritual adventure. It knows how to fascinate my dazzled eyes with misleading, ever-delayed possibilities — of a love henceforth perfect through complete knowledge, of a true grasp of present reality through assimilation of the past.

Mais je sais aussi, comme distraitement, que ce comportement justifie à lui seul le présent. Qu'importe *l'éternel, le ciel et l'enfer,* puisqu'il permet à lui seul l'intensive culture des talents individuels; puisqu'il permet à lui seul la moisson plantureuse d'oeuvres brûlantes d'hommes passionnément se libérant; puisque seul il permet l'entière réalisation du présent — du présent viable que dans cette ligne de force; puisque seul ce comportement assurera la rectitude de demain, par la plénitude d'aujourd'hui.

And I know, beyond argument, that this behaviour in itself will justify the present. What matter *eternity, heaven, hell* — it permits intensive cultivation of an individual's talents on its own authority — the passionate self-liberation of men through an abundant harvest of burning works; it alone permits entire realization of the present — a present only endurable this way, ensuring the rectitude of tomorrow by the fullness of today.

L'autre comportement, le fini, le limité dans le but immédiat, l'infâme, malgré l'assurance depuis longtemps sans force de l'éternel, du ciel et de l'enfer, est asséchant. Les dons les plus précieux meurent sur place sans même manifester leur présence. Il permet aussi à des voraces une odieuse passion égoïste destructrice des joies de vivre. Il avantage les malhonnêtes, les fourbes, les hypocrites dans la lutte pour la puissance, en leur permettant les déguisements profitables de la bienfaisance, de la servilité. Il leur permet d'adopter, devant la foule, l'attitude de défenseurs d'abstractions détachées de tout geste, de tout objet: abstractions à tout jamais sans représailles contre leurs forfaits. Ces individus sont dès lors invulnérables sous le couvert de Dieu, de la Vérité, de la Justice, de la Charité.

The other behaviour — finite, restricted to immediate ends, and infamous — is life-destroying in spite of long enfeebled assurances of eternal heaven and hell: the most precious gifts may die without even revealing their presence, while it encourages voracious, odious and selfish passion, destructive of life's joys. It gives advantage to those who are dishonest, or cheats, or hypocrites in the struggle for power, permitting them the advantageous sham of benevolence or servility. It allows them to appear before the crowd as defenders of abstractions detached from gesture and from object — abstractions forever secure against reprisal for the crimes committed in their name. It ensures they are invulnerable under the protection of God, Truth, Justice and Charity.

Encore une fois j'obéirai aux nécessités premières de mon être: nécessités ennemies des intérêts immédiats et grossiers.

Yet, once more, I will obey the prime necessities of my being, necessities alien to immediate and gross interests: I will make this third attempt to write. I know it will be

Je tenterai cette troisième expérience d'écriture. Certes, on la trouvera maladroite comme si le français n'était plus bon qu'à de vains plaisirs littéraires! Comme s'il lui était maintenant interdit d'exprimer l'espoir, la crainte, la certitude, l'amour et la réprobation la plus primaire! La plus primaire? Donnez-lui le sens qu'il vous plaira. Je n'envie ni ne regrette vos plaisirs trouvés aux ciselures adroites de formes vides d'émoi; je n'envie ni ne regrette l'hypertrophie de votre mémoire; je n'envie ni ne regrette ces jeux savants.

Je tenterai cette troisième expérience d'écriture; quoique je sache ce qu'il en coûte, j'ignore encore ce que ça peut donner.

Des positions réputées inattaquables devront subir l'assaut. Non pas que les réponses de la coalition des forces *aveugles-intéressées,* qui défend ces positions, soient inconnues ou profitables. Aux questions dangereuses elle applique le bâillon. Au besoin elle interdit au questionneur la possibilité d'exercer une fonction sociale sur laquelle une famille pouvait compter pour sa subsistance.

Ce sont les seules réponses apparentes à de tels actes.

Les autres réponses demeurent cachées. Ceux à qui ces risques pris sont nécessaires se taisent: avares de leur surprise, de leur émoi. Je ne m'en plains pas. La vigueur d'une oeuvre, sa ''prudence'', se mesure à la hauteur des obstacles affrontés, des difficultés vaincues. Je suis d'accord avec ces conditions; d'avance je les accepte. C'est sans mérite d'ailleurs, à mon sujet je suis sans crainte et sans reproche. La mort m'attend oublieuse et sereine, à la limite de la peine ou au terme de la joie. . . .

L'avenir prochain de Janine, de Renée, de Paulo,[1] me cause plus de tourments: impuissant à orienter même une fraction de mon temps vers des activités strictement lucratives.

Nous n'y pouvons rien quelques-uns.

Ensemble nous entreprendrons cette extravagance de vivre sous la dictée d'une conscience aiguisée, dans la franche honnêteté . . . et nous verrons bien! Le pire ne saurait être qu'une catastrophe, ça vaudrait encore mieux qu'une fausse réussite.

Que les exploiteurs des désirs actuels de la foule ne clament pas trop haut leur état privilégié. Les brillantes apparences acquises à la faveur de l'inconscience ou de la malhonnêteté sont sans espoir. Seules les exigences extrêmes justifient et le présent et l'avenir.

considered clumsy — as if the French language were to be kept for vain literary pleasures — as if it were now forbidden to express hope, fear, certainty, love, or the most fundamental censure! The most fundamental? Give it any meaning you wish. I do not envy or regret the pleasures you find in the clever carving of phrases void of emotion; nor do I envy or regret the hypertrophy of your memory, or your knowing games.

I will make this third attempt to write, even though I know what it may cost and even though I do not know what it can achieve.

I shall assault some reputedly unimpeachable positions. Not that the answers of the coalition of *blind-self-interested* forces which defend these positions are unknown to me or will profit me. They have their ways to silence dangerous questions. If necessary, they are prepared to silence the questioner by cutting his whole family off from its means of livelihood.

To questioners they seem to have but one response.

And no-one else responds at all. Even those who benefit from risks I take keep quiet, miserly with their surprise and their emotion. I do not complain of that. The strength of a work, like its ''prudence'', is measured by the height of the obstacles and the difficulties overcome. I agree to these conditions; I accept them beforehand, though I claim no merit for that — for in what concerns me, I am without fear or self-reproach. The forgetful serenity of death awaits me, putting an end to joy and sorrow.

The immediate future of Janine, Renée and Paulo[1] causes me more anguish, powerless as I am to devote even a fraction of my time to earning a living.

But, for some of us there is no other way.

Together we must indulge the extravagance of living under the dictates of a demanding conscience, with frank honesty . . . and then see! The worst can only be catastrophe, which is still better than empty success.

Let not the exploiters clamour about their privileged status. The brilliant facades acquired through self-deception or dishonesty are not permanent. Present and future will be determined by extreme exigencies.

Une foi inaltérable me confirme en la victoire finale. Elle combat toutes les angoisses. C'est le coeur ferme que j'enfonce dans l'obscurité. Il faudra vaincre les turpitudes et obéir aux fières nécessités, ou ne plus vivre. L'essentiel assuré selon les exigences de la conscience, le reste devra venir par surcroît. Il y a assez d'hommes aux certitudes identiques pour que, une fois les contacts réalisés par-dessus les frontières, le volume des échanges s'établisse suffisant aux besoins de tous les jours. La preuve en sera tentée, non mathématiquement, ou par un beau développement rationnel, mais spontanément comme la vie et dans la vie.

Les longs raisonnements me laissent émerveillé de leurs ingéniosités, de leurs rigueurs parfois; mais font oublier, en cours de route, l'objet qu'ils désiraient mieux faire connaître. Cette méthode est épatante pour nous distraire des contacts douloureux. Elle nous permet d'entrevoir des sujets si éloignés du point de départ qu'ils en sont inoffensifs. Aux raisonnements mon intelligence préfère les projections plus immédiates, plus convaincantes; je les crois douées d'un pouvoir suffisant pour entraîner des transformations inattendues et profondes.

Au seuil de cette phase neuve où les habitudes anciennes seront vaines, à l'orée de la forêt vierge des possibilités cependant entrevues, je dois projeter sur l'écran lumineux une large tranche de mes activités passées demeurées dans la pénombre d'une action ininterrompue. Le geste arbitraire d'un ministre, en brisant une carrière, aura créé, je crois, le recul suffisant à la prise de conscience du travail accompli.

Remontons à la fin de septembre 1927.

Le jeune homme, que je suis alors, se rend à l'École des beaux-arts, qu'il connaît depuis le jour de son ouverture au public par Emmanuel Fougerat en novembre 1923, pour y saluer camarades et professeurs qu'il n'a pas revus des vacances, et s'inscrire aux épreuves du premier diplôme[2] promis pour l'année scolaire qui s'avance.

Sur le palier du monumental escalier de marbre et de bronze, aux pieds de la Diane de plâtre noir, le concierge l'avertit que monsieur Miller désire le voir à l'École du Plateau.[3] Aux sollicitations, le concierge, monsieur Carrière, oppose une douce mais ferme résistance. Le lieu indiqué est près, le jeune homme s'y rend le coeur troublé d'un espoir vague et d'une crainte imprécise, injustifiable. Là, il rencontre monsieur Miller et apprend qu'il est reçu par le directeur du district centre de la Commission des écoles catholiques de Montréal. Un engagement attend sa signature à titre de professeur de dessin; conditions: demi-temps, salaire annuel $750.

An unalterable faith assures me of the final victory, stilling all anxieties. I plunge into obscurity with quiet heart. One must combat turpitude and serve high necessities or one cannot live. The essential is to live according to the demands of conscience; the rest will come as bonus. There are enough who share identical convictions that, once contacts are made across the world, the volume of exchange will be enough for daily needs. And this will be demonstrated neither mathematically, nor by beautifully rational development, but as spontaneously as life, and in living.

Lengthy arguments leave me amazed by their ingenuities, and sometimes by their discipline; but they can serve to obscure, en route, the thing they wish to make better known, and are astonishingly effective in distracting us from painful truths: we can attenuate an argument so far from the point that it is lost. My intellect prefers immediate projections, over rational agrument — since I believe projections have the power to produce profound and unexpected transformations.

On the threshold of a new phase where old habits will be vain, at the edge of a virgin forest of already foreseen possibilities, I feel bound to reveal and illuminate some significant earlier events, overshadowed till now by my continuous activity. A politician's despotic gesture, in breaking a career, may have created the distance needed to see such events in perspective.

Let us go back to the end of September, 1927.

The young man, that I was then, walks into the École des Beaux-Arts, familiar to him since its opening by Emmanuel Fougerat in November 1923, to greet classmates and professors whom he has not seen since the holidays, and to register for its first diploma[2] examinations — to come at the end of this school year now beginning.

On the landing of the monumental marble and bronze staircase, at the foot of the black plaster Diana, the janitor informs him that a Monsieur Miller wishes to see him at the École du Plateau.[3] The young man knows nothing about Monsieur Miller or the École du Plateau. The janitor, Monsieur Carrière, opposes his questions with gentle but firm resistance. The place indicated is close by; the young man goes there, his heart troubled by a vague hope and an undetermined, unjustifiable fear. There, he meets Monsieur Miller and learns that he has been accepted as a teacher of drawing, by the Director of the Central District of the Catholic School Commission of Montreal. A part-time teaching contract awaits his signature. The salary offered is 750 dollars a year.

L'année précédente, le directeur de l'École des beaux-arts, monsieur Charles Maillard avait fait miroiter aux futurs finissants un salaire double pour le même emploi, et entretenait inconsidérément en eux l'impression que dès l'année suivante ils entreraient tous à la Commission scolaire. Comme s'il y eût autant de places vacantes qu'ils étaient d'élèves.

Certes, j'étais surpris de la facilité avec laquelle on pouvait devenir professeur, n'ayant jamais pensé que cela pût être aussi simple. Cependant je compare les deux salaires. Déçu, je fais la moue et assure monsieur Miller qu'on m'avait fait croire à la possibilité du double. Qu'il vaudrait peut-être mieux voir Maillard avant d'accepter ces conditions. Monsieur Miller rétorque: ''Monsieur Maillard n'a rien à faire à ça. Ce salaire est statutaire. . . D'ailleurs Maillard est à Québec, et je ne peux plus attendre; il y a près de trois semaines déjà que les cours sont commencés. C'est à prendre ou à laisser. Si cette place ne fait pas votre affaire, je connais vingt-cinq dessinateurs qui seraient heureux de l'accepter sur le champ.'' Sans plus marchander, le jeune homme que je suis signe le contrat qui le lie. Il était le premier élève des cours réguliers des Beaux-Arts à entrer à la Commission scolaire.

Mi-heureux, mi-inquiet, il apprend au téléphone la nouvelle à son vieil ami de Saint-Hilaire, monsieur Ozias Leduc, et retourne rue Saint-Urbain.

Là, il interroge de nouveau monsieur Carrière. Devant le geste accompli, le concierge dévoile quelques-unes des circonstances du choix de monsieur Miller: celui-ci a connu le père du jeune homme, il est du même village et du même âge, ils se sont cependant rarement revus depuis leur jeunesse; monsieur Miller fréquente régulièrement l'École des beaux-arts; il a suivi, à l'insu du jeune homme, son travail d'élève; enfin il est le beau-frère du concierge, ce qui semble éclairer davantage toute l'histoire.

L'aubaine apparaît plus généreuse, la déception pécuniaire disparaît et c'est au comble de la joie que je rencontre, dans le grand escalier stupidement prétentieux, monsieur Félix. La conversation sitôt engagée, je lui fais part de la bonne nouvelle; imprévisiblement monsieur Félix répond: ''Ha!?'' tourne les talons et remonte l'escalier. Sidéré, le jeune homme que je suis esquisse sur place une grimace interrogative. . .

Il dut attendre le retour du patron de Québec pour avoir l'explication de ce ''Ha!'' étrange; elle n'était pas moins surprenante que le reste. Car, à sa stupéfaction, Maillard tente de lui faire croire qu'il a malhonnêtement, en faisant jouer des ficelles politiques (pensez donc! même l'expression

The previous year, the director of the École des Beaux-Arts, Monsieur Charles Maillard, has held out to future graduates hope for a salary of twice that amount, however, and has thoughtlessly fostered in them the impression that, this year, they might all be employed by the School Commission — as if there were to be as many vacancies as students.

Of course, the young man is surprised at the facility with which one can become a teacher — never having thought that it could be so simple! However, he compares the two salaries. Disappointed, he makes a wry face and assures Monsieur Miller that he has been made to believe in the possibility of twice as much. He suggests it would perhaps be best to see Maillard before accepting these conditions. Monsieur Miller retorts, ''Monsieur Maillard has nothing to do with it. This salary is statutory . . . . Moreover, Maillard is in Quebec, and I cannot wait; classes started nearly three weeks ago. Take it or leave it. If this job doesn't suit you, I know twenty-five designers who will be happy to accept it on the spot.'' Without further bargaining, the young man signs the contract that binds him. He is the first student of the Beaux-Arts to be employed by the School Commission.

Half happy, half worried, he telephones the news to his old friend in Saint-Hilaire, Monsieur Ozias Leduc, and goes back to Saint-Urbain Street [the École des Beaux-Arts].

There, he questions Monsieur Carrière again. The thing being done, the janitor discloses a few of the circumstances of Monsieur Miller's choice: he is acquainted with the young man's father, he comes from the same village and is of the same age, although they have rarely seen each other since their youth; Monsieur Miller regularly frequents the École des Beaux-Arts; he has followed the young man's work without his knowing; and, lastly, he is the janitor's brother-in-law — which seems to clarify the whole story.

The offer appears more generous, the pecuniary disappointment vanishes, and it is at the height of happiness that the young man meets, on the grand and stupidly pretentious staircase, Monsieur Félix. Once in conversation, the good news is announced, but, unpredictably, Monsieur Félix answers, ''Ha!'' turns on his heel, and ascends the staircase. Flabbergasted, the young man looks around with puzzled face . . . .

He has to wait for the chief's return from Quebec to get the explanation for this strange ''Ha!'' It is not less surprising than the rest: to his amazement, Maillard suggests that he has pulled political strings (imagine it — the very expression was unknown in my family), to

en était inconnue dans ma famille) pris la place réservée à son meilleur ami, Léopold.[4] (Si je ne le nomme pas plus clairement, c'est qu'il est sans arme et que l'on pourrait encore lui nuire; c'est aussi parce qu'il n'est pas responsable, d'aucune manière, de cette complication.) Le jeune homme eut beau se débattre avec passion, rien n'y fit. La version était bonne à des fins qu'il ignore encore; elle se répandit rapidement dans l'école.

Monsieur Charpentier, deuxième acolyte de Maillard (Félix était à droite, l'autre à gauche) chuchotait le soir à mes camarades que j'avais joué un tour de ''cochon'' à Léopold et que sans cela Maillard aurait pu tous les placer à la Commission!

Le jeune homme que j'étais retourne à l'École du Plateau et offre de démissionner. Monsieur Miller le dissuade en l'assurant que d'aucune façon la place n'irait à son ami. Sa décision est définitive là-dessus. Cet entêtement laisse le jeune homme perplexe et le mieux qu'il trouve est encore de dire à Léopold ce qu'il sait de l'affaire. Son ami n'a pas, lui, de version officielle à soutenir. L'explication est simple et cordiale. L'année se passe tant bien que mal. Les épreuves du diplôme accomplies, le jeune homme que je cesserai d'être ne remettra plus les pieds dans la boîte au bel escalier, sauf une fois, en 1932 peut-être, sur l'invitation d'aller recevoir son diplôme de la main du secrétaire de la Province, l'honorable Athanase David.

Cette soirée est gravée dans ma mémoire: le directeur nous traita tous comme si nous eussions été des intrus. Les discours du ministre, du directeur, me montrèrent le chemin que déjà j'avais parcouru. Le lendemain, à monseigneur Maurault qui m'avait conseillé d'être ''bon prince'' et d'aller recevoir mon diplôme, aux questions qu'il me pose sur la soirée de la veille, je fais part des erreurs philosophiques graves exprimées dans ces discours. Monseigneur m'assure, toujours conciliant, que cela se corrigera avec le temps; mais, sur le champ, je réalise que monseigneur n'y sera jamais pour rien: mon sentiment de solitude s'accentue d'autant. Je sais d'ores et déjà que je ne devrai plus compter que sur moi-même et en une Providence de plus en plus lointaine!

Dans ma hâte d'en finir avec l'École des beaux-arts, je vous ai entraînés un peu loin, il faut revenir à la Commission scolaire.

Parfaitement ignorant, bien intentionné et discipliné; d'ailleurs plein d'ardeur: le succès ne devait pas se faire attendre. Messieurs Mondoux et Lanthier, à qui je conserve un reconnaissant souvenir, furent les artisans de ce succès

take the place reserved for his best friend, Léopold,[4] (If I do not identify him more clearly, it is because he is vulnerable and could be harmed by it; furthermore, he was in no way responsible for this complication.) The young man argues with passion, but it is no use. The story suits purposes he does not see and it spreads rapidly throughout the school: Monsieur Charpentier, Maillard's second shadow (Félix was his right hand, the other his left), puts it about that evening among his classmates that the young man has played a dirty trick on Léopold and that otherwise Maillard would be able to appoint all of them to the Commission!

The young man returns to the École du Plateau and offers his resignation. Monsieur Miller dissuades him, assuring him that, in any case, the place will not be for his friend. His decision on that point is final. This obstinacy leaves the young man puzzled and the best he can do now is to tell Léopold what he knows about the matter. His friend has no official version to uphold. The explanation is simple and cordial. The year passes, somehow. The diploma examinations over, the young man will never again set foot in the place with the grand staircase except once, in 1932 perhaps, to receive his diploma from the Secretary of the Province, the Honourable Athanase David.

(That evening of 1932 remains graven in my memory. The director treated us as though we were intruders, and both the director's and the minister's speeches revealed to me the distance I had already put between myself and them. Next day, Monseigneur Maurault, who had advised me to be ''a decent fellow'' and to go and receive my diploma, asked me about the previous evening. I recited the serious philosophical errors contained in the speeches. Monseigneur, always conciliatory, assured me that everything would be corrected with time; however, on that very spot, I realized that he would never lift a finger, and my feeling of solitude increased. I thenceforth knew that I could count but on myself alone and on an increasingly remote Providence!)

In my hurry to finish with the École des Beaux-Arts, I have jumped a little ahead. We must go back to the School Commission.

Perfectly ignorant, but well-meaning, disciplined and full of eagerness as I was, success was not long in coming. Messieurs Mondoux and Lanthier, whom I gratefully remember, were the engineers of this brilliant, official success — the only one of its kind in my teaching career.

officiel éclatant; le seul de son espèce que j'ai eu dans toute ma carrière d'enseignement.

Sur la foi des rapports réglementaires de mes deux bienveillants principaux, je suis, à mon insu encore une fois, bombardé dès 1928 — après neuf mois d'expérience — professeur à l'École du Plateau! Je remplace monsieur Jean-Baptiste Lagacé promu au rang d'inspecteur du dessin.

C'est le plus haut poste de professeur que la Commission puisse m'offrir. J'ai vingt-deux ans. Un tel départ promettait une carrière enviable. Je frémis en pensant ce qui serait advenu si, une semaine plus tard, je n'eus pas trouvé le courage de donner ma démission: ou, si vous aimez mieux, j'eus le courage d'affronter victorieusement un impératif catégorique.

Nous sommes en octobre 1928. Une loi spéciale vient d'être votée. Elle transforme, de fond en comble, l'administration de nos écoles en la centralisant. Monsieur Victor Doré devient de par la loi "la cheville ouvrière" de la Commission. L'expression eut un gros succès; elle faisait neuf, démocratique, serviable, sans faire bouche-trou. Monsieur Manning fut nommé directeur des études. J'ignore ce que monsieur Miller devenait dans les nouveaux rouages. Maillard, à titre de directeur de l'École des beaux-arts, devenait automatiquement commissaire. Monsieur Lagacé, comme déjà dit, se voyait attribuer le poste d'inspecteur du dessin, depuis de nombreuses années vacant; et j'avais l'honneur de le remplacer au Plateau.

Le présent était rose: mon salaire augmenté, mes heures de cours doublées; car je gardais les deux écoles de l'année dernière. J'étais au faîte de la satisfaction tout juste tempérée par la crainte d'être inférieur à la fortune!

Je prends charge de mes nouvelles classes; ça marche à merveille environ une semaine. Et là coup de théâtre! J'entre dans une classe du Plateau pour y donner mon deuxième cours. Le titulaire m'avertit que le professeur de dessin vient justement d'en sortir et il me demande, à moi, ce que ça veut dire. Je lui demande à mon tour s'il n'a pas la berlue. Devant son assurance je capitule. Désemparé, n'y comprenant rien, je vais frapper à la porte de monsieur Manning qui me reçoit en disant: "Justement je voulais vous voir. Je suis navré mais vous devrez retourner aux conditions de l'année dernière: demi-temps, écoles Montcalm et Champlain". — "Je ne fais plus l'affaire au Plateau" lui demandé-je. — "Mais non, bien au contraire!" m'assure-t-il, et il m'explique qu'il, sous la pression exercée par Maillard sur ses nouveaux collègues les commissaires, il a dû, lui, après coup, engager à ma place mon ami Léopold. Je lui exprime l'opinion que c'était une mauvaise raison;

As early as 1928, after only nine months' experience, on the strength of the statutory reports by my two benevolent principals, and once again in spite of myself, I was rocketted to the École du Plateau! I replaced Jean-Baptiste Lagacé who had been promoted to the rank of inspector of drawing.

This was the highest post as a teacher that the commission could have offered me. I was twenty-two years old. Such a start presaged an enviable career. I shudder at the thought of what would have happened if, a week later, I had not had the courage to hand in my resignation, or, if you prefer, had not had the courage to obey a categorical imperative.

So far, we are in October of 1928. A special law has been passed, transforming the administration of our schools from top to bottom, by centralization. Monsieur Victor Doré, because of this law, landed in the driver's seat of the commission (putting it this way is to be very successful: it makes him seem new, democratic and always available, rather than a bigwig). Monsieur Manning has been appointed Director of Studies. I ignor Monsieur Miller. Maillard, as Director of the École des Beaux-Arts, has automatically become a member of the commission. Monsieur Lagacé, as I said, has seen himself appointed drawing inspector, a position many years vacant; and I have had the honour of replacing him at the Plateau.

The present is bright: my salary has increased and my teaching load has doubled, for I retain last year's two schools. I am at the summit of a satisfaction tempered only by the fear of being inadequate to such good fortune!

I take charge of my new classes and all goes smoothly for about a week — but then things take a most sensational turn! I enter class at the Plateau to give my second lecture. The titular professor advises me that the drawing teacher has just walked out and asks me what it means. I ask in turn if he is not mistaken, but his assurance forces my belief. Distressed, and understanding nothing of the matter, I knock at Monsieur Manning's door, and he receives me, saying, "I wanted to see you. I am sorry, but you must return to last year's situation, part-time, at Montcalm and Champlain Schools." I ask him if my work is unsatisfactory at the Plateau. "Oh no, quite the contrary!" he assures me, but he explains to me that, under pressure exerted by Maillard on his new colleagues at the commission, he has been obliged to hire in my place my friend Léopold. I suggest that he has done so for a wicked reason, although I am incapable of explaining it. He answers, "I am sorry," and I, "I will see about it." (But it was already "seen". It was perhaps even more impossible then than it is now for me to accept such behaviour, and without asking advice from anyone, I went back to my father's house [St. Hilaire],

cependant j'eus été incapable de lui expliquer pourquoi. . .
Il me répond: "Je regrette"; et moi: "Je verrai". Mais
c'était tout vu. Il m'était peut-être encore plus impossible à
cet âge qu'aujourd'hui d'accepter un tel comportement.
Sans demander conseil à qui que ce soit, je reviens chez mon
père, monte à ma chambre et d'une traite écris une lettre
de démission à la Commission des écoles catholiques de
Montréal.

Ainsi se termine ma première expérience avec une grande
administration. Les cours, les élèves, furent peu importants
dans cette aventure. J'acquis par la suite la conviction qu'ils
étaient tout juste bons à servir de prétextes à un avancement
social du professeur désireux de réussir dans la vie. (Je
connus de ces écoles *prétextes*: où parents et programme ne
sont considérés que sous l'angle égoïste du professeur, du
directeur). Dieu soit loué, un orgueil insensé m'obligea
d'en sortir: pour quelque temps!

La voie vers les honneurs académiques m'était, de par nature,
impossible. Sur cette route fleurie pour aller et loin et
longtemps il faut savoir composer. Un autre chemin s'ouvrait
où l'intégrité mènerait, non plus aux dehors brillants des
choses, mais à l'objet même. Dès l'instant de cette démission
toute carrière officielle devenait interdite. Jamais je n'en ai
été aussi convaincu que ce soir.

La lettre écrite, j'allai retrouver mon cher monsieur Leduc
Sa haute intelligence, son entière approbation du geste
irrémédiablement téméraire, fut plus précieuse que tout ce
que je venais de perdre volontairement.

Quelque temps après, je partis pour Paris. En janvier 1929,
j'appris que la Commission avait mis mon ami à la porte.[5]
Il avait enseigné d'octobre à décembre. Cher lui, n'importe
qui aurait pu lui prédire cette fin. Aucun génie n'aurait
résisté à de semblables conditions d'admission forcée dans
un corps administratif aussi énergiquement unifié et qui en
plus exigeait des qualités autres que les siennes. L'odieuse
incompréhension de Maillard fut la cause du mal qu'il en
éprouva.

À la suite de cette triste nouvelle, je songeai cinq minutes
que, si je n'eus pas donné ma démission, j'aurais repris une
seconde fois la place vacante et que l'avenir eût été assuré
au lieu d'être étudiant à Paris . . . et je n'y pensai plus.

De 1928 à 1932, je découvre Boston, New York, Paris,
l'Alsace, la Lorraine, la Bretagne, Renoir, quelle merveille
et quelle leçon! Pascin.

Lentement je remonte vers les premières certitudes de mon
enfance, sans savoir où je vais.

and, straight away, wrote a letter of resignation to the
Commission of Catholic Schools of Montreal.)

So ended my first experience with a big administration.
The lectures, the pupils, were of little importance in this
adventure, and I became eventually convinced that they
were only there to serve as pretexts for the social
advancement of teachers out for worldly success. I have
seen more than enough of such *pretence* schools, where
parents and programme are considered only from the
professors' and the director's selfish angle. Thank God, a
wild pride obliged me to rid myself of them — for a while!

The road to academic honours was, by nature, impossible
to me. To travel the length of that flowery path, one must
know how to compromise. But another road was opened,
where integrity might lead, not to brilliant superficialities
but to the thing-in-itself. From the moment of my
resignation, all official appointments were closed to me. I
was never so convinced of that as I am tonight.

The letter written, I went to see my dear Monsieur Leduc.
His great understanding, his complete approval of my
irreparably rash gesture, was more precious than all that I
had just voluntarily lost.

Some time later, I left for Paris. In January of 1929, I
learned that the Commission had dismissed my friend.[5] He
had taught from October to December. Anyone could have
predicted it of the dear fellow. A better talent would have
resisted being dragooned into an administration so
energetically united and demanding qualities so foreign to
him. Maillard's odious lack of understanding caused him
much pain and suffering.

After hearing this sad story, I thought for five minutes that,
had I not handed in my resignation, I might a second time
fill the vacancy, and that my future would be assured, in
contrast to the uncertainty of being a student in Paris . . .
and then I thought no more about it.

From 1928 to 1932, I discovered Boston, New York, Paris,
Alsace, Lorraine, Brittany, Renoir (what a marvel and what
a lesson!) and Pascin.

Slowly, I came back to the first convictions of my childhood,
without knowing where they would lead.

I discovered the pleasures of love (Lulu and company) and
Saint John of the Cross, another marvel.

Je découvre les plaisirs d'amour: Lulu et cie.; saint Jean de la Croix, autre merveille.

En contrepoids, de 1930 à 1932, tentative sociale infructueuse. Mes activités secondaires, dirigées depuis plusieurs années dans le but lucratif d'embellir nos églises, se butèrent à une fin de non-recevoir violente de la part du clergé et des architectes. Je leur rends grâce! Sans cet échec, il est probable que l'état actuel de la société ne se serait pas montré dans sa nudité. Cet espoir me masquait aussi mes seules possibilités.

Dans un grand dénuement, sans amis pour suivre ma pensée et parler des formes d'art que j'aime, cherchant les raisons de l'impossible adaptation aux cadres de la société, les découvertes se poursuivent: le fauvisme, le cubisme, le surréalisme.[6]

Les dessins d'enfants (mes élèves de l'externat classique, collège André-Grasset, et de la Commission scolaire, où je suis retourné au bas de l'échelle, cette fois, sans succès officiel, en lutte contre les méthodes en cours) sont les seules confirmations que la route poursuivie mènera un jour à la victoire: fût-elle cent ans après ma mort.

Tout le reste se présente comme des chimères, des illusions, de fols espoirs irréalisables.

Le travail à l'atelier est éreintant. Sur dix ans d'un labeur acharné, dix toiles à peine méritent grâce. Je les reconnais comme des accidents heureux impossibles à répéter. Les tableaux sur lesquels ma volonté s'acharne le plus à vouloir diriger sont ceux qui deviennent les plus lointains, les plus froids, les plus intolérables. J'achète le décapant à la pinte. Cependant une assurance quasi irraisonnable me soutient qu'un jour le travail sera plus transparent, moins pénible.

Les enfants que je ne quitte plus de vue m'ouvrent toute large la porte du surréalisme, de l'écriture automatique. La plus parfaite condition de l'acte de peindre m'était enfin dévoilée. J'avais fait l'accord avec mon premier sentiment de l'art que j'exprimais alors à peu près comme ceci: ''l'art, source intarissable qui coule sans entrave de l'homme''. La confusion de cette définition d'enfant que je rappelle quand même pour son opposition à toute idée d'entrave associée au travail créateur, exprime sentimentalement le besoin d'une extériorisation abondante. Dans le noble espoir de faire de moi comme de tout autre un esclave, avec la permission de ma confiance, on avait sabordé ça. Après un long naufrage, ce besoin primordial remontait à la surface. Mon comportement en fut modifié: il permit un nouveau contact plein de foi en la société d'hommes et

On the other hand, 1930 to 1932 saw unavailing social endeavour. My secondary activity, for several years directed to supplementing my income by the decoration of our churches, came up against violent opposition from both the clergy and the architects. I thank them for that: without such opposition, the state of present society would probably be less nakedly visible! And besides, this activity had obscured from me my true potential.

In great penury, without friends to follow my thought or to speak with me about the art I love, seeking reasons for an impossible adaptation to society, I continued my discoveries of fauvism, cubism and surrealism.[6]

The drawings by my pupils from the Externat Classique (André Grasset High School) and from the School Commission (where I have returned to the bottom of the ladder, this time without official success and fighting against established methods) are my only confirmation that the road I follow must lead one day to victory — be it a hundred years away. Everything else is a chimera, an illusion, a foolish unrealizable hope.

Work at the studio is back-breaking. After ten years of obstinate labour, hardly ten canvases are worth saving — and I recognize them as happy accidents which cannot be repeated. The pictures which my will is most eager to dominate become the most distant, most cold and most intolerable. I buy paint remover by the gallon. However, an almost insane confidence assures me that one day the labour will be easier and less punishing.

Then, the children, whom I always keep in mind, open the doors onto surrealism and automatic writing. The most perfect attitude towards the act of painting is at last revealed to me. I re-establish my first feelings about art, which had once been expressed somewhat as follows: ''Art, inexhaustible spring which flows unimpeded from man.'' This childish definition — which I recall nevertheless because of its disregard for the idea that creativity might be blocked — expresses, sentimentally, the need for exteriorizing oneself abundantly; but it has been scuttled, with the collaboration of my own conceit, by those with the ''noble'' hope of enslaving me and everyone else. Now, after a long submergence, that primeval need surfaces again. Consequently, my behaviour is modified, and, full of faith, I make contact in Montreal with a society of half-liberated men and women whose existence there I did not even suspect.

de femmes à demi libérés. Société dont je n'avais même pas soupçonné l'existence à Montréal.

Un amour irrésistible m'entraîne au mariage, à la paternité. Des amis se présentent venus du fond de mon rêve: Maurice Gagnon, le père Carmel Brouillard, John Lyman et autres.

Je sors lentement de l'isolement. Je respire plus à l'aise malgré quarante heures[7] de cours et un travail à l'atelier plein de difficultés encore et de défaites.

Voici à peu près où j'en étais quand, par l'influence du père Brouillard et le bon vouloir de Jean Bruchési, j'entrai à L'École du Meuble en 1937.

J'entrai à l'École du Meuble grâce à mes amitiés nouvelles mais aussi à la faveur d'un malentendu. Monsieur Jean-Marie Gauvreau, le directeur, était en lutte avec Maillard depuis assez longtemps; exactement depuis le jour où Maillard le qualifia d'incompétent devant le ministre David. C'était évidemment peu aimable même pour un ''ancien d'Europe'', et une grosse pierre dans le champ des honneurs attachés aux responsabilités administratives que Gauvreau désirait pourchasser. Une lutte serrée s'ensuivit. Je suppose que Gauvreau désirait d'abord se prouver l'erreur de Maillard; et ensuite, j'en suis certain, prendre sa place si possible, n'est-ce pas, monsieur Félix? enfin poursuivre l'enseignement tel quel de cette fameuse École des beaux-arts. Enseignement que Gauvreau trouvait excellent.

Pour ma part, j'avais déjà rompu avec ces espoirs-là! mais d'autres espoirs imprévisiblement s'étaient offerts, incompatibles avec l'activité académique. Mes amis et moi nous entreprenions la lutte contre elle, non plus pour des raisons personnelles, mais pour la défense de nos ardentes certitudes vitales. Nous étions en lutte contre Maillard parce que sans sa perte, il était impossible de voir évoluer l'enseignement qu'il dirigeait. (Enseignement d'ailleurs en harmonie avec l'esprit utilitaire encore vigoureux dans notre chère société montréalaise, sauf que les formes en étaient plus anciennes.)

Lorsque Gauvreau me fit venir à l'École du Meuble, sur la suggestion du ministère, pour remplacer monsieur Jean-Paul Lemieux nommé aux Beaux-Arts de Québec à un poste dont il avait été question pour moi, nous nous crûmes d'accord à cause de notre lutte commune. C'était une erreur qui mit du temps à apparaître précise.

Vis-à-vis des élèves mes rapports se simplifiaient.

An irresistible love leads me to marriage and paternity. Friends come forward, fulfilling my wildest dreams: Maurice Gagnon, Father Carmel Brouillard, John Lyman, and others.

I slowly emerge from isolation. I breathe more at ease in spite of forty hours of classes,[7] and studio work still full of difficulties and defeats.

This was about where I stood in 1937, when, through the influences of Father Brouillard and the goodwill of Jean Bruchési, I entered the École du Meuble.

I entered the École du Meuble through my new friendships, but also through a misunderstanding. Monsieur Jean-Marie Gauvreau, the director, had been in conflict with Maillard ever since the day that Maillard had called him incompetent in front of Athanase David, the then Minister (scarcely an acceptable thing to say about an ''Ancien d'Europe'', and a considerable stumbling block in the path towards the honours and the administrative responsiblities that Gauvreau wanted). A tense conflict ensued. I suppose that Gauvreau wished to demonstrate Maillard's error and then (isn't it true Monsieur Félix?) take his place at the École des Beaux-Arts at the first opportunity — though with no idea of changing anything at this famous School, which Gauvreau considered excellent.

For my part, I had already broken with it: my new convictions were incompatible with academic activity, and my friends and I were preparing to fight, not, as before, out of self-preservation, but to defend vital and ardently held convictions. But, therefore we were fighting Maillard too — because, without his fall, it would be impossible to see any evolution in the teaching he directed (teaching that matched the utilitarian spirit still strong in our precious Montreal society, except that its procedures were even more antiquated). Thus, when Gauvreau asked me to come to the École du Meuble, at the ministry's suggestion, to replace Jean-Paul Lemieux (appointed to a post at the École des Beaux-Arts of Quebec City which had been considered for me), we thought ourselves compatible because we had a common struggle. This was a mistake which took some time to become precisely clear.

With the students, my relations had become easier: I no longer experienced the systematic resistance that I had provoked at the Externat because of my ignorance, unsteadiness and inferiority complex. (The over-grown youths, from grade nine and up, had frightened me: I knew them to be better informed than I, and I was totally ignorant of group behaviour. Those were long years of

Je ne provoque plus ces oppositions systématiques connues jadis à l'externat, par ignorance, par incertitude et par complexe d'infériorité. (Ces grands garçons, de versification en montant, me faisaient peur. Je les savais plus instruits que moi et j'ignorais tout des comportements d'un groupe. Ce furent de longues années d'entraînement au courage moral. Je me rappelle que l'idée d'avoir à ouvrir une certaine porte de classe suffisait à me couvrir de sueurs. J'ignore comment on résiste à ces apprentissages.) Aujourd'hui les relations avec mes élèves sont simples. Je ne froisse plus leur sentiment de liberté, ayant reconquis la mienne.

À l'externat, dès la première année d'enseignement, j'utilisai la méthode de Quénioux[8] qu'Ozias Leduc me fit connaître. Cette méthode donna immédiatement des résultats remarquables; particulièrement dans les classes inférieures, favorisés qu'ils étaient par la jeunesse des élèves et leur inexpérience.

À l'École du Meuble, le départ résolu vers les solutions énergiques démarre lentement; les élèves ne sont plus aussi jeunes, ils ont déjà la fausse assurance de connaissances académiques plus étendues; l'habitude du courant pernicieux est mieux établie.

Ensemble, sans heurt, à la façon qu'un grain d'herbe pousse dans un sol avare et froid, nous cherchions la voie de l'expression objective, vivante. Un jour, après plus d'une année d'un travail ingrat, au cours de documentation je crois, un beau dessin est apparu! L'élève Touchette en était l'auteur. Ce dessin exemplaire fut commenté, exposé. Il déclencha la révolution tant attendue. À partir de ce moment de telles oeuvres ne manquèrent plus à l'École; elles devinrent de plus en plus nombreuses.

Souvent j'ai pensé à cette première équipe que je soignais de toute mon attention; comme je la savais fragile! Si fragile devant la difficulté de gagner son pain qu'aucun de ceux-là ne put développer, au-dehors de l'École, cette plante précieuse qu'ils savaient pourtant posséder. Elle leur servit tout au plus à voir d'un oeil moins sec les merveilles de l'univers.

D'année en année le milieu scolaire devenait plus chaud, plus fort. J'entrevoyais le moment où les qualités rares résisteraient à la transplantation.

À l'école de la liberté les tempéraments s'affirment: du nerveux au flegmatique, de l'inquiet, de l'ardent, de la tête un peu folle au raisonneur sûr de lui-même, peu sensible aux mystères, craignant comme la peste les moindres aventures spirituelles. Touchette, Hébert, Cyr, Desjardins, Archambault, Vinet, Maisonneuve, Racine, Deschambault

training in moral courage. I remember that the very idea of opening a certain door would make me sweat. I don't know how one battles through such apprenticeships.) By this time my relations with my pupils had become natural. I did not offend their sense of freedom because I had reconquered my own.

At the Externat, from my very first year of teaching, I had put into practice the Quénioux method[8] which Ozias Leduc had introduced to me. This method had given remarkable results, particularly in the lower grades where youth and inexperience had been especially receptive to it.

At the École du Meuble, a similar endeavour got under way more slowly; the students, not so young, already had the false assurance of a wider academic knowledge, and the habit of pernicious tradition was more deeply set.

Yet, together, without clashing — more like grass seeking to grow in mean, cold soil — we searched for a way towards living, objective expression; and, after more than a year of unrewarding work, during a documentation class, I think, a lovely drawing suddenly appeared! It was by a student called Touchette. This exemplary drawing was discussed and exhibited. It released the long-awaited revolution. From that moment, a similar quality became more and more frequent.

I often thought of this first group, which I nursed with all my patience. How fragile I knew it to be — so fragile, in face of the difficulty of earning a living, that no member was able to develop, after leaving the school, the precious gift which he nevertheless knew he possessed: it helped him at best to have an eye less dry for the wonders of the universe. However, from year to year the classes gained in warmth and strength, and I foresaw the moment when these rare qualities would survive such transplantation.

At the liberated school all temperaments assert themselves, from the nervous to the phlegmatic, from the anxious, the ardent or the slightly foolish to the rational (sure of itself but not very responsive to mysteries, and fearing like the plague the slightest spiritual adventure). Touchette, Hébert, Cyr, Desjardins, Archambault, Vinet, Maisonneuve, Racine, Deschambault, all from those early days, what has become of you? Some of you are teachers, others directors of schools, but what of those whom I have never seen again?

tous des premières heures qu'êtes-vous devenus? Quelques-uns sont professeurs, d'autres directeurs d'écoles, mais ceux que je n'ai jamais revus!

C'est à ce stage premier que des développements extérieurs vinrent accélérer la poussée. Monsieur Maurice Gagnon, nommé en même temps que moi à l'École du Meuble, avait déjà commencé l'activité littéraire qu'il poursuivra un certain temps; on en parlait. Le directeur, encore incapable d'orienter l'École dans une doctrine particulière, ne cherchant alors que ce qui frapperait l'attention du public, lui offrit une série de conférences. Elles attirèrent une foule élégante.

Je dois rendre le mérite à monsieur Gagnon que, si ses cours étaient entachés d'idéalisme sentimental, il était non moins vrai que pour la première fois à Montréal, un cours d'histoire de l'art devenait autre chose qu'une ennuyeuse énumération se terminant à la Renaissance. L'on ne vidait peut-être pas toujours les leçons particulières propres à tout chef-d'oeuvre; mais au moins le choix des oeuvres avait de l'unité et l'entière sympathie communicative du professeur. Jamais un cours n'a été une corvée pour monsieur Gagnon, ni pour ses élèves. Peut-on en dire autant de plusieurs professeurs? Je ne le crois pas.

Un fait saillant se produisit à la même époque: la création de la Société d'art contemporain (''C.A.S.''), suscitée par la complexe générosité de Lyman. (Activité faite d'élans généreux suivis de la crainte que les victoires remportées ne le conduisent trop loin!) Dès le premier soir de l'organisation de cette société, j'entrevis qu'elle serait peut-être le support social dont avaient un si pressant besoin mes chers élèves de l'École du Meuble. L'avenir me prouva combien j'avais eu raison de croire en elle. Cette société ne nous déçut qu'à la veille du *Refus global* qui la trouva sans force suffisante.

Nous sommes dans de fiévreuses conditions sociales: la guerre vient d'être déchaînée, les défaites se multiplient. Des hommes oublient leurs tracas individuels pour s'inquiéter du sort commun. Une foule d'Européens sont immobilisés en Amérique, d'autres fuient devant l'occupation, devant les persécutions. Montréal voit son importance grandir. La ''C.A.S.'' recrute nos amateurs d'art à l'esprit tant soit peu ouvert. Les expositions s'organisent, Gagnon se dévoue corps et âme. Parizeau, Marcel, non encore nommé, dont j'ai fait la connaissance à mon arrivée à l'École du Meuble, fait le pont entre le monde des artistes et le monde-tout-court. Henri Girard envoie des flèches empoisonnées, du *Canada* à Maillard. Un public attentif nous soutient: la distance entre lui et nous est d'ailleurs encore minime.

It was during this first stage that outside developments helped speed things up. Monsieur Maurice Gagnon, appointed at the same time as I to the École du Meuble, had already started the literary activity which he was to continue for some time, and which was being talked about, and the director (incapable of giving the school a specific lead and seeking only what might catch the public's attention) had offered him a series of lectures that were attracting the "elegant" crowd.

I must give credit to Monsieur Gagnon because, although his lectures were tinged with sentimental idealism, it is nonetheless true that, for the first time in Montreal, a course in the history of art became something more than a boring enumeration that ended with the Renaissance. Perhaps the lessons particular to any masterpiece were not always exhaustive, but at least the choice of works showed unity and the teacher's complete communicative sympathy. A course was never drudgery to Monsieur Gagnon or to his students. Can we say as much of most teachers? I do not think so.

Now, also, a more striking event occurred: the creation of the Contemporary Art Society (the C.A.S.), which was set up by John Lyman's complex generosity (that is to say, generous outbursts followed by fear that the resulting victories might go too far!). From the first evening I saw that this society might become the social support so urgently needed by my dear students at the École du Meuble. And this it so became; indeed, it was to disappoint us only on the eve of *Global Refusal*, which found it without enough power.

We were living in restless social conditions; the war had just been unleashed, and defeats were multiplying. Men forgot their individual troubles to worry about the common fate. But, a crowd of Europeans was immobilized in America, and others fled there in front of occupation and persecution; and Montreal saw its importance growing. The C.A.S. recruited our more or less broad-minded art amateurs, exhibitions were organized (to which Gagnon dedicated himself body and soul) and Marcel Parizeau, whom I met when I arrived at the École du Meuble, acted as a bridge between the art scene and fashionable society. Henri Girard began taking potshots at Maillard from *Le Canada*, an attentive public sustained us and the prestige gap between Maillard and ourselves became trifling.

Father Couturier, one of the numerous Frenchmen caught

Le Père Couturier est l'un des nombreux immobilisés français à New York, il est invité à donner quelques leçons d'art religieux aux anciens des Beaux-Arts. Nous avions fait de la fresque ensemble, avec Pierre Dubois, à Chaillon (France); je vais lui rendre visite, à son arrivée, au couvent des Dominicains. Il est mis au courant de la galère où il s'est embarqué: il me croit à peine. Je lutte contre l'influence de Gilson, de madame Thibaudeau, qui le pistonnent aux Beaux-Arts, chez l'architecte Cormier, etc., je n'en mène pas large. Dans ces hautes sphères bourgeoises notre action est encore inconnue ou jugée insignifiante. Le Père accepte cependant l'invitation de venir visiter l'École du Meuble; la rivalité Maillard-Gauvreau permet de lui proposer un cours! Plus tard, je lui présente Lyman, des soirées s'organisent, ses amis se multiplient, son besoin d'action trouve de quoi se satisfaire. Mais ce n'est qu'après son fiasco aux Beaux-Arts[9] que le Père Couturier acceptera la proposition du cours chez nous. L'occasion d'une revanche lui est offerte; il obtient cette fois un si éclatant succès que les yeux de Gauvreau s'ouvrent enfin sur l'abîme où nous semblons l'entraîner. Gauvreau le désavoue publiquement à l'ouverture de l'exposition de l'École, tenue à l'immeuble non encore terminé de l'Université.

Le Père infatigable organise deux expositions sensationnelles des ''Indépendants'', l'une à Québec, l'autre chez Morgan. Les exposants sont recrutés au sein de la ''C.A.S.'' Il multiplie les conférences, les articles de revues; il publie *Art et Catholicisme*. La glace est rompue.

Maillard tente, dans un article de presse, de revendiquer les ''Indépendants''. En réponse, il reçoit un reniement dont il ne se relèvera pas tout à fait, et qui contribuera largement à sa déchéance.

Malgré cet effort de Maillard, malgré le désaveu de Gauvreau, la réaction ne vient pas encore. La vieille clique académique qui depuis toujours fait la pluie et le beau temps n'en revient pas de sa surprise. Elle n'est pas prête pour la bataille.

Pierre Daniel, plus tard Robert Élie, Charles Doyon, sont des nôtres; ils ne feront plus défaut. La presse à leur suite emboîte le pas.

À l'École, si je dois maintenant compter avec la réticence évidente de la direction, réticence qui augmentera sans cesse, mes élèves savent par contre que l'intérêt qui les anime n'est plus uniquement viable entre les quatre murs de la classe mais qu'il y a de profondes résonances à l'extérieur. Les ''Sagittaires'' s'organisent (monsieur Gagnon prête alors son concours bénévole à plusieurs expositions de la ''Dominion Gallery'' et à diverses

in New York, was now invited to speak on religious art to the alumni of the École des Beaux-Arts. As we had painted frescoes together, with Pierre Dubois, in Chaillon (France), I called on him when he arrived at the Monastery of the Dominicans, to tell him what he was getting into. He found the story difficult to believe. I had to fight Gilson's influence and Mme. Thibodeau's (who pushed him at the Beaux-Arts, at Cormier the architect, and at everybody), and I sounded scarcely credible. In these high bourgeois circles, our activity was either unknown or considered insignificant. Nevertheless, he accepted an invitation to visit the École du Meuble — the Maillard / Gauvreau rivalry dictating that we offer him a class! Later, I introduced him to Lyman, evenings were organized, his friends multiplied **and his need for action found an outlet. But it was only after his fiasco at the Beaux-Arts[9] that Father Couturier** accepted the proposal for a class with us. This gave him an opportunity for revenge: he was such a brilliant success that Gauvreau's eyes were at last opened to the abyss into which we seemed to be leading him. Indeed, Gauvreau publicly disavowed Couturier at the opening of the school's exhibition, in the then not completed university building.

The indefatigable Couturier organized two sensational exhibitions of ''Independents'' — one in Quebec, the other at Morgan's — with painters recruited from the heart of the C.A.S. He increased his number of lectures and articles, and published *Art et Catholicisme*, and the ice was broken. Robert Élie (under the pen-name of Pierre Daniel) and Charles Doyon were with us — never to default — and they were followed by the press in general.

Maillard, in a newspaper article, tried to claim credit for the ''Independents'' and, in answer, he received a rebuff from which he was never completely to recover, and which was to be largely responsible for his ruin.

Perhaps because of the antics of Maillard and Gauvreau, the reaction was still to come. The old academic clique which had ruled the roost from way back remained stunned by surprise — it was not ready to do battle. At school, however, Gauvreau showed an evident reserve, which steadily increased.

expositions de collèges). Aux "Sagittaires", sur vingt-trois exposants, quinze sont de mes élèves; onze sont élèves à l'École du Meuble.

Des forums ont lieu en différentes villes de la province.

Hertel, mis en quarantaine à Sudbury, me demande de recevoir ses amis. Les visites à mon atelier deviennent régulières, un groupe des Beaux-Arts s'y rallie, des étudiants d'un peu partout s'y rendent.

Ma première rupture avec le monde académique, suivie d'un isolement quasi total, n'est plus qu'un souvenir. Un devoir social qui se précise chaque jour passionnément nous entraînera à la seconde prise de conscience et nouvelle ' rupture que sera le manifeste surrationnel.

Sur cette route difficile de la rupture encore lointaine, Pellan sera l'occasion d'une brusque division des forces — trop tôt peut-être — des éléments considérés révolutionnaires par la foule.

Alfred Pellan revient de Paris. Il a la surprise de trouver à Montréal un milieu préparé par notre déblaiement des années passées. S'il était venu en notre ville trois ans plus tôt, au lieu du triomphe qu'on lui a réservé, il aurait dû lui aussi oeuvrer dans l'ombre. Son succès favorise autant notre mouvement qu'il est glorieux au nouveau venu. Nous ne pouvons cependant pas permettre que les cartes soient brouillées encore une fois.

Le travail que ce peintre nous apporte de Paris est vigoureusement parfumé du lieu propice entre tous où il a pris forme. C'est en somme un fruit parisien qui vient à nous. Que l'on comprenne bien qu'il est loin de mon désir d'en diminuer l'éclat, en voulant insinuer qu'il aurait suffi à l'un quelconque de nos peintres de vivre quinze ans à Paris pour nous le cueillir! D'autres y sont demeurés aussi longtemps et sont revenus les mains vides . . .

Il ne fallait pas non plus perdre la tête! La peinture de Pellan ne pouvait devenir un exemple fixe à imiter. C'était un élément sain à assimiler; comme lui-même aurait dû assimiler les meilleurs éléments de la peinture montréalaise au milieu de laquelle il choisissait de vivre. Il désirait une zone d'influence étendue; c'était juste et nous n'avions aucune objection à cela. Il fallait aussi s'entendre sur l'essentiel; là, fut l'obstacle capital.

Déjà, pour quelques-uns d'entre nous, il était inconcevable d'entrevoir le travail de création, sans la constante découverte. Tout retour en arrière nous était interdit de même que toute fixation.

Meanwhile, my students came to realize they were involved in something no longer confinable within the four walls of a classroom, but with profound echoes outside. The "Sagittarians" was created: Monsieur Gagnon offered to organize exhibitions at the Dominion Gallery and at various secondary schools, and at the "Sagittarians", out of twenty-three exhibitors, fifteen were my students — eleven being still at the École du Meuble.

Forums took place in various cities throughout the province. Hertel, quarantined in Sudbury, asked me to receive his friends. Visits to my studio became regular; a group from the Beaux-Arts joined us, and others were to come there from all over.

My earlier break with the academic world and subsequent isolation, were but a memory. Each day now, however, the social duty became more clear that was to lead me to a second passionate awakening, and to another break — that of the superrational manifesto [Global Refusal]. It was on the stoney path to this still distant break, that Alfred Pellan was to cause a sudden, premature division of the forces which the crowd now considered revolutionary.

Pellan had returned from Paris [June 1940] and was surprised to find in Montreal a clearing prepared by our activity of the past years. If he had arrived three years earlier, instead of the triumph prepared for him, he too would have had to work in the shade. Nevertheless, although his arrival was to benefit our movement as much as it was to glorify him, we cannot permit any more confusion over the issue.

The work that this painter brought from Paris bore the rich perfume of its place of origin. It was, all in all, a Paris fruit which he offered. It must be understood, I have no wish to tarnish his reputation by insinuating any painter could have plucked it after living there for fifteen years. Others have been there just as long and have come back with nothing.

But we were not to be swept off our feet! Pellan's painting was not to be allowed to set a fashion. It was a wholesome element to be assimilated, just as it should have assimilated the best elements of the Montreal art among which he had chosen to live. He wanted a leadership role — which was his due — and we did not object to that. But we also needed to be heard on the most essential point; and there he presented an obstacle.

Already, for some of us, it was impossible to conceive of creative work without constant discovery. We could not look back and we forbade ourselves to stand still.

Pellan rejetait en bloc le surréalisme[10], pour nous il avait été la grande découverte. Pellan ne croyait qu'au cubisme qui déjà était, et un peu grâce à lui pour nous, sans mystère.

Violemment les jeunes prennent parti. Dans la violence, des moins jeunes sont décapités qui désirent concilier l'inconciliable.

Maintenir généreusement l'accent sur la passion dynamique ou *Maintenir systématiquement l'accent sur la raison statique.*

Permettre aux expressions plastiques imprévisibles de naître ou *Maintenir une certaine expression plastique définie.*

Acquérir passionnément de nouvelles certitudes en encourant tous les risques ou *Conserver a tout prix les certitudes d'un passé récent et glorieux.* En somme la *gauche* et la *droite* du mouvement contemporain — que le public confondait en un seul mouvement — se séparaient.

La gauche prenant conscience, la droite adopte une attitude défensive à notre endroit: les positions sont plus nettes. La réaction a eu le temps de revenir de sa surprise; la lutte s'engage à fond, sans rémission. La lutte tutélaire passionnée, aussi nécessaire à la vie de l'intelligence qu'elle peut l'être pour la vie des corps, est enfin engagée à Montréal. Souhaitons qu'elle ne cesse plus jamais.

C'est à ce stage de développement (1943-1948) que l'expérience de l'École du Meuble prend son entière signification.

Les élèves de première année de la section "d'artisanat" (les seuls que je voyais) ne sont plus des enfants; leurs études secondaires doivent être terminées: baccalauréat de rhétorique ou certificats de nos écoles primaires supérieures. Ils entrent à l'École du Meuble à peu près au stage où ils entreraient à l'Université. C'est d'ailleurs le rêve, depuis longtemps choyé, du directeur d'accorder un jour des licences et des doctorats en siège! Il y travaille en cachette. Les autorités de l'Université sont déjà consentantes. Monseigneur Maurault n'a pas craint d'exprimer publiquement, à la presse, le plaisir qu'il éprouverait à ouvrir les portes de l'Université à l'École du Meuble. Gauvreau plus rusé nie qu'il en soit question; le jour où il aura gagné son point au ministère (qui voit en ce moment d'un mauvais oeil un si grand succès), il aurait l'air de s'être fait tirer l'oreille pour accepter de devenir doyen! Quel chameau que Gauvreau!

Pellan entirely condemned surrealism,[10] while for us it had been the great discovery. Pellan believed only in cubism, which, partly because of him, had already lost its mystery for us.

The young take sides violently; and in that violence, some of the not-so-young, wishing to conciliate the irreconcilable, are the first victims.

"Maintain generously the stress on dynamic passion," is the opposite of, "Maintain systematically the stress on static reason."

"Permit the rise of unpredictable plastic expression," is the opposite of, "Maintain one definite plastic expression."

"Passionately acquire new convictions by incurring all risks," is opposed to, "Maintain at all costs the convictions of a recent and glorious past."

In short, the left and the right of the contemporary movement — positions which the public does not differentiate — had to separate out.

These positions being defined, and we of the left having taken a stand, the right adopted a defensive attitude; but, once it had recovered from its surprise, the battle began full force, without remission. The exemplary, passionate battle, as necessary to the life of the intellect as to that of the body, was at last begun in Montreal. Let us hope it will never cease!

It was at this stage (1943 to 1948) that the experience of the École du Meuble took on its full significance.

First year students in the crafts section (the only ones I saw) were no longer children; their secondary studies were over. Whether they held high school diplomas or certificates of our primary superior schools, they entered the École du Meuble at about the same stage as they might have entered university. Indeed, it was the director's long cherished dream to grant graduate degrees! He had been working on it secretly and the university authorities had already agreed to it. Monseigneur Maurault had not been afraid to declare, even to the press, the pleasure it would give him to open the university to the École du Meuble; whereas Gauvreau, more cunning, had denied the question, so that when he finally might win his case at the Ministry (which, at that moment, looked unfavourably upon such a grand scheme), it would seem that they had had to twist his arm to get him to accept the post of Dean! The scoundrel!

Je les revois, ces grands garçons de première, inquiets du milieu où ils se trouvent, prudents, effacés, impersonnels à l'extrême; abordant l'étude du dessin avec leurs préjugés bien enracinés, leurs déjà vieilles habitudes passives imposées de force au cours de douze ou quinze années d'études: *rangés, silencieux, inhumains*. Ils attendent des directives précises, indiscutables, infaillibles. Ils sont disposés au plus complet reniement d'eux-mêmes pour acquérir un brin d'habileté, quelques recettes nouvelles à ajouter à un faux bagage pourtant lourd à porter.

Ces premiers cours étaient émouvants. Je me taisais . . . C'est lentement que la glace se brisait; le débâcle n'avait lieu qu'à la suite des longs et beaux jours chauds et sans vent, lorsqu'elle était assez molle pour ne rien déraciner de précieux.

Je me taisais dans l'attente d'un geste expressif. La déroute occasionnée par le silence, par le manque de direction, hâtait ce geste. Les maladroits que j'ai toujours aimés étaient involontairement l'occasion des premiers scandales. Des beaux dessins naissent dans une ignorance mystérieuse: il fallait alors en prendre conscience, en dégager les leçons.

La différence entre ce qu'ils attendaient du dessin et ce que cette étude pouvait leur donner de meilleur les frappait d'un trouble profond.

Passionnément les discussions entre eux, hors les cours, commençaient. Ils refaisaient, sans le savoir, le procès de l'art en croyant faire celui de l'art ''moderne''.

Nous nous attachions à réaliser l'unité du présent et du passé à l'aide des reproductions de la bibliothèque. Ce n'était donc pas les différences que nous étudiions, d'une école à l'autre, mais les constances. Quelles étaient les qualités propres aux dessins des cavernes et à ceux de Léonard ou de Rembrandt, de Picasso ou de Matisse? Nous recherchions une qualité plastique constante! Nous ne trouvions qu'une qualité morale, toujours la même au cours des siècles, mise en évidence par une infinie variété de qualités plastiques. Cette qualité morale semblait être une puissance affective créant un état passionnel suffisant à l'expression involontaire et intégrale de la personnalité de l'artiste.

C'était une grande découverte! Il ne s'agissait donc plus, pour devenir un créateur, d'acquérir au moyen d'exercices ingrats des qualités mécaniques étrangères; de piocher et gommer en vain et sottement. Si nous désirions que nos oeuvres aient un jour cette involontaire et divine qualité expressive, marque indiscutable d'un être fort et ardent, il fallait à tout prix abandonner ce fol espoir de s'enfouir

I can see them now, those big first year boys, anxious about the new milieu in which they found themselves, cautious, humble, extremely impersonal, taking up their drawing with the strongly rooted prejudice of passive habits imposed by the force of twelve or fifteen years of study. *sedate, silent, inhuman,* they awaited specific, unquestionable, infallible directions. They were willing to accept the most complete self-denial, to acquire a little facility or a few new recipes to add to their useless baggage, whatever the extra weight.

Those first classes were touching. I was silent; but slowly the ice would melt; and the break-up would come after long and lovely, warm, windless days when it was calm enough not to uproot something precious.

I was silent, waiting for an expressive gesture; and the disorder occasioned by this silence, by the lack of direction, hastened its appearance. The clumsy ones, whom I have always liked, were the cause of the first involuntary scandals. Beautiful drawings came to life in mysterious ignorance; we had to become aware of that fact and extract the lesson from it.

The difference between what they expected from drawing and what this study could best give them, troubled them profoundly; and passionately, out of class, they started discussions among themselves. Without knowing it, they were putting art itself on trial — in the belief that they were prosecuting only ''modern art''.

So, we explored the unity of the present and the past, using reproductions from the library and studying not the differences between one school and the next, but the constants. What were the qualities common to cave drawings and the works of Leonardo or Rembrandt, or Picasso or Matisse? We looked for a constant plastic quality. Instead, we found a constant moral quality, always the same through centuries and evidenced in an infinite variety of plastic qualities. This moral quality seemed to be an **affective power which created in the artist an impassioned state sufficient for the integral and involuntary expression of his personality.**

sous l'amas des débris impersonnels et accepter de résoudre immédiatement ou jamais ses propres problèmes de figuration, d'expression.

La route de l'expérimentation individuelle était ouverte. L'élève n'apparaissait plus comme un sac à tout mettre; mais comme un individu à un moment précis de son développement.

Il n'était plus une machine à reproduire, au service d'un maître quelconque, mais un homme intelligent cherchant les réponses à ses problèmes d'expression.

Il ne s'agissait donc plus de donner à l'élève le moindre, le plus étant exigé. Il ne s'agissait plus de lui apprendre en particulier tel ou tel truc de métier, lui permettant un jour de singer ceci ou cela, celui-ci ou celui-là; mais il s'agissait de lui permettre l'accès à l'expression intégrale. Quitte, pour l'élève moins doué, à n'utiliser qu'une partie du pouvoir mis entre ses mains.

Il ne s'agissait donc plus de faire dessiner l'élève dans le but de satisfaire telle ou telle clientèle idéale qui d'ailleurs n'a jamais existé que dans la caboche des professeurs incapables de tout travail d'art, mais de permettre à l'élève de se reconnaître dans ses oeuvres et par cet accord permettre à d'autres hommes de reconnaître en ces oeuvres des aspirations profondes encore insoupçonnées. En d'autres termes: permettre au dessinateur de créer son propre style qui créera forcément sa propre clientèle. Que l'on me nomme un seul artiste, un seul décorateur digne de ce nom qui ait acquis la gloire autrement!

Pour favoriser le mieux, le pire devait être possible — l'un ne se comprend pas sans l'autre — *nous quittions la commune mesure.*

Quels étaient les objets à saisir, quels étaient les buts, les étapes de cette passion reconnue? Il était clair, même à la lumière voilée de nos pauvres reproductions, que les objets à saisir se présentaient dans la perspective d'une connaissance toujours plus complète, plus reculée des possibilités de l'homme.

Autant que la bibliothèque le permettait, nous étudiions alors l'évolution d'un artiste en particulier: Renoir par exemple.

Il suffisait d'une quinzaine de reproductions prises au hasard, par tranches égales, au cours de sa longue carrière, pour identifier sans l'ombre d'un doute quelques-unes des exigences de son désir jamais comblé.

It was a great discovery! To become a true creator, there was no longer any need to work hard and then erase fruitlessly and foolishly, or to acquire foreign, mechanical qualities through unpleasant exercises. If we wanted our works to have one day this involuntary and divine expressive quality, the incontestable mark of a strong and ardent being, we had to reject at all costs the foolish hope of burying ourselves beneath a pile of impersonal debris, and to undertake to solve, now or never, our own problems of figuration and expression.

The road to individual experimentation was open. The student no longer appeared as a receptacle, but as an individual at a precise moment in his development. He was no longer a reproducing machine, serving any master, but an intelligence searching for the answers to its problems of expression.

It was no more a matter of giving the student little but demanding a lot. It was no longer a matter of teaching this or that trick of the trade to enable him one day to ape this or that, but of permitting him access to his own means of expression. The less talented student would no longer be restricted to using just a fragment of the power actually in his hands.

It was no longer a question of making the student draw to satisfy some kind of ideal clientele (which, after all, never existed except in the head of some professor incapable of artistic creation), but of permitting him to find himself in his works, and by this accord to permit other men to recognize in his works profound aspirations, hitherto unsuspected. In other words, of permitting him to create his own style and so create his own clientele. Tell me of one single artist, one single decorator worthy of his title, who acquired fame any other way!

To favour the best, the worst had to be possible — the one cannot be understood without the other — therefore we laid aside ideas of common standards.

What objects had to be grasped? What were the aims, the steps of this acknowledged passion? It was clear, even in the blurred light of our poor reproductions, that the objects to be grasped presented themselves in the context of an understanding always more complete but never finally perfect. Therefore, as far as our library would permit, we studied the development of particular artists — Renoir, for example.

About fifteen reproductions, chosen haphazardly at equal intervals of his long career, were sufficient to identify the exigencies of his insatiable desire.

Ses premières peintures dénotent un goût peu particularisé: proportions, compositions, sont à peu près celles de tous les peintres de son temps, celles aimées d'un public de choix. Son ambition lui commande des régates! Plus tard, trois ou quatre personnages dans un parc, dans une loge, suffiront comme prétexte à sa joie de peindre; pour se contenter à la fin d'un bouquet, d'un torse de femme s'alourdissant d'année en année. J'imagine volontiers que, si Renoir eut vécu cent ans et plus, ses dernières toiles eurent été peintes d'un seul pétale de rose fait d'une infinie variété de tons, d'un clitoris remplissant le tableau d'une multitude de petites touches de chair rose et bleue.

Nous suivions avec amour la transformation continuelle d'un détail, une main, par exemple, des premiers aux derniers tableaux. Les doigts bien délimités du début et délicats, doigts de femme élégante, ayant chacun un rappel immédiat à la connaissance que l'artiste possède de son modèle, vont lentement vers une autre connaissance: d'un ordre plastique celle-là. Les doigts s'unifient jusqu'à devenir inséparables les uns des autres. Le dessin s'étale, se multiplie, pénètre profondément la matière colorée; le traitement s'assouplit, l'émoi d'une présence réelle est évident. Le rappel au modèle n'est plus qu'une double communion d'une même et seule réalité transfigurée. Les doigts se soudent à la main, qui elle-même devient un volume spontanément ordonné dans l'ensemble, dont le poids lumineux ne réfère plus qu'à la certitude émotive de l'artiste. Certitude faite de l'accord de toutes les puissances de connaître dans un élan joyeux vers la possession de l'univers.

Joie cérébrale de faire craquer la toile sous le poids de l'objet peint, joie charnelle, visuelle, de plus en plus précise; un seul et même désir: posséder l'impossédé, réaliser la plénitude émotive du présent sans cesse plus exigeante.

Il y a trop d'absences en ce moment pour être tout à fait à l'aise en parlant de ces choses qui demandent la présence des tableaux, des personnes auxquelles on en parle. Contacts immédiats permettant une entente persistante.

En commençant ce travail j'aurais voulu répéter textuellement les cours de l'École du Meuble. J'en vois l'impossibilité; seul un grand mouvement se reproduisait dans les formes imprévues de la conversation. Conversations qui n'ont jamais été notées. Je ne m'en tiendrai qu'à ces grandes lignes.

Ce travail, que j'aurais donc voulu strictement imitatif, sera peut-être davantage objectif que mon désir originel, en étant le cours que je donne à des élèves absents — le seul que je puisse donner!

The early paintings show his personal identity still unformed: proportion and composition resemble those of other painters of his day favoured by the élite. Then the regatta demands his attention. Later, three or four people in a park, or in a theatre box, suffice as an excuse for his joy in painting, which is finally to be satisfied with a bouquet, or a woman's torso that becomes heavier year after year. I am willing to believe that, had Renoir lived to be a hundred, his last canvases would have been painted from a single rose petal, of an infinite variety of tones: a clitoris filling the canvas through a multitude of small touches of pink and blue flesh.

We lovingly followed the continual transformation of a detail — a hand, for example — from the first to the last pictures. Each distinct and delicate finger of an elegant woman, in the early works, revealed the understanding of the artist for his model but slowly lead us to another understanding — of a plastic kind. The fingers united, until they were inseparable from one another; the drawing unfurled; it spread over and deeply penetrated the coloured matter; the handling became more supple: the emotion of a human presence more evident. The recall to the model was nothing more than a double communion with one and the same transfigured reality. The fingers were joined to a hand which itself became a volume spontaneously integrated to the whole, whose luminous weight could be ascribed only to the artist's emotional conviction — formed through the harmony of all the powers of understanding in a joyous rush towards possession of the universe.

Cerebral joy, to make the canvas crack under the weight of the painted object; joy, sensual and visual, more and more precise; one and the same desire: to possess the unpossessed, to realize the emotive plenitude of the present, incessantly more pressing.

There is too much unavailable at this moment for me to be completely at ease in talking of these things, which require the presence of the pictures and the people with whom they were discussed — our closeness permitting a persistent agreement.

In beginning this history, I thought of reproducing verbatim the classes from the École du Meuble. But that is impossible: a great movement was self-generated through the unpredictable turns of conversations never written down. I must therefore restrict myself to headlines.

This way, what I first thought of making from records may even turn out to be fresher than my original objective would have permitted — by becoming a course for absent students (the only one I can give!).

Je déteste et envie à la fois le professeur à la faculté inhumaine d'être exactement au même point aujourd'hui qu'il était hier; qui une fois pour toutes *sait* et n'a plus pour le reste de ses jours qu'à répéter la *vérité*. Sans arme que j'ai toujours été contre la perpétuelle modification apportée par l'expérience. Souvent j'ai tenté la rédaction d'un programme de mes cours: dès le lendemain il se montrait inutilisable, les conditions étant changées.

J'ai aussi en aversion les professeurs qui prennent avantage de leur âge, de leurs connaissances, pour imposer d'autorité, sans tenir compte des réalités individuelles de leurs élèves, des formules que ces élèves ne peuvent vivre, ne peuvent assimiler intégralement. Dans le marasme où nous sommes ce n'est pas d'orgueil que nous manquons . . . Aux plus forts, aux mieux préparés à aimer davantage dans l'humilité d'une communion profonde et dynamique.

Celui qui ne retire de son travail que le bénéfice de son salaire est nul. De ça il y a des décades que les preuves s'accumulent par centaines de mille, et l'on persiste à ne pas voir, à ne pas entendre.

Tôt l'accord se faisait avec les élèves, contre les préjugés, contre l'ignorance, contre l'inconnu. Ils m'aidaient autant que je pouvais les aider moi-même et ils le savaient. C'était un marché tacitement conclu et magnifiquement tenu. Il est probable que cet accord justifiait à lui seul leurs préférences. Elles risquaient à tout moment de désorganiser l'École. Leur ardeur à l'étude du dessin leur faisait trouver ennuyeuses et stériles les autres matières au programme; malgré l'ingéniosité de la direction à minimiser le travail fait en classe, malgré l'opposition systématique des professeurs d'ateliers et de toute la section d'apprentissage dont les élèves ne suivaient pas mes cours, malgré le soin que je mettais moi-même à faire comprendre l'utilité de ces matières. Il était d'ailleurs évident que leurs répugnances ne s'appliquaient qu'à la façon d'enseigner, non aux matières elles-mêmes; et cela, parce que les élèves pouvaient maintenant comparer deux états: le *passif* et l'*actif*, sinon les juger clairement.
Il n'était pas nécessaire qu'il y eût la grève des finissants pour savoir où allaient leurs préférences! Mais, lors de cette grève, elles devinrent évidentes à tous. L'on me soupçonnait d'être l'instigateur de ces troubles. Je n'étais que le témoin attentif de ces troubles; et je crois, le plus compréhensif des élèves. Malheureusement, je ne pouvais rien pour eux, mon autorité étant déjà nulle auprès de Gauvreau qui ne voulait rien savoir! sentant très bien qu'il aurait un jour l'occasion de refaire l'unité compromise.

Dorénavant vous pourrez être tranquilles, MM. de l'École du Meuble, le directeur a su retrouver l'uniformité

I detest and at the same time envy the professor with the inhuman knack of being exactly in the same spot today as he was yesterday; who once and for all *knows*, and until the end of his days has only to repeat, the *truth*. Unarmed, as I have always been, against the perpetual modification brought by experience, I have often tried to write out a programme for my classes which next day would reveal itself unusable, the conditions having changed.

I am also averse to teachers who take advantage of their age or their information to impose by their authority, without considering their students' individual realities, formulas which these students cannot live by, or cannot assimilate integrally. Not that we lack pride in our less assertive position; rather that it is given to the strongest and best prepared to love most deeply in the humility of a profound and dynamic communion.

He who gets nothing from his work but the salary is a nonentity. Proofs of that accumulate by the hundred thousand over the decades; and still no one sees or hears.

An alliance was soon made with the students, against prejudice, against ignorance and against the unknown. They were helping me as much as I helped them and they knew it. It was a bargain tacitly concluded and magnificently supported, and it came eventually to direct their preferences. They came close at every moment to disorganizing the school. Their ardour for the study of drawing made them find other subjects on the curriculum boring and sterile, in spite of the director's ingenuity in minimizing the work done in my class, and in spite of the systematic opposition of the workshop teachers and the whole apprenticeship section (whose students did not attend my classes, in spite of the care I took to have them see how such classes might help them). Moreover, it was obvious that my own students' reservations about other courses applied to the teaching methods used rather than the subjects themselves; and this was because the students now had a basis for comparing two states — the *active* and the *passive* — if not for judging between them clearly.

suffisante pour interdire aux élèves les possibilités désastreuses des comparaisons; ou, si vous avez encore quelques ennuis, ils viendront de confrontations extérieures cette fois.

Nous passions à un autre artiste; retardons cependant cet instant pour dissiper un malentendu qui pourrait naître de ma façon de raconter! Non, les cours n'avaient pas lieu à la bibliothèque (sauf pour la documentation) mais dans la salle de dessin à vue. Un modèle ou un thème sollicitait l'élève à résoudre les problèmes englobants de la figuration. (Ces contacts avec les maîtres du dessin étaient des regards presque indiscrets par-dessus les limites du cours.) Le modèle proposé était indifféremment en relief ou non; sculpture sur bois, vieille relique détachée d'une église ancienne décorée par l'un de nos robustes sculpteurs d'autrefois; un plâtre quelconque, moins volontiers; une nature morte, fruits, légumes, objets divers, ou une reproduction. Une reproduction: ce qui était considéré comme une bassesse quand j'étudiais aux Beaux-Arts. Faire des copies! ça sentait l'atelier féminin à longues robes noires. C'était une ignominie! sans nous rendre compte les pauvres — élèves et professeurs — que nous copiions le modèle proposé aussi bêtement que qui que ce soit.

Une fois acceptée la route de l'expérimentation personnelle, une fois abandonnés les exercices mécaniques, les imitations, les singeries, les problèmes de figuration, d'expression, ne se comparent plus aux modèles proposés mais à l'authenticité même de l'expression, aux réalités propres, harmoniques, objectives du dessin, si peu évolué, si peu adroit soit-il.

Un autre peintre, que nous étudions donc comme ça, par-dessus la clôture du jardin, était Matisse, riche d'enseignement divers et d'une mise en garde très grave.

Ses premières oeuvres généreuses, débordantes de curiosité, d'ardeur, de foi. Ses piqués en sens inverse dans l'abondance des demi-teintes au strict minimum des traits fins. Pous nous montrer ensuite un Matisse soucieux des réussites de son talent, désireux de les ordonner rationnellement. (Un peintre gêné par la crainte de décevoir des admirateurs est un peintre qui organisera le pillage de ses dons.)

Un jour nous feuilletions un album des dessins du maître, passant au hasard de la mise en page, d'un fusain écrasé à un autre dessin sans demi-teinte au trait de plume. Les élèves à l'accoutumée des cours expriment librement impressions et jugements; j'assiste attentif, corrigeant au besoin un terme, relevant une contradiction. L'un d'eux réputé dessinateur de talent avant son entrée à l'École — il a une formation académique à laquelle il tient, elle

It was not necessary to have a graduation strike to discover where their preferences were! But during this strike those preferences became clear to everyone. I was suspected of instigating the disturbance, when really I was only an attentive witness — though probably the most understanding one. Unfortunately, however, I could do nothing to help, my credit being exhausted with Gauvreau (who wanted to know nothing anyway — sensing very well that he would one day have a chance to set the clock back).

From now on, you can rest happy, gentlemen of the École du Meuble. The director has learned how to keep things in line enough to prevent disastrous comparisons; and if more annoyances arise they will issue from outside the school.

We were about to discuss another artist; let us delay this, however, to clear up a misunderstanding which could arise from the way I am relating things. No, the classes did not take place in the library (except for those in documentation), but in the drawing studio. A thematic subject or some visual object was provided to pose the varied problems of figuration. (Contacts with the drawing masters were regarded as somewhat indiscreet and outside the limit of the course.) The problem addressed might be in relief or not: a wooden carving, a relic from some ancient church adorned by the robust sculptors of the past, or, more reluctantly, a plaster of some sort, a still life, fruits, vegetables, various objects, or a reproduction. A reproduction! That was considered demeaning even when I was studying at the Beaux-Arts. Copying! That savoured of a studio for women in black dresses. It was an ignominy at the Beaux-Arts — though neither students nor teachers there included copying the living model as ignominious — misguided as we all were.

Once the road to personal experimentation has been accepted, the mechanical exercises, the imitations, the monkey tricks, are abandoned, and problems of figuration no longer relate to the subjects offered, but to the authenticity of expression and the proper, objective and harmonious realities of the drawing — however little it has evolved, however clumsy it might be.

In this regard, another painter whom we studied close at hand was Matisse — who offered a wealth of instruction, and a grave warning.

lui coûte de nombreuses heures d'un travail fastidieux et lui a valu d'agréables plaisirs de vanité — ne trouve aucun des dessins que nous regardions entièrement satisfaisant. Il en rejette quelques-uns sans pardon: ce sont les dessins aux traits épurés sans modelé. J'interroge, tentant de lui permettre de découvrir les raisons du rejet. Il exprime alors qu'il ne sait pas, que c'est pas beau, que tous sont incomplets et que ceux-là sont plats sans relief! et souligne d'un geste son jugement. Ensemble nous étudions minutieusement l'un de ceux-là trait par trait en notant les imperceptibles modifications d'épaisseur, d'intensité, en remarquant l'ordre impeccable de leurs relations dans l'espace. Alors, tout à coup il dit: ''C'est formidable, M. Borduas, c'est la première fois que le volume de ces dessins m'apparaît!''

C'était non moins formidable pour moi. Jamais je n'avais soupçonné qu'un dessinateur expérimenté, rusé même dans la reproduction visuelle des choses, puisse regarder de tels dessins, si rigoureux, si éclatants, sans en voir le volume exprimé impeccablement mais sans les demi-teintes. Il suffisait donc pour que la perception se détraque d'une surprise visuelle, d'une rupture dans l'habitude. C'était l'explication de bien des sottises, de bien des jugements incompréhensibles entendus dans le passé. Pour bien marquer le point nous regardâmes des albums d'art chinois et japonais.

Ce même élève fut plus tard l'occasion d'une autre expérience étrange. Il ne pouvait accepter le classement des meilleurs dessins basé sur l'authenticité de l'expression plutôt que sur la somme des illusions. Toute la classe avait dessiné un personnage. Le sien est au tiers inférieur du classement malgré plus de ressemblance avec le modèle que ceux qui le précèdent. Il fallait par honnêteté justifier ce classement. Ma certitude est grande; elle n'est pas facile à communiquer. Plusieurs de la classe n'attachent d'importance qu'à la similitude extérieure; ils ignorent encore la valeur objective de la réalité évidente de chaque élément constituant un dessin; ils n'ont foi, malgré le révélation de Matisse, qu'au dessin en dégradé photographique.

Je cherche à haute voix, par une étude détaillée du dessin en question, les raisons précises de ma conviction, soulignant au passage les déficiences d'expressions: flou, mollesse, indécision, manque de caractère, etc.; il faut déjà une certaine culture pour être sensible à de telles raisons: elles ne le touchent pas ou peu, elles sont en dehors du litige. Subitement, sans lien apparent avec l'analyse que je poursuis, je découvre que par un jeu de demi-teintes renversées l'abdomen de son bonhomme exprime une concavité au lieu et place d'une convexité! En toute autre

His first works, generous, overflowing with curiosity, ardour and faith, and representing his change from an abundance of half-tones to the strictest minimum of finesse, are followed by a later Matisse anxious about the success of his talent and eager to direct things rationally. (A painter tormented by the fear of deceiving his admirers is a painter who will invite the plunder of his gifts.)

One day we were thumbing through an album of the master's drawings and, due to the order of the pages, passed from a crushed charcoal drawing to another in ink without half-tones. The students, according to the routine of the class gave their impressions and opinions freely. I watched attentively, correcting a term when necessary or raising a contradiction. One of them, reputedly a talented designer before his entrance to the school — with an academic education to which he clung, since it had cost him many hours of fastidious work and won him the agreeable pleasure of vanity — found none of the drawings completely satisfactory, and rejected some of them mercilessly. They were refined drawings without modelling, and I questioned him, trying to help him discover the reasons for his rejection. His reaction was to say that he did not know, that they were not beautiful, that they were incomplete and that these particular ones were flat and without relief — and he emphasized his opinion with a gesture. Together we studied one of them minutely, trait after trait, taking note of imperceptible changes in thickness or intensity and noticing the impeccable order of relationships in space. And all at once he gasped, ''That's incredible, Monsieur Borduas, this is the first time that I have seen volume in these drawings!''

He, in turn, was no less incredible to me. I had never suspected that an experienced designer, actually adept in the visual reproduction of things, could look at drawings so severe, so striking, without seeing that volume in them was expressed impeccably even without the half-tones. Still, all that was needed to shake established perception was a visual surprise, a break in a habit. It explained the nonsense, the many incomprehensible judgments, heard in the past, and to confirm the point we turned to albums of Chinese and Japanese art.

Later, the same student had his eyes opened even further. He could not accept an evaluation of drawings based on their authenticity of expression rather than on the sum of their illusions. Each member of the class had drawn a person, and his was ranked among the lower third, in spite of its greater resemblance to the model. It was necessary, of course, to justify this classification. My conviction was great, but not easy to communicate, as several of the class still attached importance only to external similarities, and

occasion j'aurais passé outre à cette constatation insignifiante en soi. Elle était capitale pour lui.

Cette expérience me prouva encore une fois que, lorsque l'ambition du dessinateur est au plus bas: désir d'écrire strictement les impressions visuelles reçues du modèle, l'intelligence (qui m'apparaît de plus en plus comme essentiellement ordonnatrice) ne joue plus que le rôle insignifiant de contrôler en les comparant deux similitudes immédiates: l'une venant de l'objet à dessiner, l'autre du dessin en cours, pour tendre à la fin à n'avoir qu'une seule et même impression; elle est alors invitée à confondre deux réalités distinctes: le dessin d'une part, l'objet à dessiner d'autre part. Dans ces limites qui lui sont suffisantes, l'intelligence se trouve sujette aux illusions les plus fausses, les moins justifiables.

Illusions qui m'apparaissent comme les exécrables caricatures de la transfiguration.

Toute la première année se passait ainsi à la découverte d'un monde insoupçonné.

Les merveilles se multipliaient dans leur ardeur craintive.

Les caractéristiques psychologiques de la deuxième année sont différentes. La rupture des vacances jouait un rôle important dans ces changements, en incitant l'élève à juger trop tôt de connaissances à peine entrevues. Les élèves avaient l'impression de revenir en pays connu. Les cours, le professeur, ne sont plus sujets d'inquiétudes. Ils savent à quoi s'en tenir. Ils croient même avoir découvert un système de classement. ''Plus nos dessins sont mauvais, me disent-ils, meilleurs vous les classez!''

Dans cette fausse assurance, avec le désir de faire la preuve du système et d'en tirer avantage, les mauvais dessins se multiplient.

En classant les dessins sur les qualités expressives (l'authenticité de l'expression est la qualité la mieux cachée qui soit à son auteur), à la longue il était apparu à l'élève que, moins il réussissait à atteindre les buts de ses désirs, et plus la note accordée était haute. Ce qui était juste. Mais la véritable signification de ce jugement échappait encore à son intelligence, à savoir que la conséquence est plus importante que le but. La conséquence étant la qualité morale imprimée à l'acte; le but, l'espoir de la possession entrevue par l'acte. (Qu'importe le degré d'évolution du présent? Nous ne saurions en être entièrement responsables. Seul le comportement individuel, qualité d'être, compte. Un comportement sain projette l'individu en avant vers des biens de plus en plus près des

still ignored the objective reality of each element that constitutes a drawing, accepting only drawings with a photographic range of tones — in spite of the example of Matisse. So, gaining everyone's attention, I sought aloud the precise reasons for my rejection of this student's work, noting on the way its deficiencies of expression, its blurred outline, weakness, indecision, lack of character, and so on. But one must already have a certain cultivation before understanding such judgments, and they affected him little. To him, they were not relevant to the dispute. Then, suddenly, with no apparent connection to the analysis I was pursuing, I discovered that by a play of inverted half-tones, his figure's abdomen expressed a concavity where a convexity should have been! On any other occasion, I would have overlooked this point, in itself insignificant; but it was very important to him.

This experience proved to me once again that, where the artist's ambition is at its lowest, desiring only to transcribe impressions received from the model, the intellect (which I consider more and more as essentially in command) plays merely the insignificant role of comparing two similarities (the object to be drawn and the drawing in progress), to end up with one and the same thing. It is thus led to confuse two distinct realities. Within these limits, which are sufficient to it, the intellect finds itself subject to the most deceiving, the least justifiable illusions.

Such illusions seem to me the execrable caricatures of transfiguration.

The whole first year passed this way, devoted to the discovery of an unsuspected world.

Marvels multiplied themselves in the students' timid ardour.

The psychological characteristics of the second year were different, largely because during the summer vacation the students came to terms with their half-glimpsed insights, if prematurely. They thought themselves returning to familiar territory; the classes, the teacher, were no longer matters for anxiety; they knew what to expect. They even believed they had discovered a classifying system: ''The worse our drawings are,'' they said to me, ''the higher they are rated.''

With this wild assumption, with the desire to test the system and to take advantage of it, bad drawings multiplied.

mystères de tout objet: réalités de moins en moins apparentes. Le dynamisme justifie aussi bien les passions égoïstes que les généreuses: à la société de favoriser les généreuses.)

Les élèves avaient perdu confiance dans les buts qu'ils s'étaient assignés durant leur première année, ils perdaient donc l'ardeur: source des succès. Ils devaient faire l'expérience qu'authenticité et générosité sont synonymes, que toutes deux sont gratuites par nature, inexploitables; il fallait retrouver des désirs suffisamment émouvants pour repartir à la conquête de l'inconnu.

Nous avions cru reconnaître une valeur morale constante à l'origine de toute oeuvre d'art, nous avions suivi le développement particulier de quelques grands artistes. Cette fois nous attachions à étudier les écoles, en comparant ce qu'elles ont de dissemblable, avec l'espoir de découvrir leurs apports au savoir. Les élèves étaient frappés, par exemple, de constater que la perspective (qu'ils étudient en vingt leçons) avait mis seize siècles à se définir; l'idée même de cette figuration savante de l'espace ne venant qu'après l'apparent épuisement des projections immédiatement liées aux expériences tactiles. Ils étaient intéressés à cette découverte des impressionnistes: la lumière objective. Ils étaient étonnés que les cubistes aient pu mettre en évidence les réalités strictement particulières au tableau, dans des harmonies parentes mais indépendantes de la vraisemblance visuelle du monde. Il étaient affolés de constater que l'objet d'art pouvait alors exprimer dans des raccourcis vertigineux l'expérience émotive des siècles passés (Duchamp); que le tableau pouvait être le langage des plus mystérieuses analogies! (quelques surréalistes), qu'il permit à Matta d'explorer les espaces interplanétaires en créant une nouvelle échelle. Enfin, ils abordaient l'automatisme surrationnel:[11] espoir de saisir la forme de nos désirs les plus immédiats, les plus exigeants.

En marge de ce grand mouvement nous admirions d'exceptionnels artistes tels le Facteur Cheval, le Douanier Rousseau. De ces hommes doués d'un pouvoir créateur reposant sur les seules qualités émotives. De ces hommes qui semblent posséder la faculté de répéter indéfiniment un même geste d'amour dans une continuelle ardeur et pureté. De ces hommes réfractaires à l'habitude, à l'émoussement, par la répétition, de la qualité convulsive. De ces hommes près de l'animalité précieuse, exemplaire; à une extrémité d'une même gamme où nous trouverions à l'autre terme Léonard et Duchamp!

J'envie de toute ma force admirative ces personnages étranges; que j'imagine doués d'une sérénité exception-nelle. Il ferait bon déposer en leur état bienheureux nos

In classifying drawings according to their expressive qualities (authenticity of expression is the quality best hidden from its author), it seemed to the student that the less he succeeded in fulfilling his desires, the higher was the allotted mark. Which was true. But the meaning of this judgment still escaped him: that the result is more important than the aim — the "result" being the moral quality expressed in the act, the "aim" being the hope for possession which prompts the act. (The degree of evolution of the present is not important. We cannot be entirely responsible for it. Only individual behaviour and quality of being, count. Sound behaviour projects an individual closer to the essence of the object: beyond its superficial appearance. If dynamism justifies the selfish passions as well as the generous ones, let society favour the generous ones.)

At this point the students thus lost confidence in the aims which they had set out to achieve during their first year, and therefore also lost their ardour — their source of success. They had to discover that authenticity and generosity are synonymous, that both are free by nature, and that neither is exploitable. It was necessary to reawaken their ardour, if they were to set out again for the unknown.

We thought we had recognized a moral constant in the origin of any work of art, and we had followed the particular development of a few great artists. This time we applied ourselves to the study of schools, comparing their differences in the hope of discovering their contribution to knowledge. For example, the students were impressed to realize that perspective (which they studied in twenty lessons) had taken sixteen centuries to crystallize — and that this scientific construction of space had come only after an apparent weakening of the spontaneous projection of tactile experiences. They were interested in the impressionists' discovery of objective light. They were astonished that the cubists could display realities strictly peculiar to the picture, in related colour but independent of a visual likeness of the world. They were disturbed to find, in Duchamp, that the work of art could express in vertiginous abridgements the emotive experience of past centuries; that, in surrealism, painting could involve a language of the most mysterious analogies; that it could permit Matta, by creating a new sense of scale, to explore interplanetary space. And finally they tackled superrational automatism.[11] the attempt to grasp the form of our most immediate, our most exacting desires.

déchirantes inquiétudes. Mais, de même qu'ils n'ont pu changer quoi que ce soit aux nécessités évolutives de l'esprit, de même nous devrons poursuivre nos tourments . . .

À l'École nous avions quelques-uns de ces tempéraments que rien ne distrait; qui du commencement de leurs études à la fin poursuivaient une voie secrète sans avoir à subir les tentations négatives de la deuxième année. De ces talents qui ont besoin d'une grande sympathie, qui ne pouvaient peindre leurs ''chefs-d'oeuvre'' qu'en classe. Il se passera des dizaines d'années avant que nos milieux citadins américains soient suffisamment humanisés pour permettre à ces fleurs simples et rares de s'épanouir.

L'étude du glissement de la pensée, d'une école à l'autre, nous amenait à comparer les qualités plastiques: volumes, lignes, mouvements, matières, etc., et nous arrivions encore une fois à la conclusion que seul un surplus gratuit de justesse pouvait révéler l'exacte attitude du désir.

En première, grâce à l'état d'ignorance et de crainte des élèves, leurs dessins étaient excellents, sans qu'ils le sachent, sans qu'ils le croient. Je devais les encourager, tenter de mettre en évidence ces qualités vibrantes et je ne cachais nullement mon admiration.

En deuxième, les élèves croyaient déjà savoir et devaient supporter des critiques de plus en plus sévères, les dessins étant sauf exception de moins en moins justifiables. Les élèves étaient tentés de croire que le professeur avait changé, vieilli. C'était l'année capitale. Nous pénétrions cette fois au coeur du problème par la voie opposée, non plus par le chemin aimable des réussites involontaires mais par l'exécrable sentier de l'informe.

Les cours de décoration que les élèves abordent à cette période venaient aider une fois la semaine, en fournissant l'occasion d'un travail de recherche limité, neuf, et séduisant. Ce n'était plus l'étendue, dépassant leurs facultés de conscience, du cours de dessin à vue.

Si les vacances entre la première et la deuxième année avaient faussé l'attitude des élèves, celles qui suivent au contraire leur permettront de mûrir dans la solitude, loin des critiques, des convictions assez puissantes cette fois, munis d'une expérience suffisante, pour orienter le travail d'été. C'est les mains pleines de trésors qu'ils revenaient en troisième.

Tous les ans à la Sainte-Catherine les élèves donnent une petite soirée pour amies et amis. Monsieur le directeur qui préside ces charmantes réunions en profite pour rendre quelques politesses et inviter des personnages dont les

Marginal to this great movement, we admired exceptional artists such as the Facteur Cheval and the Douanier Rousseau: men endowed with creative power based only on emotive qualities, who seemed to possess the ability to repeat indefinitely the same loving gesture in continuous ardour and purity; men rebellious to habit, to having their convulsive side blunted through repetition; men near to precious, exemplary animality — at the opposite end of the scale from Leonardo and Duchamp.

I envy with all my powers of admiration these unusual beings — whom I imagine endowed with exceptional serenity. How good it would be to exchange our heart-rending worries for their blissful state. But, as they have not arrested the evolutionary thrust of the mind, we must press on with our anxieties . . . .

At the school we had a few of those individuals who are distracted by nothing; who from beginning to end of their studies follow a secret path without submitting to the negative temptations of the second year, but who need careful nurture and who can paint their ''masterpieces'' only in the security of the class. Decades will pass before our American urban milieu will be humanized enough to permit these simple and rare flowers to bloom.

The study of the transmission of ideas from one school to another, again found us comparing plastic qualities — volumes, lines, movements, materials and so on — and we came once again to the conclusion that only something gratuitously over and above precision could reveal an exact state of mind.

During the first year, thanks to the students' ignorance and fear, their drawings were excellent, without their knowing it, without their believing it. I had still to encourage them to develop those vibrant qualities, for which I never concealed my admiration.

In the second year, believing they knew more, I became more critical, since their drawings, except for a few, were less and less justifiable. Their response was to think that the teacher had changed, or aged, whereas, in this most important year, my intention was to get to the heart of the matter from the opposite direction: no longer by the pleasant road of involuntary successes but by the execrable path of the formless.

The course in decoration, which the students took at that time once a week, was helpful, as it gave an occasion for new and fascinating, if limited, research: it was not so

bonnes dispositions, ainsi fortifiées, pourront être utilisées un jour. Vous savez comme ça se fait quand l'on se contente de ne pas être ''trois siècles en avant de son temps'', que l'on a des ambitions bien précises, bien définies, immédiates ou prochaines, et que l'on bénéficie d'un certain pouvoir budgétaire!

C'était aussi l'occasion de monter une exposition des travaux de vacances. Tous prenaient ainsi connaissance des différentes recherches des élèves. Si l'authenticité est, pour un artiste, difficile à reconnaître dans ses oeuvres autrement qu'indirectement, par le mécanisme des conséquences, il en est autrement pour les travaux d'autrui. Rapidement les élèves en venaient à goûter les meilleures peintures de leurs camarades.

Ces manifestations étaient de premier ordre. À l'une d'elles Mousseau exposa le fameux *Tapis de l'île de Pâques* entre autres gouaches et dessins de Barbeau, Riopelle, Phénix, et tous les copains. L'*île de Pâques* venait de faire sensation à la ''Art Association of Montreal'',[12] à Toronto. Les élèves étaient au courant des articles de journaux qui signalèrent ce tableau. Ce qui n'empêcha pas le directeur de présenter l'exposition, dans son discours de bienvenue, comme le résultat d'inoffensives distractions de vacances en insistant sur l'idée rassurante que les élèves savaient bien s'amuser! et ça, sans une pointe d'humour, en toute amitié feinte, en toute confiance fausse, comme s'il se fût vraiment agi de certains travaux de jardinage. La différence était si évidente entre l'insignifiance prêtée à ces tableaux et leur importance réelle qu'elle frappait les esprits les moins ouverts.

Et l'on cherchait, apparemment, d'où pouvait venir le conflit d'autorité? Mon cher directeur, vous auriez pu deviner que seul votre systématique aiguillage de travers en était la cause: et voici comment. Lorsque par hasard un étranger au courant des mouvements de la pensée d'avant-garde venait à l'École (sur dix ans je me rappelle trois ou quatre visites de cette espèce), vous montiez à mon bureau et là vous faisiez sottement la roue devant ces mêmes travaux comme si vous eussiez été leur plus ardent défenseur, et cela malgré ma réprobation évidente, mon écoeurement non équivoque en face d'une telle hypocrisie. Mais elle ne vous touchait guère, ma réprobation!

Certes je savais que, si notre milieu montréalais eut été plus évolué, si les gens pouvant vous être utiles d'une façon ou d'une autre eurent été informés des ces réalités neuves, eurent pu les juger, les goûter, vous auriez été, vous, constamment aux petits soins.

extensive as that in drawing from sight, and did not get beyond their capacity for understanding.

If the vacation between the first and second year perverted the students' attitude, the following one, on the other hand, permitted them to mature in solitude, away from criticism, having now enough conviction and sufficient experience to direct their own summer's work. It was with hands full of treasures that they thus came back for their third year.

Every year, on Saint Catherine's Day, the students gave a modest evening reception for their friends. The director, who presided at these charming reunions, took advantage of the occasion to pay a few compliments and to invite some people whose susceptibility to flattery might make them useful one day. (That's the method when one is content not to be ''three centuries before one's time'', when one has very precise, very definite ambitions, whether immediate or distant, and when one has control of the budget!)

This reception was also the occasion for an exhibition of work done during the vacation, so that everyone could see the results of the students' researches. If authenticity is difficult for an artist to recognize in his own work, except indirectly from its consequences, it is different with the work of others, and students rapidly came to relish their classmates' best paintings.

They were ambitious for these events: at one of them Mousseau exhibited his famous *Easter Island Tapestry*, and there were gouaches and drawings by Barbeau, Riopelle, Phénix and the rest of the group. *Easter Island Tapestry* had just caused a sensation at an exhibition of the Art Association of Montreal,[12] in Toronto. The students knew of articles which had mentioned this painting but these did not prevent the director from representing the exhibition, in his welcoming speech, as the result of harmless holiday diversions, while he harped on the reassuring thought that the students were well able to amuse themselves (and that, not meaning to be witty, but in a feigned friendship, and feigned confidence, as if only gardening projects were at stake!). The gap between his remarks about these paintings and their true importance was so obvious that it affected even the less open-minded.

And yet we had to search for the origins of the conflict with authority? My dear director, you could have guessed that only your own systematic lack of integrity was the cause of it. For instance, when by chance a foreigner, informed on the movements of avant-garde thought, might come to the school (in ten years, I recall three or four visits of this kind), you would bring him to my office and crassly show off

Comme je savais que c'était uniquement par votre manque d'imagination pour créer de toutes pièces un prétexte, pouvant vous justifier devant l'opinion publique de mon renvoi de l'École, que vous me gardiez contre votre vouloir. Sans quoi vous m'auriez exécuté dès l'exposition de la Dominion Gallery en 1943. Depuis vous ne cessiez, dans mon dos, de faire enquête sur enquête dans ce but. Mais je savais aussi, de prescience, que je ne quitterais l'École qu'au terme de l'expérience en marche lorsque je serais prêt pour une expérience plus grande, sans souci du nombre de plumes qu'il en coûterait à votre panache.

La troisième était l'année par excellence des travaux libres, des recherches individuelles en classe, à la maison. Elles se multipliaient en tous sens. C'est en troisième qu'habituellement les plus doués étaient admis à la ''C.A.S.''. Ils participaient alors aux expositions de la ville.

À tous les jours de cours j'avais à juger, en particulier, des quantités de travaux, croquis, peintures, sculptures que les élèves avaient exécutés dans leur temps libre. Mon intérêt était extrême. Je les enviais, j'enviais leur simplicité, leur candeur qui leur permettait de m'apporter à pleine enveloppe des travaux exécutés la nuit, souvent contre la prudente tracasserie des parents.

Ces visites fructueuses à mon bureau étaient pour moi la grande récompense. J'accordais à mes visiteurs la même confiance que celle qu'ils pouvaient m'accorder eux-mêmes. Pas une fois en onze ans je n'ai eu à m'en repentir! Si je n'avais su depuis toujours qu'aux plus jeunes les plus vieux doivent donner le meilleur de leur intelligence, de leur coeur, quitte par la suite à rivaliser de force avec eux, ces visites me l'auraient vite appris.

En troisième, les élèves abordent les exercices particuliers de la documentation. À ces cours, comme partout ailleurs naturellement, l'expression restait libre: des analyses subtiles aux synthèses hardies. Les élèves dessinaient autant d'objets ou d'aspects différents d'un même objet qu'ils le désiraient sur la feuille, sans souci de composition. La directive générale les incitait à la recherche de l'essentiel: dessin à accent particulier, selon l'objet à dessiner, selon le dessinateur; cet accent portait sur le volume, l'ornementation, sur la construction, sur l'harmonie colorée, sur les diverses matières, etc. Ces exercices permettaient d'approfondir la connaissance du monde de la forme, d'isoler les différentes caractéristiques d'un modèle, d'en épuiser si possible les moyens d'expression: de prendre conscience de ces divers moyens. C'était l'occasion par excellence pour renforcir le sens critique. Cette année prenait figure de revue générale. Elle se poursuivra en quatrième.

before the paintings as if you had been their most ardent defender — and that in spite of my obvious disapproval and unequivocal disgust in front of such hypocrisy. But it did not affect you, my disapproval!

Indeed, I knew that if our Montreal society had been more progressive, if the people who could have been useful to you had been informed of the new realities, if they had been able to judge them and enjoy them, you would have constantly been making little gestures towards me.

I also knew very well that it was only through lack of enough imagination to invent a sound pretext for my dismissal that you kept me against your will — you would have liked to eliminate me as early as the Dominion Gallery Exhibition of 1943. After that, behind my back you never stopped holding inquest after inquest to this end. But I had the foresight to see that I would leave only at the end of the experience in progress, when I would be ready for something greater, not caring how many feathers it took out of your cap.

The third year was above all the year for unfettered work, for individual research in class and at home. Students progressed in every possible manner. It was usually in their third year that the most talented were admitted to the C.A.S. and took part in the city exhibitions.

Every school day, I had to appraise individually a great number of sketches, paintings or sculptures, which the students had done in their spare time. My interest was great. I envied them; I envied their simplicity and the candour which permitted them to bring me folders full of work, done at night, often in the face of their parents' prudent harassment.

These fruitful visits to my office were to me the great reward. I granted my visitors the same trust which they gave. Not once in eleven years did I have cause to regret it. If I had not always known that the older ones must give to the younger the best of their heart and intelligence, aware that they are helping their potential rivals, these visits would have fast taught it to me.

In the third year, the students tackled particular exercises of documentation. During these classes, as elsewhere, their activity was naturally free, ranging from subtle analysis to bold synthesis. The students drew as many objects or as many different aspects of an object as they wished, on one sheet, without worrying about composition. The general idea was to have them explore specific factors and accents suggested either by the object itself or by the designer — volume, ornamentation, construction, colour harmony, and

En quatrième: année de la dispersion. L'élève entrevoit la nécessité d'avoir à subvenir à ses propres besoins d'ici quelques mois. Dans bien des cas les parents comptent sur le futur finissant pour aider à boucler un maigre budget familial. L'élève a le souci du diplôme dont il escompte des facilités à venir en récompense des sacrifices qu'ils se sont imposés, lui et les siens.

Des inquiétudes matérielles prochaines, des difficultés sentimentales plus ou moins évoluées, des problèmes scolaires immédiats: maintenant la composition du meuble exige à peu près tout son temps, plusieurs entrevoient cette matière comme le gagne-pain, l'action principale de demain. Les élèves classent, dans une réserve à part de leur intelligence, l'art auquel ils espèrent revenir un jour. Mais à leur insu, leur comportement n'est plus le même. Dans l'ensemble ils se révèlent à l'observateur comme plus près des réalités que les jeunes du même âge ayant reçu une formation différente.

Les plus généreux prennent la décision de poursuivre dès maintenant l'activité créatrice à laquelle ils viennent de goûter. De la poursuivre en toute connaissance de cause et Dieu sait si les difficultés sont épineuses! Ils connaissent le public qu'ils ont affronté à diverses reprises; ils savent à quoi s'en tenir.

L'un d'eux, en désaccord avec ses parents qui s'opposent systématiquement à ce qu'il soit un peintre, va jusqu'à refuser de passer les épreuves pour l'obtention du diplôme d'ébéniste (épreuves pour lesquelles il était parfaitement préparé) dans le but conscient d'éliminer une tentation future et de frustrer ses père et mère d'une arme de plus contre ses ardentes nécessités!

D'autres, non moins généreux peut-être, en tous cas de nature moins entière, ayant à subir de l'extérieur des pressions complexes, diverses, se reconnaissant des exigences matérielles précises, des devoirs sociaux différents, choisissent d'être peintre, mais plus tard; quand ils auront su se créer des revenus suffisants pour se payer le luxe d'une occupation désintéressée. Comme si cette passion englobante qu'est la recherche de la vérité objective, de la beauté immédiate, pût se contenter du superflu. Chers eux! Ils étaient pourtant bien sincères dans leur naïveté.

D'autres ne désiraient que s'illusionner ou jeter légèrement de la poudre prestigieuse sur leur entourage.

Mais il ne faudrait pas croire que la quatrième avait le monopole des grandes décisions. Des élèves les ont prises

so on. These exercises allowed them to intensify their knowledge of the world of form, to isolate the different characteristics of a model, to exhaust, if possible, various means of expressing these, and to become more aware of those various means. It was an ideal opportunity to strengthen their critical sense, and it began a general review which would continue through the fourth year.

In the fourth year, the year of the group's dispersion, the student looks ahead to the time, now impending, when he must provide for himself. In many cases, parents will expect the future graduate to supplement a scanty family budget. The student's expected diploma now comes to be seen as a means of rewarding his family for sacrifices they have made.

Thus, the student experiences approaching material worries, as well as sentimental difficulties more or less developed, and immediate academic problems. It is at this point that furniture composition takes more or less all of the students' time, several seeing the subject as their livelihood, as their chief activity of tomorrow. They therefore seal off, in a separate part of their mind, the art to which they hope one day to return. But, though they do not know it, they have been undergoing a change. They reveal themselves to the observer as closer to reality than others of their age, because their formative experience has been different.

The most courageous decide to continue the creative activity which they have enjoyed — to pursue it with perfect knowledge of the facts and God-knows-what thorny difficulties (they know what to expect from the public — which they have now confronted several times).

One of them [Jean-Paul Riopelle], at variance with parents who are systematically opposed to his becoming a painter, goes so far as to refuse to take the tests for the cabinet-maker's diploma (tests for which he is perfectly prepared), with the conscious aim of eliminating a future temptation and of depriving his father and mother of one more objection to his burning need.

Others, no less courageous perhaps, but of a less head-strong nature, and with various complicated outside obligations such as precise material needs or different social duties, choose to become painters later, when they will have created the means to indulge in a disinterested occupation — as if that engrossing passion which is the search for objective truth and immediate beauty can be satisfied with left-overs. How pathetic! Yet they are so sincere in their naivety.

Others still, want only to deceive themselves or kick up a cloud of prestigious dust.

à tous les stages du cours: quelques-uns après peu de mois d'études régulières.

Un diplômé traîne sa vie bientôt misérable de bureau de dessin en bureau de placement. C'est un génie qui s'ignore. Il sera le reproche grave de ma vie de professeur: n'avoir pas su lui faire prendre conscience de son pouvoir créateur. Dans quatre ans d'attention je ne lui ai tout juste permis qu'une courte période fructueuse: les derniers mois de ses études, activité qu'il prit à la blague, qu'il jugea caricaturale, sans importance. Il fut impossible de le convaincre de faux jugement. Pourtant il obtint d'éclatants succès à la ''C.A.S.'', rue Sherbrooke, à Toronto, à Paris. Pour déchirer le voile qui le cache à lui-même il aurait fallu le consentement universel! qui sait, peut-être l'approbation d'un quelconque individu vivant en dehors de notre mouvement et en qui il eût confiance. De toute façon sa jeunesse semble avoir été empoisonnée par un milieu trop étroit. Il paraît ''inadaptable'' — mot exécrable — à tout jamais perdu pour la société qui en aurait bien besoin. Il y a des chances que seules ses quelques aquarelles demeurent.

En septembre 1946, Gauvreau-le-directeur, Gauvreau-le-chameau de tout à l'heure, m'enlève sans une consultation du conseil pédagogique, sans même me prévenir, les cours de décoration et de documentation; seul le cours de dessin à vue résiste. Monsieur Félix, ci-devant principal acolyte de Maillard, me remplace. En fait de retour en arrière ce n'est pas raté. (J'ai mentionné le conseil pédagogique. Il y a des années qu'il n'a pas convoqué ses membres, ni monsieur Gagnon, ni moi en tout cas, j'en déduis qu'il fonctionne par la seule puissance de son président, le directeur . . . légalement je fais encore partie de ce conseil n'ayant jamais été avisé de mon exclusion.)

La situation à l'École n'était pas commode, elle devient intenable. Impossibilité de protester publiquement. Personne n'aurait compris: les nouvelles conditions ayant l'air de m'avantager. Mon travail est diminué de moitié: le salaire reste le même! Vous voyez la possibilité de se plaindre d'un tel sort?

Mes espoirs de voir les jeunes dessinateurs réaliser la plénitude de leurs dons, mes espoirs sociaux supérieurs: des chimères . . . .

Pour continuer le travail dans l'enthousiasme j'avais besoin de contacts suffisants avec les élèves, ces contacts n'étaient pas trop nombreux: on les divisait par deux en dédoublant mes cours, et une part allait à un professeur dont l'enseignement était prouvé désastreux. Un professeur dont l'enseignement subissait nos assauts depuis 1942!

Not that the fourth year has a monopoly over important decisions. Students make them at any phase of the course — several after a few months of regular study.

A graduate [Roger Fauteux] drags out an existence, quickly made miserable, between design studios and placement bureaux. He is a genius but unaware of it. It is the reproach of my teaching life, not to have known how to make him aware of his creative power. In four vigilant years I have been able to open to him only the briefest fruitful period — the last months of his studies — and this he has considered jokingly, as a caricature, and unimportant. It has been impossible to disabuse him of false opinions, although he has achieved successes at the C.A.S., on Sherbrooke Street, in Toronto and in Paris. Nothing short of universal acclaim (or that of someone outside our movement whom he really trusts) will bring him to accept the truth. At any rate, his youth seems to have been contaminated by a narrow-minded society. He seems to be ''unadaptable'' — execrable word — forever lost to a society which really has great need of him. Only his few water-colours, with luck, will survive.

In September of 1946, the director, Gauvreau-the-scoundrel of awhile ago, without consulting the Pedagogical Council, without even warning me, cut out my role in the decoration and documentation courses, leaving me only the classes in drawing. Félix, until now Maillard's lap-dog, replaced me. As an example of turning back the clock, it was well done. (I mention the Pedagogical Council: it is years since it has convened its members, at any rate myself or Gagnon, and I conclude that it has been under the sole control of its president, Gauvreau. Legally, I am still part of it, having never been advised of my exclusion.)

The situation at the school, which had not been easy, now became very difficult. How could I have protested publicly? No one would have understood. The new conditions even seemed to my advantage — my work had been cut by half but my salary remained the same! How could one convincingly complain of such a fate?

Yet all my hopes of seeing young designers realize the fullness of their gifts, my high hope for society, had now been proved chimerical: to continue my work enthusiastically I needed sufficient contact with the students, and my actual contact had been halved — one part going to a teacher who had proved disastrous and who had suffered our attacks since 1942! But, I accepted the challenge anyhow, thinking, in spite of everything, that something could be done.

J'acceptai quand même le défi, peut-être, malgré tout, y aurait-il encore quelque chose à faire . . . .

À l'extérieur de l'École s'affrontent, pour moi, deux réalités sociales distinctes.

D'un côté, les amis nombreux connus à la suite de la première rupture avec le monde académique. Des amis qui ont été nécessaires à notre évolution en donnant le support de leur confiante sympathie. Chaleur indispensable de notre activité. Mais dont les possibilités révolutionnaires sont hélas! limitées. Les marques de distance, entre eux et nous, s'additionnent. Les espoirs illimités du début s'émoussent. Quelques personnes de premier plan ont dû être abandonnées en route.

De l'autre, un groupement jeune, plein de dynamisme, de foi en l'avenir, en l'action. L'accord, le lien, s'est soudé lentement sur des valeurs essentielles, révolutionnaires; au début uniquement plastiques. La certitude de suivre la bonne direction est grande, bien assise. Certes, il y a de l'orgueil là-dedans! Bien sûr! À mes yeux il a cependant un autre prix que l'exécrable orgueil catholique, par exemple! En tous cas il repose sur des convictions dynamiques celui-là et il commande le risque. On peut aussi y découvrir de la légèreté, oui . . . jamais je n'ai cru à la possibilité d'un monde idéal. Mais l'accent est à la bonne place, le mouvement résolument en avant. Il a toute mon admiration, toute mon amitié; je fonde en lui mes plus chers espoirs.

Dans une soirée mémorable ces deux réalités sociales se sont rencontrées. Claude Gauvreau jouait sa pièce *Bien-être*. De la foule de nos amis qui étaient là, cinq à peine (en dehors du groupe) sortirent intacts dans mon admiration.

J'éprouvai, en plus des sentiments propres au drame épique qui se déroulait sur la scène, l'angoisse, pour la première fois, de la rupture prochaine immédiate. Moins quelques doigts de la main, tous ceux qui étaient là et qui auparavant nous avaient été secourables refusaient de dépasser certaines bornes en deçà de nos possibilités présentes; c'était évident!

Si nous n'eussions été aussi sincères, si de la partie que nous jouions n'eût dépendu qu'un peu plus d'aisance, de plaisirs mondains, nous aurions fait machine arrière, cajolé, quémandé sur la pédale douce en attendant. Mais voilà, nous ne demandions rien, rien du tout que le droit primaire d'être honnêtes avec nous-mêmes et avec nos amis? Nous ne revendiquions que le droit élémentaire d'aimer dans la plus stricte sincérité; de donner la pleine

For me, outside the school, two social realities confronted each other: on the one hand were numerous friends, encountered since my first break with the academic world, who had been necessary in giving their confident sympathy and indispensable warmth, but whose revolutionary potential was, unfortunately, limited. Indications of distance between us now increased, bright hopes of earlier days were dulled, and some of them had to be left along the way.

On the other hand, there had appeared a younger group, full of dynamism, action, and faith in the future; and with this group I slowly established first an accord, then a bond, on essential, revolutionary values — plastic values, in the beginning — the certainty of being right in this regard was very strong. Of course, there was a pride involved. Naturally! But not that execrable ''pride'' of the Catholic Church: at least it rested on dynamic convictions and demanded risks. And there was also a bit of frivolity — I have never believed in the possibility of an ideal world! But the emphasis was in the right direction — resolutely forward. This group had all my admiration, all my friendship; on it I built my dearest hopes.

On one memorable evening, these two social realities met. Claude Gauvreau was presenting his play, *Bien-Etre* [Well-Being] and of the crowd of our friends who were there, hardly five from outside the group went away with my admiration for them intact.

Besides emotions lingering from the epic drama which had just unfolded, I felt for the first time the anguish of the break soon to come. Many who had previously been helpful were refusing to accept fully the possibilities now presenting themselves. It was obvious. I could count the others on the fingers of one hand. Had we not been so sincere, had we been able to promise a less rough and stony road, we would have gone back, coaxed and soft-pedalled a bit. But there it was: we asked for nothing more than the fundamental right to be honest with ourselves and with our friends! We claimed only the basic right to love with the strictest sincerity and to give the full measure of our talents without restraint — in exchange for a little bit of trust and sympathy. If our friends refused this trust, this sympathy, we had to break a bond of friendship grown too cumbersome. A struggle best takes place against one's enemies!

Without a specified intention, but responding to demands of natural development, the ''group'' the nucleus of a more extended movement, began to crystallize. As early as the Amherst Street Exhibition, several members were eliminated, without an after-thought. Unconsciously, the

mesure des talents sans freiner! en échange d'un peu de confiance, de sympathie. Si nos amis nous refusaient cette confiance, cette sympathie, il fallait rompre les liens d'amitié, ils devenaient embarrassants. La lutte ne se fait bien que contre des ennemis.

Sans intention, par les exigences d'un développement naturel, le "Groupe", noyau d'un mouvement beaucoup plus étendu, va vers sa propre individualisation. Dès l'exposition de la rue Amherst il élimine, sans arrière-pensée, plusieurs camarades. Il prend inconsciemment son caractère d'unité et cet air inquiétant qu'il ne perdra plus, pour un certain public.

L'année suivante, à l'occasion de la manifestation de la rue Sherbrooke, il reçoit le nom d'*automatiste*. Durant cette même exposition nous sommes aimablement invités quelques-uns — Fernand Leduc part pour Paris, Jean-Paul Riopelle y est rendu — à participer individuellement au premier *Cahier des Arts graphiques*:[13] collaboration qui nous valut des chicanes d'amis à l'étranger. On reprocha notre manque de discernement, notre peu de rigueur et d'exigence comme si nous eussions endossé l'entière responsabilité de tous les articles et reproductions de ce fameux "Cahier" (bien québécois, des pires bondieuseries à l'automatisme). Lorsqu'il s'est agi de la collaboration au deuxième numéro (no 3) projeté pour 1948, une réunion d'étude s'organise avec nos amis des Arts graphiques où il est décidé de la participation de chacun de nous. L'on promet de grouper nos envois en un tout, et nous prévenons qu'aucune censure ou rejet partiel ne saurait être appliqué sans entraîner le retrait du tout.

Dans ces conditions le travail commence. Ça va bien jusqu'au moment où l'on nous prévient que le papier d'un de nos amis ne peut passer tel quel. L'auteur refuse de changer les paragraphes incriminés; nous rappelons les conditions posées. En plus on nous informe que, à cause de difficultés d'exécution, nous serons dispersés un peu partout dans la revue comme l'on répand la muscade sur un pouding!

Dans l'impossibilité de nos amis des Arts graphiques de faire mieux — ils relèvent d'autorités que nous ne voyons pas — à regret nous nous quittons.

À partir de ce moment les ruptures se précipiteront.

À la "C.A.S." la participation des jeunes est bénévole depuis 1946, année de leur puberté. Ils obtiennent au même moment la majorité des voix actives de l'assemblée. Assemblée qui groupe divers éléments, dont les plus sains, de la peinture montréalaise. Le groupe serait heureux

group assumed a unifying solidarity, and also that alarming aspect which, for some, it would not lose.

The following year, on the occasion of the Sherbrooke Street exhibition, the group received the name "Automatist", and its members were amicably invited on an individual basis to take part in the first *Cahier Des Arts Graphiques*,[13] a collaboration which later brought remonstrances from friends abroad (Jean-Paul Riopelle being already in Paris and Fernand Leduc about to go there). We were reproached for lack of judgment and low standards — as if we had been responsible for every article and reproduction in this famous "Cahier" (which, typifying Quebec, contained everything from the worst bigotries to automatism). When there was a question of collaboration for the second number (no. 3), planned for 1948, therefore, a study session was organized with our friends from the École des Arts Graphiques, and, they promising that our contributions would be grouped together, and we warning that censorship or part rejection would mean the group's entire withdrawal, we all decided to participate.

The work began accordingly, and went along until we were informed that one submission could not be accepted as it stood. The author (Rémi-Pol Forgues) refused to change the discredited paragraphs and we evoked the established conditions — at which we were informed that, because of design problems, our works would be dispersed throughout the review like nutmeg on a pudding!

Because it was impossible for our friends from the École des Arts Graphiques to do better than this — they were dependent on an authority hidden from us — we reluctantly withdrew. From this point on, such breaks were rapidly to multiply.

At the C.A.S., participation of the young had been free from 1946, the year of their special recognition, when they had also gained a majority voice in its assembly (which contained, among diverse elements, some of the sanest of Montreal painting). But they still lacked the status of its senior participants — although they were already benefitting from the social advantages that it gave — and had waited while the council floundered for two years in the hope of an amendment in their favour. Think of it!!!

Then, at the latest exhibition, held at the Art Association (a place too small for a society like the C.A.S.), the few canvases with some redeeming interest had been quite lost and the young treated as before, with their works parked at the rear. Discouraged, they had considered a mass

d'une entière collaboration. Il fut d'ailleurs le premier à bénéficier des avantages sociaux de la "C.A.S.". Les jeunes laissent le conseil barboter deux ans dans l'espoir d'une correction à leur égard! Pensez-vous . . . .

À la dernière exposition tenue à la "Art Association", dans un endroit trop restreint pour une société comme la nôtre, les quelques toiles ayant un certain intérêt sont perdues; les jeunes, en cela traités à la manière de l'année précédente, sont parqués en arrière. Découragés, ils pensent démissionner en bloc. Je les en dissuade. Ils peuvent faire entendre leur voix prépondérante — on ne démissionne pas dans ces conditions. Alors, ils décident que l'activité de la "C.A.S." devra être assez compromettante pour interdire, de ce fait, l'accès à la société des éléments peu reluisants qu'elle protège malgré elle. Immédiatement avant l'assemblée générale on choisit un conseil dans ce but, il est élu intégralement.

Dans le choix de ce conseil, nous avons fait l'erreur de surestimer le courage de quelques élus. Nous avons eu le tort de vouloir être utiles, délicatement, à des artistes que nous admirons; mais incapables de sentir notre activité. Nous désirions également rendre hommage à certaine valeur bien près de devenir sentimentale.

En ce moment de calme, il est facile d'analyser ces petites histoires. Elles se sont déroulées dans la fièvre de l'action, rarement aussi transparente!

Dès l'ouverture de la première assemblée le fiasco apparut lamentable. L'on mit près de trois heures de délibérations avant d'élire le président, et nous étions sept! Si j'acceptai enfin le poste, ce fut pour terminer cette soirée lamentable devant les refus du conseil de la terminer autrement: en démissionnant et commandant de nouvelles élections. Maintenant j'ai la certitude que seule cette manoeuvre eut été appropriée. Peut-être eût-elle sauvé la "C.A.S." de la déconfiture. Mais, lorsque je prévenais des dangers imminents, l'on croyait à une forme de chantage. Le résultat de l'élection apparaissait même, à quelques-uns, comme dû à la cabale . . . . Une heure avant l'élection nous ignorions encore pour qui voter.

Il n'a jamais été dans mes goûts de louvoyer, une année durant. Le conseil se révélant trop faible moralement pour mener à bien l'action révolutionnaire qui s'imposait, trop faible même pour prendre la décision de démissionner, dans l'impossibilité où il était de trouver le président rassurant désiré; le lendemain matin j'écrivais une lettre cordiale à madame Marion Scott pour sa compréhensive attitude de la veille et lui demandais de bien vouloir, à titre de vice-présidente, faire part de ma démission à

resignation, but I had dissuaded them — on the grounds that with a majority voice they could insist on a hearing, and that one did not resign under such conditions! So they had declared that the C.A.S. should be bold enough to prohibit from its exhibitions certain lack-lustre elements which it was harbouring in spite of itself; and, just before the General Assembly of the society [February 1948], a committee, integral with the group, had been selected to this end.

In the choice of this committee we made the mistake of overestimating the courage of some of those appointed. We wanted to be discreetly useful to artists we admired but who were incapable of sensing our aim, and we were even prepared to acknowledge values on the verge of becoming sentimental; but we were wrong. It is easy to see that, now, from this more distant perspective, but our decisions at the time were made in the heat of action, which is rarely as transparent!

From the moment of its opening, the first meeting was a distressing fiasco. It took nearly three hours of deliberation to elect a president, and there were only seven of us! If I at last accepted the post, it was faced with the council's refusal to end this lamentable evening any other way (for instance, by resigning and ordering a new election). I am now convinced that this would have been the best thing. Perhaps it would have saved the C.A.S. from collapse, but when I warned of this it was believed to be a kind of blackmail. The outcome of the election even seemed, to several, the result of a plot — although an hour before the election, we did not know for whom we might vote.

It has never been to my taste to bandy things about for a whole year. The council having proven morally too weak to manage the necessary revolutionary action, too weak even to decide to resign when it saw the impossibility of obtaining the kind of president it needed, I wrote next morning a cordial letter to Marion Scott, recognizing her understanding attitude of the night before, and asking her, as vice-president, to announce my resignation. In the same post, I broke with Lyman and with Gagnon, whose behaviour had been totally inconsequential.

l'assemblée. Par le même courrier je rompais avec Lyman, je rompais avec Gagnon dont la conduite avait été d'une inqualifiable inconséquence.

Entre-temps Mousseau est revenu de Prague, Riopelle est revenu de Paris. — Ce dernier eut des succès auprès des surréalistes qui lui laissent entrevoir l'avenir de ce côté. — Fernand Leduc est encore en France. Contrairement à Riopelle, il n'arrive pas à s'entendre avec André Breton. Leduc multiplie les rencontres: surréalistes communistes non orthodoxes,[14] le jeune poète Pichette et ses amis, etc. Sa générosité exigeante lui interdit partout l'accord qu'il désire.

Au sein du groupe un puissant besoin d'action, une grande inquiétude; faire le point s'impose. Il faut détruire des malentendus, ordonner dans l'unité des éléments contradictoires.

Dans la cité des grands amis rares: exceptionnels catholiques, témoignant tous les jours de leurs admirables qualités morales: pureté-intégrité. Je les considère comme les seules fleurs encore viables du christianisme. Fleurs largement ouvertes sur l'univers, elles déplorent amèrement le vide des formes sociales.

Cependant, ces amis ne peuvent lier la foi chrétienne aux vices sociaux qui pour nous en est devenue la cause. Pour eux la foi peut subsister à la ruine des formes sociales qu'elle a pourtant engendrées. Le social est humain, sujet aux vicissitudes humaines: la foi est divine, éternelle.

Pour nous la foi est strictement humaine: Dieu ne pouvant se justifier sous quelques aspects que nous l'imaginions. La foi créera une poésie d'essence religieuse (communiante), si elle est dynamique; une poésie d'essence personnaliste, sentimentale (isolante), si elle est au déclin.

Seule une foi englobant le savoir humain présent dans une forme suffisamment dynamique pour détruire d'une part jusqu'au souvenir des vices sociaux qui étouffent les individus, et d'autre part réordonner les individus dans une nouvelle forme collective religieuse (foi et amour en nos semblables), peut justifier nos espoirs et notre ardeur.

Ces amis, comme nous, sont noyés dans notre profonde misère paysanne. Leur générosité commande le sauvetage de valeurs individuelles: d'individus, qui qu'ils soient, méritant à leurs yeux cette attention. Ils ont toute mon admiration et ma sympathie.

D'autres, aussi exigeants pour eux-mêmes — plus âgés — se sont retirés dans la forteresse liturgique et communient

During that time Mousseau came back from Prague, and Riopelle came back from Paris (after some success with the surrealists, who had led him to foresee a future with them), while Fernand Leduc remained in France. Unlike Riopelle, Leduc had failed to come to an agreement with André Breton, but, on the other hand had multiplied his acquaintances among non-orthodox, communist surrealists,[14] as well as the young poet Pichette and his friends, and others — the fertility of his demands everywhere barring him from the accord he sought.

In the heart of the group arises a powerful need to act, a great restlessness: it is time to take stock. Misunderstandings have to be destroyed, and contradictory elements have to be brought into a unity.

In the city there are some rare, good friends [probably Élie and Viau] — extraordinary Catholics — every day showing their great moral qualities, their purity and integrity. I consider them the only flowers of Christianity still alive: widely open to the universe, they bitterly deplore the emptiness of social forms.

And yet, these friends cannot relate that emptiness to the Christian faith which we see as its cause. For them, faith can overcome the ruined social forms for which it is in fact responsible: the social is seen as human and subject to human vicissitudes, but faith as divine and everlasting.

To us, faith is strictly human — God not being able to justify himself in any manner we can imagine. Faith, when dynamic, will create poetry of a religious (unifying) essence, but, when in decline, a poetry essentially private, sentimental and isolating.

Only a faith comprehensive of present human knowledge, in a form sufficiently dynamic — on the one hand, to destroy even the memory of social vices that stifle individuals, and on the other, to reorganize individuals in a new religious and collective form (faith in and love of our fellows) — can justify our hopes and our ardour.

These [Catholic] friends drown in the same deep peasant misery as we. Their liberality likewise commands the preservation of individual values, from whatever source, so long as such values have merit. They receive all my admiration and my sympathy.

ainsi à un univers mystique: besoin de l'esprit. En même temps ils prodiguent leurs soins à une humanité retranchée de la société des hommes, et vaquent au bien-être de leur famille: besoin du coeur. La planète peut aller aux pires chaos, ils sont désormais à l'abri des désastres majeurs. Cette sagesse me fait peur . . . .

Nombreux ceux à l'attitude ambivalente. Ils font la part de Dieu la part du diable. Ils reconnaissent certaines nécessités humaines à sauvegarder — certaines commodités mondaines ou sociales auxquelles il faut sacrifier. Conserver une certaine dignité, un certain rang, une certaine aisance, une certaine facilité, une certaine gloire!

Tous ces chrétiens désirent maintenir les valeurs spirituelles définies, ou à définir, à la lumière du christianisme. Lumière éteinte pour nous.

La foule se débat magnifiquement dans l'obscurité; pour elle tout est première nécessité. Sa vigueur collective est intacte. Ses agissements sont détestables parce que les cadres chargés de son information sont détestables. Toutes valeurs de pureté ont à les combattre.

La foule a une soif ardente et toutes les sources où elle peut s'abreuver sont empoisonnées.

Elle a tout notre amour.

Le grand devoir, l'unique, est d'ordonner spontanément un monde neuf où les passions les plus généreuses puissent se développer nombreuses, *collectives*.

L'humain n'appartient qu'à l'homme. Chaque individu est responsable de la foule de ses frères, d'aujourd'hui, de demain! De la foule de ses frères, de leurs misères matérielles, psychiques; de leurs malheurs!

C'est pour répondre à cet unique devoir que *Refus global* fut écrit.

À la fin de ces projections libérantes, si je tente d'aller au fond du problème de notre enseignement, de son inefficacité à susciter des maîtres en tous domaines, j'y vois la même déficience morale qui entache tout le comportement social. Notre enseignement est sans amour: il est intéressé à fabriquer des esclaves pour les détenteurs des pouvoirs économiques; intéressé à rendre ces esclaves efficaces. Nous dépensons beaucoup d'énergie et des millions dans ce but, mais nous ne pouvons trouver présentement ni personne ni un sou pour exalter les dons individuels qui seuls permettent la maîtrise.

Others, as demanding of themselves, but older, have retired to the liturgical fortress and, to fill their spiritual needs, commune with a mystical universe, while the needs of their heart are met by devoting themselves to the welfare of a community withdrawn from the society of man: the planet can plunge into the worst chaos — they are henceforth safe from calamity. This wisdom frightens me.

More numerous are those of ambivalent attitude, who confuse God's share with the devil's. They hold that there are certain human necessities to safeguard — some mundane or social gains for which one has to make a sacrifice — the maintenance of dignity, a certain rank, a certain ease, a certain facility, a certain glory!

All these Christians wish to maintain spiritual values defined, or definable, in the light of Christianity — a light extinguished for us.

The crowd stuggles magnificently in the dark; for it, everything is an immediate necessity; its collective vigour is intact. Its actions are detestable only because those who are entrusted to supply it with information are detestable. All pure values are at odds with them.

The crowd has a burning thirst and the springs where it might quench its thirst are poisoned.

It has all our love.

The great duty, the unique duty, is spontaneously to organize a new world, where the most noble passions can develop bountifully, *collectively*.

Humanity belongs to man alone. Every individual is responsible for his brothers (those of tomorrow, as those of today), for every one of his brothers: for their miseries, material and psychic, and for their misfortunes!

It was in response to this unique obligation that *Global Refusal* was written.

At the end of these liberating projections, if I now attempt to go to the heart of our teaching problem — the failure of teachers in all fields to awaken — I see the same moral deficiency which infects all our social behaviour. Our teaching is devoid of love; it is geared to produce slaves for the owners of economic power, and geared to make those slaves efficient. We spend a great deal of energy and millions of dollars to this end, but we cannot find one person or one penny to exalt the individual gifts which alone can save us.

Bien plus, si vous prêchez le désintéressement, la générosité, l'amour, vous serez jugés dangereux, l'on vous destituera "pour conduite et écrits incompatibles avec la fonction d'un professeur dans une institution d'enseignement de la province de Québec[15]", dira le document final! "Vous salirez ce que la majorité respecte", écrira le critique profasciste-politico-littéraire!

Et l'on est sans remords, couvert par la Toute-Puissance Divine, la très haute et très efficace protection du clergé. Le clergé qui, lui non plus, ne désire pas d'homme pensant, agissant, jugeant, susceptible de critiquer, de crier! Des esclaves! Des esclaves à qui il est interdit dès le bas âge un comportement humain supérieur, par défense mortelle, éternelle, de toucher à tout ce qui est noble et courageux et dangereux. Des êtres crevant dans la crainte; ne pouvant juger des hommes et des choses que d'après des valeurs nominales. Voilà! ce qu'il nous faut, ce qu'il nous faut à tout prix! Des valeurs dynamiques? ça sent trop la dynamite, la révolution. Même le mot révolutionnaire a encore ici, dans certain milieu d'avant-garde s.v.p., le sens de briseur de vitres! Quelle pitié.

Messieurs, vous touchez quand même au terme de votre puissance. Je sens que d'ici peu des centaines d'hommes venant des bas-fonds vous crieront à la face leur dégoût, leur haine mortelle. Des centaines d'hommes revendiqueront leur droit intégral à la vie. Des centaines d'hommes revendiqueront leurs droits au travail-passion et vomiront votre travail-corvée insignifiant et stérile. Des centaines d'hommes referont une société où il sera possible de circuler sans honte et de penser haut et net.

Vous vous demandez comment cela pourrait se faire? Il a suffi de quelques heures de cours par semaine durant onze ans et d'un peu d'amour pour noyer complètement l'action de l'École des beaux-arts et son formidable appareil! Des précisions? Sur vingt-quatre jeunes artistes admis à la "C.A.S.", dix-neuf sont de mes anciens élèves dont onze de l'École du meuble où l'étude de l'art était secondaire! Leurs activités sont incessantes, leurs relations s'étendent de New York à Paris.

Avec quoi ça été réalisé tout ça? Avec un restant d'horaire, un restant de budget et du meilleur de ce qu'un homme pouvait donner.

Vous y avez mis fin, soit! mais je défie aucun pouvoir d'en effacer le souvenir et l'exemple.

Saint-Hilaire, février 1949.

More than that, to extol disinterestedness, generosity and love, is considered dangerous: you will be dismissed "for conduct and writings incompatible with the function of a professor in a teaching institution of the Province of Quebec"[15] and the pro-Fascist, politico-literary critic will claim that you "soil what the majority respects".

And your persecutors will be without remorse, sheltered as they are by Divine Omnipotence and a high-placed, very effective clergy — a clergy which, no more than they, wants thinking men, acting, judging and capable of criticizing or crying-out, but slaves (beings to whom superior human endeavour is forbidden from childhood by a mortal, eternal prohibition against touching anything which is noble and courageous and dangerous, beings craven in their awe, and able to judge men and things only according to nominal values). There you have it! That's the type we need! That's what we must have, at all cost! Dynamic values? They savour too much of dynamite — of revolution. Even the word "revolutionary" still means, in one so-called avant-garde circle here, "window smasher" — for pity's sake!

Gentlemen, you are reaching nevertheless the end of your power. I sense that soon hundreds of men will rise from the lower depths to shout their disgust and lethal hatred at your face. Hundreds of men will claim their inherent right to life. Hundreds of men will claim their right to self-inspired work and will vomit up your stupid and sterile forced labour. Hundreds of men will remake a society in which it is possible to move without shame and to think aloud and directly.

You ask yourselves how this could come about? There was enough time and love, a few hours of class each week for eleven years, completely to negate the activity and formidable machinery of the École des Beaux-Arts! To be precise: out of twenty-four young artists admitted to the C.A.S., nineteen were my former students, and, of these, eleven were from the École du Meuble where the study of art was secondary! Their activity is untiring; their contacts extend from New York to Paris.

With what was all this accomplished? With the left-overs of a time-table, the scraps from a budget and the best of himself a man could give.

You have ended it! So be it! But I defy any power to erase its memory or its example.

Saint-Hilaire, February 1949.

1. Noms des enfants de Borduas.

2. On décernait à l'École des beaux-arts deux diplômes: un diplôme général marquant la fin des études et un diplôme spécialisé, selon l'option choisie par l'élève: architecture ou pédagogie artistique. Parlant ici du ''premier diplôme'', Borduas désigne le diplôme général qu'il recevra en décembre 1927. Plus loin, il parle du ''second diplôme'' (dans le cas de Borduas, en pédagogie artistique) qui ne sera accordé que cinq ans plus tard. Entre-temps, on tiendra compte de la situation et on engagera des finissants des Beaux-Arts dans des tâches d'enseignement, même avant l'institution officielle du diplôme spécialisé.

3. École secondaire de garçons, située au milieu du parc Lafontaine, donc relativement près de l'École des beaux-arts.

4. Léopold Dufresne.

5. Borduas dramatise un peu. En réalité, L. Dufresne n'est remercié de ses services qu'au Plateau. De 1929 à 1933 il enseigne le dessin dans les écoles du district ouest, à Saint-Henri (Montréal).

6. Borduas s'intéressait à Matisse et à Picasso, depuis son séjour en France et en ce sens, il peut parler de son enthousiasme pour le fauvisme et le cubisme, dès 1930. Son intérêt pour le surréalisme semble s'être éveillé beaucoup plus tard, à Montréal et probablement vers 1938, époque où les premiers numéros de la revue *Minotaure* entrent à la bibliothèque de l'École du Meuble, comme nous l'apprend un inventaire de cette bibliothèque, daté de mai 1938.

7. Borduas donnait, en réalité, quatorze heures de cours par semaine dans les écoles de la C.E.C.M. et six heures au Collège Grasset.

8. Gaston Quénioux, inspecteur du dessin en France, avait écrit plusieurs manuels d'enseignement du dessin pour les élèves de l'élémentaire et du secondaire. Borduas avait dans sa bibliothèque le *Manuel de dessin à l'usage de l'enseignement primaire* (Hachette, Paris, 1912). Sans être tout à fait révolutionnaire, la méthode préconisée par Quénioux recommandait d'alterner les exercices de dessin libre avec des exercices plus académiques. Quénioux engageait les enseignants à tenir compte de l'âge des enfants, de respecter leurs travaux, d'éviter de corriger directement leurs dessins, etc . . . autant d'innovations par rapport aux méthodes en cours.

9. Formés aux méthodes académiques, les élèves des Beaux-Arts furent déroutés par l'approche de Couturier, tout gagné aux maîtres de l'école de Paris. Ils quittèrent sa classe un à un tout au long de l'année.

1. The author's three children.

2. This first diploma, obtained by Borduas on the 20th of December 1927, did not qualify him to teach. For that, he needed a pedagogical qualification which he did not have in hand until the 9th of June 1932. Nevertheless, the circumstances of the time were to permit his employment as a teacher.

3. A boys' high school situated in Lafontaine Park, not far from the École des Beaux-Arts.

4. Léopold Dufresne.

5. Borduas over-dramatises this event. In fact, Léopold Dufresne was fired from the Plateau only. He retained a job in Saint-Henri where he taught drawing 1929-1933.

6. It is well documented that Borduas became acquainted with fauvism and cubism during his stay in France. However, he had not necessarily discovered surrealism by that time. Indeed, the earliest firm evidence of contact with surrealism lies in a May 1938 inventory of the library of the École du Meuble, which reveals the presence of the review *Minotaure*.

7. In fact, Borduas taught fourteen hours a week for the School Commission and six at the Collège Grasset.

8. Gaston Quénioux, a drawing inspector in France, had written several textbooks on the teaching of drawing in primary and secondary schools. Borduas had in his personal library Quénioux's *Manuel de dessin à l'usage de l'enseignement primaire* (Paris: Librairie Hachette, 1912). Though scarcely revolutionary, Quénioux proposed the alternation of free drawing with more academic pursuits and advised teachers to respect the child's work and not interfere with it.

9. Couturier's identification with the school of Paris proved too challenging for students at the academic École des Beaux-Arts and they withdrew from his class in spite of his prestige.

10. This is a rather gross distortion. In fact Pellan drew from surrealist imagery as much as from cubism.

11. See ''Commentaries on some current words''.

12. The Art Association of Montreal was renamed the Montreal Museum of Fine Arts, in 1948.

13. Borduas means the review *Les Ateliers d'arts graphiques* (the first number of which was called no. 2 to give the impression to grant-giving agencies of the government that the journal was already well established).

10. Borduas simplifie les faits. Pellan a toujours puisé abondamment à l'imagerie surréaliste, même s'il n'en a pas fait sa source exclusive d'inspiration.

11. Sur l' ''automatisme surrationnel'', voir *Commentaires sur des mots courants*.

12. Dès 1948, la ''Art Association of Montreal'' était devenue le ''Musée des Beaux-Arts de Montréal''.

13. Il s'agit de la revue *Les Ateliers d'arts graphiques*, dont le premier numéro portait: ''no. 2'' en page couverture, pour donner l'impression aux organismes de subvention gouvernementaux qu'il s'agissait d'une publication bien lancée! Il n'y a jamais eu de ''no. 1''.

14. *I.e.* des surréalistes ayant rompu avec Breton et suivant de plus près la ligne du parti communiste.

15. Cité d'une lettre du *sous-ministre* Gustave Poisson, datée octobre 21, 1948 (envoyée au directeur de l'École du Meuble, presque deux mois après la démission de Borduas).

14. I.e. surrealists who had broken with Breton to stay with the Communist party that he had renounced.

15. Quoted from a letter of the Deputy Minister, Gustave Poisson. October 21, 1948 (sent to the director of the École du Meuble, nearly two months after Borduas' dismissal).

A quoi servent les expositions itinérantes?

Certes, les problèmes relevés par David Mawr[1] sont loin d'être résolus!

L'artiste agit selon sa conscience; aussi, avant toutes choses, il faudrait, à mon sens, que les sociétés d'art puissent rendre fructueuses ces expositions ambulantes à travers le Dominion.

Incorporée par nos fibres les plus secrètes aux grands moribonds que sont les valeurs morales des civilisations actuelles, seule la lucidité pourra remplacer la foi perdue et redonner l'unité à chacune de nos manifestations collectives.

Ces expositions ont un rôle premier à remplir: celui d'informer un public donné. L'information n'est valable que si elle permet la communication, en quelque sorte, la transformation de ce public. Des constatations maintes fois répétées me permettent d'affirmer que la diversité des ''familles spirituelles'' incluses dans ces expositions est un obstacle infranchissable à une communion profitable. Le visiteur en revient dans un état de confusion accentuée. Les peintures qui auraient pu lui chuchoter un secret voient leurs tentatives couvertes par la discordance des toiles voisines. Les critiques réagissent aux mêmes conditions désastreuses; comment alors escompter un mieux collectif de telles expositions, des articles de presse suivant de telles visites? Si une toile, par hasard, est vendue, la transaction a un caractère de gratuité qui fait perdre l'espoir d'un support permanent qu'elle aurait eu dans de meilleures conditions.

Quelles sont les conditions indispensables à l'information fructueuse? Mes convictions remontent à l'expérience suivante. En 1942, après la série des gouaches automatiques que je faisais voir volontiers aux amis, je dus constater le même comportement, de l'Européen le mieux formé au Canadien le plus ignorant, seule une différence de tempo se signalait. Du début à la quatrième ou cinquième gouache mes amis regardent sans voir, sans possibilité de communier à la moindre réalité plastique. Cette possibilité n'apparaissait qu'entre la cinquième et la dixième oeuvre, selon le spectateur et pour tous, la communion devenait plus vibrante jusqu'à la fin. Ne peignant que par vagues successives, à chacune des séries nouvelles, depuis 1942, les mêmes constatations se sont imposées.

Si pour goûter les oeuvres récentes d'un ami, il faut la répétition de cinq à dix oeuvres-soeurs — bien assis dans le calme et la pénombre du divan de l'atelier, l'oeil sollicité que par un seul tableau — qu'advient-il d'un de ces tableaux perdu dans les expositions encore disparates

Travelling exhibitions display a confusion of purpose[1]

Certainly the problems raised by Paraskeva Clark[2] are far from being settled.

The artist acts according to his conscience; but also, above everything else, in my opinion, it is necessary that art societies should be able to make something creative out of these exhibitions which travel across the Dominion.

Linked by the most secret fibres of our being to the decaying moral values of present-day civilization, we can, only through clear thinking, replace our lost faith and restore some unity to our collective actions.

The first role which these exhibitions have to fill is to inform a given public. The imparting of information, however, is only valuable in so far as it helps us to communicate with and, to some extent, transform the ideas held by this public.

On the basis of repeated evidence, I can state definitely that the diversity of ''spiritual families'' included in these exhibitions presents an insurmountable barrier to any profitable communion between spectator and artist. The visitor leaves such exhibitions in a state of increased confusion. The attempts which certain paintings make to whisper their secrets to him are drowned out by the discordant appeals of neighbouring canvases. The critics are affected by the same disastrous conditions; why then should one expect any general improvement in the comments they write afterwards in the press? Also, if by chance a canvas is sold, the transaction is purely gratuitous, and one gains from it no hope of permanent support such as one might have expected from a sale made under better conditions.

What must we do then to develop a more creative system of transmitting information? My own convictions date from the following experience: in 1942 after having gladly let my friends see the series of gouaches ''automatiques'' which I had done, I was forced to observe that, from the most cultivated European to the most ignorant Canadian, the same reactions occurred; the only difference apparent was one of tempo. From the first until the fourth or fifth gouache, my friends looked without seeing, without showing any sign of understanding, in the slightest, their plastic significance. This only began to appear after the fifth or, according to the spectator concerned, after the tenth example of my work, but, for all of them, from then on until the end, the sense of communion became increasingly stronger. Although I was only painting by successive waves, I found after 1942 that each time I showed a new series of productions, evidence of the same kind of behaviour was forced upon me.

montrées en des lieux ignorant presque tout de nos plus modestes désirs?

Que nos sociétés d'art se donnent la main; qu'elles groupent (pour fin d'expositions) les artistes par ''familles spirituelles'', ces familles sont nombreuses au pays — du primitif à l'hermétique — et, qu'à tour de rôle ou selon des besoins plus impérieux l'on fasse circuler ces expositions ainsi homogénéisées, davantage assimilables où le spectateur aura des chances, par la diversité des formes d'un caractère cependant commun à toutes les oeuvres exposées, d'acquérir et d'incorporer des connaissances nouvelles aux données historiques qu'il pourra déjà posséder. Les artistes feront le reste de gaîté de coeur.

Les progrès pécuniaires suivront l'ordre, et l'ordre passionné ne viendra que du discernement.

If, in order to appreciate the recent works of a friend, one has to be shown five to ten ''sister-works'', and be comfortably seated on a couch in the quietness and subdued light of a studio, with the eye only attracted by one picture at a time, what happens then, when one of these pictures is lost in an exhibition of various incongruous works, displayed in surroundings which do not meet even one's most modest requirements?

Let our art societies extend a helping hand; let them group artists (as far as exhibitions are concerned) by ''spiritual families'', there are many such in Canada, from the primitive to the most recondite, and let them circulate these homogeneous exhibitions in turn. These then will be easily assimilated; in each there will be a variety of creative forms based on a character common to all of the works displayed, and in this way the spectator will have a chance to acquire new ideas and to incorporate them into the aesthetic background he already possesses. The artists will do the rest out of sheer joy.

Increased sales should follow upon the establishment of this order of things; but this order, if it is to be fervently adhered to, will only come through the exercise of sound judgement.

1. This English version is taken directly from the pages of *Canadian Art*. Its translator is unknown. We publish here for the first time the original French version.

2. Borduas had been invited to comment on an article by David Mawr in the *Daily Star* of Windsor, Ontario; but *Canadian Art* substituted the name of Paraskeva Clark, first because Mawr attributed the ideas in his article to Clark, and second because Clark had written herself, for the same issue of *Canadian Art*, an article which preceded this by Borduas. Mawr's article, which appeared on June 25th 1949, was entitled ''Artist Buys Few Groceries on Travelling Show Income''.

1. Référence à un article intitulé ''Artist Buys Few Groceries on Travelling Show Income'' d'un certain David Mawr, paru dans le *Daily Star*, Windsor, Ontario, le 25 juin 1949. L'auteur y résumait des propos tenus par Paraskeva Clark à une réunion d'artistes et de conservateurs à la galerie The Art Gallery of Toronto. La revue *Canadian Art* avait communiqué le texte de cet article à quelques artistes dont Borduas, pour avoir leurs réactions et les publier dans un prochain numéro.

Communication intime à mes chers amis

An intimate communication to my dear friends

Face à la tragédie croissante d'une confusion involontaire apparue au sein de mes affections les plus pures, tragédie marquant la vitalité de ce noyau, je tente l'impossible lumière quitte à m'enfoncer davantage dans la nuit.

L'oeuvre poétique a une portée sociale profonde, mais combien lente, puisqu'elle doit être assimilée par une quantité indéterminée d'hommes et de femmes à qui aucune puissance, autre que le dynamisme de l'oeuvre, puisse l'imposer.

S'autoriser de cette certitude, que l'art est doué d'un pouvoir transformant, pour faire de l'action politique serait une erreur de tremplin. L'action politique saine ne peut s'entreprendre qu'au milieu de cette activité: milieu déterminant les relations accordées aux nécessités présentes: Toute pensée trop évoluée pour un groupe d'hommes donné, assez nombreux et suffisamment apparentés pour commencer avec l'espoir de la réussite l'action politique, est inutilisable. Cette pensée leur apparaît rigoureusement arbitraire, de serre-chaude, et leur est aussi nuisible que les vieux concepts à tout jamais sans espoir pour eux et pour nous. Le moment de cette pensée est encore loin d'eux: ils ne sauraient le désirer.

Transporter une émotion procurée par un état sur l'objet de cet état est un transfert habituellement inconscient et habituellement aussi sans conséquences graves. Si toutefois, l'inconscience persiste et s'accompagne d'un dynamisme émotif suffisant, amour ou haine, elle conduit au désastre des victimes de cet état non à la disparition de l'état exécrable.

Sous prétexte de vouloir détruire un malentendu, imposer à qui que ce soit notre opinion de nous-mêmes ou de nos oeuvres, de nos amis ou de leurs oeuvres, autrement que par le don de soi ou de nos oeuvres serait une erreur profonde d'objet, non de tactique. L'amour exige la reconnaissance d'une réalité au moins équivalente à la nôtre: à ce degré ne serait-ce pas l'amitié? L'amour exige plutôt la reconnaissance d'une réalité ressentie comme supérieure à la nôtre à qui nous désirons cependant nous additionner dans l'espoir insensé d'une amplification totale. C'est en ce sens que nous sommes responsables du malheur de nos frères que nous n'aimons jamais assez. La haine, autre face de la même puissance affective que l'amour, est la projection de nos propres dégoûts sur autrui. Un jugement établi à la suite d'une telle projection destructrice de l'unité d'autrui peut susciter des actes d'une beauté tragique comme le meurtre — cas individuel isolé — conduit à Torquemada et aux tortionnaires contemporains dans l'erreur collective. Puissent les hommes abandonner bientôt la large voie publique de la haine orgueilleuse: la

Faced with the growing tragedy of an unsought confusion among those dearest to me (a mark of the vitality of our group), I feel impelled to grope for that impossible illumination which risks even greater obscurity.

The poetical work carries a profound social potential, but one which is realized slowly — for it has to be assimilated by a multitude of men and women with nothing to assist them but the power of the work itself.

It would be a mistake to use, as a springboard for political acts, the fact that art has the potential to transform. Sound political action cannot be undertaken except in its proper milieu: a milieu that determines matters coherent with actual needs. Thoughts too advanced for the population are useless, even should we be numerous enough and sufficiently akin to begin political action with the hope of success. Such thoughts seem to the man in the street either arbitrary or straight from the hothouse, and are as problematic as the old concepts, forever without hope for him or ourselves. The time for such thoughts is not ripe: no one would thank us for them.

To identify an emotion with the situation that has provoked it, usually involves an unconscious projection, and is usually without much consequence. But, if the unconscious projection is accompanied by sufficient emotional dynamism (love or hatred), it leads to disaster for those who become its victims — certainly not to a satisfactory conclusion.

Under the pretext of ending a misunderstanding, to impose upon others the opinion we have of ourselves or of our works, except by the gift of ourselves or our works, would ultimately be a profound error. One might say, love demands the recognition of a reality at least equivalent to our own; but so does mere friendship. The love I refer to involves the recognition of a reality higher than our own, which we embrace in the wild hope of total fulfilment. It is in this sense that we are responsible for the unhappiness of our brothers, whom we never seem to love enough. Hatred, the other face of the affective power, is the projection of our self-disgust. A judgement based on such projection, overlooking the identity of the other, can call forth acts tragically beautiful — like murder — in the case of isolated individuals, and in the case of a collective delusion it can call forth a Torquemada or our contemporary torturers. Would that man could soon abandon the public exploitation of arrogant hatred, before we get embroiled in yet another despairing experiment — however unavoidable it may seem.

quitter avant d'entrer dans la désespérante expérience, qui cependant apparaît, encore une fois, inéluctable.

Il n'y a que les éléments morts que nous pouvons et devons chasser violemment de nous-mêmes et aider ainsi positivement nos semblables. De ces éléments il en meurt en nous tous les jours . . . . Impossible de chasser directement, sans l'arbitraire, nos éléments moribonds! Alors, comment espérer les détruire directement chez autrui?

Ne quittons que le moins possible l'essentiel: amplification de chacun de nous sur le plan cosmique — accord de plus en plus intime avec les hommes, nos frères qui peuvent avoir besoin de nous, et aussi avec la matière mystérieusement animée de l'univers.

Les distractions politiques ne peuvent être que d'une courte durée et sans importance capitale de l'endroit où nous sommes, si captivantes qu'elles apparaissent encore: ce sont des conséquences inévitables, non des buts. L'action sociale, elle, doit se faire d'homme à homme et dans le don total du plus éclairé: celui-là doit comprendre entièrement celui qu'il aide. Ce n'est qu'ainsi d'ailleurs que l'action sociale saura susciter des occasions propices à l'évolution plus générale d'autrui.

La guerre doit se poursuivre sur le plan le plus haut, en plein mystère objectif, au centre brûlant de ce foyer; dans l'amour le plus puissant dont nous disposons, dans la certitude de la victoire éternellement renouvelable et retardée de l'homme en marche sur l'homme qui s'arrête, de l'homme ouvert sur celui qui se ferme, du plus aimant, du plus lumineux.

Saint-Hilaire, le 1er avril 1950.

En guise d'introduction écrite en post-scriptum

Dimanche, j'ai promis d'envoyer aux amis le texte tapé dans le désarroi de la matinée, repris dans la sérénité du lendemain et poursuivi toute la semaine.

Naturellement, je déplore les redites des pages précédentes et m'en excuse. J'y décèle aussi un germe de classification utilitaire des hommes d'après leur degré d'évolution. Degré reconnaissable par la forme des concepts qu'ils créent ou utilisent. Concepts permettant ou interdisant la communication à la foule des êtres. Ce qui m'entraîne à poursuivre ma pensée.

Toutes les communications d'un homme à un autre homme sont entachées d'intérêt immédiat plus ou moins justi-

If we wish to help our fellow men, the only dead elements that we can and must expel violently are from ourselves. Some among those elements die within us naturally, every day — yet how difficult it is to hasten the process without being arbitrary. How, then, can we hope to hasten it directly in others?

Let us depart as little as possible from the essential — which is to find our place in the cosmic design, in deeper and deeper accord with men, our brothers who may need us, and the mysteriously animated matter of the universe.

Political distractions cannot be more than short-term and without consequence for us, as captivating as they may appear: they may be thrust on us but we must turn away. Social action should be effected through personal relationships, by the unreserved giving of the most illuminated. We must understand completely those we help. Only by this route will social action favour general evolution.

The struggle must continue on the highest plane: in the plenitude of objective mystery, at its burning centre, with the most powerful love at our disposal — in the certainty of a constantly renewable (if delayed) victory, of the most loving and most luminous, of progression over hesitation, of receptivity over rejection.

Saint-Hilaire, April 1, 1950

To be used as an introduction but written as a post-script

Last Sunday, I promised to send to friends a text begun in the confusion of the morning, resumed in the tranquility of the following day and pursued all through the week.

Of course, I deplore the repetitions in the preceeding pages, and I beg your forgiveness. I also see that in them I am still clinging to a classification of people according to their degree of evolution, a classification according to the language which they create or use (which may foster, but also hinders communication between them). And this prompts me to pursue my thoughts further.

Every communication from one man to another has overtones of self-interest, perhaps passionate but not always justifiable. And it has been clarified between us, for a long time, that the most precious gift a man can offer his fellows, must be given in the very forgetfulness of them, as the profound response of a single being to the universe itself — spontaneously prompted to a new and inevitable communion with the cosmos, by internal necessity. What-

fiable, passionnant ou condamnable. Et il est bien entendu entre nous, depuis longtemps, que le don le plus précieux, le plus urgent, qu'un homme puisse faire à ses semblables ne peut s'opérer que dans l'oubli même de ses semblables: communion profonde d'un seul être avec le reste de l'univers, poussé par une nécessité intérieure à exprimer spontanément, dans un objet quelconque (occasion de la communion), une relation fatalement neuve avec le cosmos. Quelle que soit l'évolution de la pensée, du sens critique; quelle que soit la forme de l'objet ainsi créé, la valeur morale ne saurait s'établir que par la générosité de la communion, non par les conséquences découlant de l'apparition de cet objet dans un monde donné, ni des jugements qu'on pourrait faire après coup!

Tout le reste en regard de cette communion est de la tripotée pour les chiens enragés que nous sommes: y compris notre action directe dans la société.

Toute action publique, individuelle ou collective, de la petite exposition solo à la grande machine, est entachée, en plus, d'opportunité par définition. Reste que cette tripotée, comme la croûte à casser, soit un aliment que personne puisse se vanter d'éviter! Reste, aussi, que les occasions d'en manger sont trop nombreuses pour tout absorber. Le mieux que j'ai pu faire fut de subir celles qui m'apparaissaient comme immédiatement liées aux exigences créatrices, sans me préoccuper, outre mesure, des risques ou des espoirs de ces occasions.

Les grandes questions se posent ainsi:
Jusqu'où peut aller l'opportunité?
Jusqu'où peut nous entraîner la fièvre de la bataille?
Jusqu'où peuvent aller les transferts?

Évidemment, c'est encore affaire de conscience individuelle accordée aux possibilités de l'Histoire. Mais, lorsqu'il s'agit de l'action d'une collectivité minime, comment accorder aussi, entre elles, des consciences extrêmement diverses non entraînées par un mouvement de masse, et cependant se reconnaissant une parenté certaine? Évidemment, évidemment, il faut s'oublier dans cette commune parenté, mais ce n'est pas suffisant! Il faut en plus l'évidence, pour chacun de ceux qui y participe, que l'action porte non sur la destruction d'un objet, quel qu'il fût, mais sur la destruction d'un état exécrable et nuisible et prouve un état supérieur de liberté déjà rejoint.

Ensuite, ne confondons pas nos espoirs, parfaitement sains dans leur extravagance même, aux résultats.

ever the evolution of the thought, or the critical sense, whatever the form of the object so created, its moral value cannot be established otherwise than by the generosity of this communion — certainly not by the consequences deriving from its appearance in the world, or by critical judgements after the fact. All the rest, including direct social action, just panders to our baser instincts.

Any public action, individual or collective, whether a small solo exhibition or a full dress occasion, is marred by opportunism, by definition. No one is immune from that temptation; no one can brag of foregoing it — except that opportunities are too numerous for him to take advantage of them all. The best that I ever achieve is to submit to those which seem most immediate to my creative needs, without paying too much attention to the risks or the hopes involved.

The big questions that present themselves are:
How much opportunism can we permit ourselves?
How far can we let ourselves be carried in the heat of battle?
How far can projection be permitted to take us?

Of course, it is still a matter of adjusting individual temperament to the possibilities of history. But can even a tiny group, containing extremely diverse temperaments, find adjustment among these without the motivation of a mass movement, even given the evident kinship of its members? Of course, of course, one has to lose oneself in kinship, but that is not enough! Each member needs to feel his actions bear not just on the destruction of specific targets, but on the ending of intolerable, obstructive situations as well, and on demonstrating a superior state of freedom already reached.

But, with the demonstration of such freedom, let us not think our social hopes achieved, sane as they may be in their extravagance.

Dear friends, forgive me for such lengthy struggles to so little profit. But I owed it to myself to make the attempt, and I hope it may be of some value to you.

With all my love,

Yet that is not quite it!

There was one important occasion when Riopelle attempted to belittle me while speaking to Claude [Gauvreau], by calling me "a bit paternalistic"

Mes chers amis, pardonnez-moi ce long tâtonnement pour aboutir à ce maigre profit! Je me devais cependant, à moi-même, de l'obtenir. Puisse-t-il vous être de quelqu'utilité.

En toute amitié,

Ce n'est pas encore tout à fait çà!

Un jour dans un moment important Riopelle m'accuse, à Claude, avec une intention injurieuse d'être ''un peu paternel''.

C'était parfaitement juste, sauf qu'à la place de ''un peu'' j'aurais préféré un ''beaucoup''. Si j'ai eu une influence heureuse sur l'évolution de quelques jeunes ce fut uniquement à cause de ce sentiment.

Mon influence fut toujours nulle sur les amis de mon âge; j'ai dû rompre avec la plupart; je n'ai pu conserver mon affection qu'aux plus jeunes et qu'aux plus vieux; sûrement parce que ces écarts d'âge permettaient une dose suffisante d'oubli de soi, de part et d'autre, pour favoriser une mutuelle amplification de la personnalité.

Ce sentiment de paternité je le reporte sur l'univers entier et sur tous ceux qui se prêtent à un mieux désirable dans une certaine voie. Je suis dans la nécessité de rompre avec tous ceux qui refusent ce mieux: rompre signifie ici suppression totale en moi-même de ces personnes. Aucun contact ne peut plus exister après la rupture, même pas les liens de la bataille. La bataille n'est concevable qu'au sein de la famille pour la conquête du plus haut point désiré de tous pour chacun: tout ce qui vise l'extérieur est une flèche perdue, négative: Dada n'est possible qu'entre parents.

Exemple:
Magnifique la manifestation au Musée![1] Magnifique parée que le courage moral exigé pour s'affubler d'un accoutrement grotesque recouvert d'insultes grossières dans une circonstance où le contraire était de rigueur-imposée, par les conventions, demandait à chacun l'effort nécessaire pour chasser loin de lui des éléments morts mais encore présents en lui-même: pudeur sentimentale des mots, de l'élégance du costume, des bonnes manières imposées, non réinventées spontanément par chacun. Voilà de la vraie bataille en famille! De la grande poésie collective! Qu'il fût nécessaire que cette bataille se déroule devant la foule, n'y change rien! Que Cosgrove et de Tonnancour[2] fussent là, n'y change rien: ils étaient à mille lieues de vous et ne pouvaient comprendre, être modifiés. Que la foule vous ait secrètement conspués ou admirés, n'y change rien! Que

That was perfectly correct, but instead of ''a bit'', it would have been more correct to have said ''very''. If I have had a happy influence on the development of some young people, it has been entirely because of paternal feelings.

My influence has been non-existent on friends of my own age; I have had to break with most of them; I have been able to maintain relations only with the very young and very old, because the difference of age permitted enough forgetfulness of self on both sides to foster a mutual amplification of the personality.

This paternal feeling I extend to the entire universe and to all of those who lend themselves to improvement in the desired direction. But I am forced to break with all of those who reject this improvement; and by that I mean total suppression in myself of those persons. No contact can be retained with them, not even the link of common struggle. The conquest of the highest level desired by all for each one is conceivable only within the family: to aim outside means a lost arrow, a negative: Dada is only possible between relatives.

For example, the picketing of the museum was magnificent! It was magnificent because the moral courage necessary to dress in a grotesque costume and carry insulting slogans, where formality would normally have been expected, demanded that each protestor purge himself of all the old redundant responses: the sentimental decency of language, the elegance of dress, the good manners imposed on, rather than spontaneously created by, each. This was a real family action. This was great collective poetry! That this battle had to take place in public, does not matter! That Cosgrove and de Tonnancour were present[2] doesn't change a thing: they were a thousand leagues removed from you — and unable to comprehend, let alone to be affected. That the crowd silently expressed their admiration or contempt, doesn't change a thing either! That new allies came of it, also changes nothing. These things belong to the realm of external consequences that cannot affect the positive value of the liberating act — which frees the one who performs it and no one else.

cette bataille vous ait ou non amenés des adeptes, n'y change rien non plus: tout ça étant du domaine des conséquences extérieures qui ne changeront jamais rien à la valeur positive d'un acte libérateur parce que libérant celui-là qui le commet: il ne saurait être question d'autrui là-dedans.

Autre exemple de dadaïsme négatif, ne transformant plus ceux qui le commettent, mais s'efforçant de transformer l'extérieur: les maudits petits lampions du verre de cidre! De la merde qui nous obligeait à revivre un instant, au moins le temps nécessaire pour en chasser l'odieuse présence, un passé révolu, dépassé pour chacun de nous.

Laissez faire ces actes-là à ceux qui en ont positivement besoin! Vous n'en favoriserez l'éclosion, chez ceux-là, qu'en agissant positivement vous-mêmes. Tout retour en arrière, tout arrêt exploité est négatif, académique, freinant!

Maintenant il est bien possible que les auteurs des lampions aient eu besoin positivement de ce geste! Que je me sois trompé sur leur véritable degré d'évolution? Alors, ils seraient parfaitement quittes envers mon reproche. Je n'aurais que projeté sur eux le désagrément de me trouver devant mon propre défaut de jugement.

Je ne sais si ces bouts de papiers nous aideront? Ne montrent-ils pas l'urgence de contacts plus fréquents, tout au moins, lorsqu'il s'agit d'une manifestation à caractère familial?

Peut-être que j'habite trop loin[3] pour espérer encore long-temps une collaboration active qui suppose un accord suffisant. Voilà mon pauvre petit ulcère!?

La famille englobe, pour moi, tous ceux que je reconnais comme aînés ''pères'' qui ont tracé le chemin; tous ceux qui désirent suivre ce chemin; tous ceux qui y viennent, qui y demeurent d'une manière ou d'une autre.

Je poursuis une voie ouverte que je ne saurais fermer ni en avant ni en arrière.

La filiation englobant ma puissance d'amour part du fils qui se découvre chez ses pères, devient père à son tour et aime tous ses fils.

La fraternité c'est la chicane en vue de devenir père. Il n'y a pas d'entente longue entre frères: peut-être n'y a-t-il jamais d'entente réelle entre frères que sur des objets très égoïstes? Cette chicane renforcit le plus puissant des frères au détriment du plus faible. Il y a bien longtemps que j'ai éliminé, de mes actes, de mes sentiments, toute

For an example of negative dadaism, transforming none of those who perform it, though aimed to transform everyone else, take the cursed use of those little prayer-lamp glasses for drinking cider. That shit compelled us to relive (at least for the period necessary to erase its lousy memory) time already elapsed — already outrun by each of us.

Leave such actions to those who have some need to perform them! You will help something blossom only if you act positively yourselves. Acknowledging the past — or even dwelling on the present — is negative, academic, retarding.

Yet perhaps those who made that gesture with the lamps positively needed to make it! Have I misjudged their true degree of evolution? Then they shall be free of my reproach. I may have only projected on them an uneasiness derived from sensing my own lack of judgement.

I do not know if these bits of paper will help us. But, at least, they may show that we need to see more of each other where family matters are concerned.

Perhaps I live too far away[3] to hope, over a long haul, for the active cooperation which implies enough accord. That is my poor little ulcer!

The family includes, in my opinion, all of those whom I acknowledge as elders, as ''fathers'' who have opened the way; all of those who want to follow it; all of those who come to it and who somehow stay in it.

I walk on an open road that I cannot close either behind or before me.

The bond embodying all my capacity for love stems from the son discovering himself in his various fathers, becoming a father in turn, and loving all his own sons.

Fraternity is the wrangle about becoming a father. There is no long-term understanding between brothers: maybe there has never been any real understanding between brothers, except in self-interested matters. This wrangle increases the power of the strongest of the brothers at the cost of the weakest. For a long time now I have eliminated fratricidal temptations from my own activity. Too bad, if someone has misinterpreted my feelings! The truth is that I have always abhorred the false father — more really a brother misusing his strength to impose himself. The father's authority is positive only if it is clearly used to better understand, to better forget himself in his sons. He should not undertake against them a fratricidal struggle, nor foster such a struggle between them.

préoccupation fratricide. Tant pis si l'on s'est leurré sur mes sentiments! C'est que j'ai toujours eu en horreur le faux père — véritable frère — qui abuse de sa force pour s'imposer. L'autorité du père n'est positive que si elle est manifestement employée à mieux comprendre, à mieux s'oublier dans ses fils. Il ne saurait entreprendre contre eux une lutte fratricide, ni favoriser cette lutte entre eux.

La lutte contre qui que ce soit est fratricide.

Il ne saurait y avoir deux pères: on est le fils et le père de quelqu'un ou on ne l'est pas encore . . . .

Le bonhomme vieillit! Il vieillit toujours pour ses fils. Il ne rajeunit que devant ses frères qu'il ne connaît plus. Voilà la tragédie!

St.-H., 9 avril 50.

Struggle against anybody is fratricide.

There may not be two fathers: one is the son and the father of someone, or one will so become . . . .

The old man is aging! He is always aging for his sons. He rejuvenates only before the brothers whom he no longer knows. There you have the tragedy!

St.-H., April 9, 50.

1. Borduas fait allusion à la manifestation décrite de la manière suivante dans *The Gazette,* 14 mars 1950, p. 13: ''. . . un groupe de jeunes gens et jeunes filles ont créé une petite sensation alors qu'on procédait à l'ouverture solennelle (du Salon) en affichant des pancartes fortement critiques du goût artistique et de la compétence technique des jurys qui avaient choisi les oeuvres exposées. Un, arborant une barbe courageuse sinon généreuse, déclara que les protestataires étaient en colère parce que les jurys avaient refusé de leurs oeuvres. Il se dit lui-même ''automatiste'' — du moins c'est ce qui sortit de plus clair au milieu de l'émoi général — et considéra les jurys comme tout à fait négligents de ne pas avoir retenu quelques exemples de cette tendance.''

2. Stanley Cosgrove, Jacques de Tonnancour et Goodridge Roberts formaient le jury moderne.

3. Depuis 1945, Borduas habitait Saint-Hilaire, mais jusqu'en septembre 1948, comme il enseignait à l'École du Meuble, il pouvait rester en contact étroit avec les jeunes. Après son renvoi de l'École, ces contacts devinrent moins fréquents.

1. Borduas refers to the picketing of the Montreal Museum of Fine Arts, described in *The Gazette,* March 14, 1950, p. 13: ''. . . a group of young men and girls caused a minor sensation at the dignified opening proceedings by displaying placards strongly critical of the artistic taste and technical competence of the juries which had selected the works exhibited. One young chap, sporting a brave if somewhat wispy beard, said the protestants were angry because the juries had turned down some of their work. He said he was an ''automatist'' — that at least is the way it came through in all the excitement — and considered the juries very remiss in not having included any examples of this school of art.''

2. Stanley Cosgrove, Jacques de Tonnancour and Goodridge Roberts composed the ''modern'' jury.

3. From 1945, Borduas lived at Saint-Hilaire; but was in close contact with his group up to September 1948, through his teaching at the École du Meuble. After his dismissal from the school, his visits to Montreal became less frequent.

119 East 17th Street, New York:
L'atelier de Borduas/The studio of Borduas

Photo: Ted Wan

New York

Présentation

Borduas quitte le Canada pour les États-Unis le 31 mars 1953. Après un séjour à Provincetown, au Cape Cod, il s'installe à New York dans un atelier loué au 119 est, 17e rue. Une des dernières visites faites avant son départ l'amenait, en compagnie de Pierre de Ligny Boudreau, chez Ozias Leduc, le 2 février 1953, comme on peut l'établir grâce au journal de Leduc. Pensaient-ils déjà écrire sur Leduc, à l'ocassion de son 89e anniversaire? C'est bien possible, puisque la revue Canadian Art, dans son numéro de juillet-août 1953, publiait de l'un et de l'autre des articles sur Leduc. À proprement parler "Quelques pensées sur l'oeuvre d'amour et de rêve de M. Ozias Leduc" n'a pas été écrit à New York, mais a été publié durant l'été que Borduas a passé à Provincetown. Mais ce texte est intimement relié par son sujet et son contenu à un second, qui, lui, est daté de New York, le 18 juillet 1954. Gilles Corbeil avait été sollicité alors de préparer quelques numérs pour la revue Arts et Pensées. Au printemps 1954, voulant consacrer à Borduas un numéro spécial, il lui avait demandé d'écrire sur sa propre peinture. Cependant, celui-ci avait refusé de livrer un texte sur sa propre production ". . . ayant l'impression que pour écrire clairement mes pensées j'aurais à refaire entièrement mon vocabulaire."[1] Un peu plus tard, Gilles Corbeil réitéra son invitation et lui demanda, cette fois, d'écrire sur Ozias Leduc pour un autre numéro spécial, consacré au vieux maître de Saint-Hilaire et devant être publié en juillet-août 1954. Borduas accepta cette fois et envoya son article, le jour même de sa rédaction.

Quand on a lu Projections libérantes, on comprend l'importance qu'attachait Borduas à "M. Leduc". Il lui devait beaucoup: sa vocation de peintre, ses premières leçons d'histoire de l'art, ses premiers contrats comme peintre décorateur d'église, sa formation académique à la fois à Sherbrooke et à l'École des beaux-arts à Montréal, son premier voyage d'études à Paris, son intégration dans le milieu montréalais à son retour d'Europe . . . . Certes, ce sont là des circonstances bien extérieures. Ce que les deux textes sur Leduc révélaient en outre, c'est que l'influence de Leduc sur Borduas avait été beaucoup plus profonde. "Je lui dois l'une des rares permissions de poursuivre mon destin", écrit Borduas.

Leduc mourut à Saint-Hyacinthe en 1955, donc peu après les deux hommages que Borduas lui avait rendus. Nous ignorons la réaction de Leduc au second d'entre eux. Mais celle qu'il eut à la réception du premier a été conservée par Gabrielle Messier. Sur un bout de papier, daté du 27 mars 1953, Leduc avait écrit d'une main tremblante: "Cher P.-Émile, j'ai toujours sur ma table, devant moi, vos dires, tous laudatifs, sur mon art et ma personne. Merci pour ce plaisir que vous me faites. Bien à vous, Ozias Leduc."

Introduction

Borduas left Canada for the United States on the 31st of March, 1953, and after a summer spent in Provincetown, Cape Cod, he moved to new York City where he rented a studio at 119 East 17th Street. One of the last visits he made before leaving Canada was to Ozias Leduc, on February 2, 1953, on whom he called with Pierre de Ligny Boudreau, as can be established by Leduc's diary. Were they planning already to write about Leduc, on the occasion of his 89th birthday? It is very possible, since Canadian Art (July - August 1952), was to publish articles on Leduc by both of them. Although, properly speaking, "Some Thoughts about the Work of Love and Dream of Monsieur Ozias Leduc" was not written in New York, it was published while Borduas was in Provincetown and is related in both subject and content to a subsequent essay from New York, which is dated July 18, 1954. Gilles Corbeil was then preparing some special numbers of the review Arts et Pensées, one of which was to be on Borduas, with contributions by Guy Viau, Robert Élie and himself. However, Borduas refused to write a text of his own for this production, ". . . having the impression that to clarify my thoughts I would have to rethink my entire vocabulary" (letter to Corbeil, from New York, March 22, 1954). A little later, Corbeil asked Borduas to write for the July - August 1954 number, which was to be devoted to Leduc, and, finding this a more congenial idea, Borduas composed a paper, dispatching it the day that it was written.

A reading of Liberating Projections shows clearly the importance Borduas attached to Leduc. He owed him much: his early orientation towards painting, his first lessons in art history, his first contracts as a religious muralist-decorator, his formal art education in Sherbrooke and at the École de Beaux-Arts in Montreal, his first study trip to France and the employment he enjoyed upon returning. And the two specific texts about Leduc reveal that his influence was profound. "I owe to him my taste for belle peinture . . . I owe to him that rare permission to pursue one's own fate," Borduas writes.

Leduc died in 1955 at Saint-Hyacinthe, that is to say shortly after these homages to his greatness. We do not know the reaction of Leduc to Borduas' second essay, but his reaction to the first has been preserved by Gabrielle Messier, on a scrap of paper, dated March 27, 1953, and written in a trembling hand: "Dear P.-Émile, I still have on my table, in front of me, your assertions, all laudatory, about my art and about my person. Thank you for the pleasure you give me. Truly yours, Ozias Leduc."

"Ultimate and Delirious Creation", in contrast, is a statement for the exhibition catalogue Four Men Show, presented at the end of February 1955 at the Public Library

"*Objectivation ultime ou délirante*" est d'un tout autre ordre. Écrit à la demande des organisateurs d'une exposition intitulée Four Men Show et présentée à la fin de février 1955, à la Bibliothèque publique de London (Ontario), ce texte appartient à la fin du séjour new-yorkais de Borduas. On se rend compte en le lisant que Borduas avait acquis le "vocabulaire" qu'il rêvait d'avoir, comme nous l'avons vu, peu après son arrivée à New York. Toutefois, écrit le 26 février 1955, ce texte n'était pas sans rapport avec un événement canadien.

Gilles Corbeil venait tout juste d'ouvrir l'exposition Espace 55 au Musée des Beaux-Arts de Montréal, du 11 au 28 février 1955. Il avait pensé inviter Borduas de New York pour lui faire voir l'exposition. Arrivé le 18 février, celui-ci porta apparemment un jugement assez sévère sur les travaux exposés par Noël Lajoie, Fernand Leduc, Rita Letendre et J.-P. Mousseau. Cette appréciation négative surprit beaucoup les artistes montréalais, d'autant plus que l'année précédente, du 20 avril au 4 mai 1954, à La Matière chante non seulement il avait choisi les travaux des exposants, mais les avait déclarés à l'avant-garde de la recherche picturale dans le monde! En réalité, comme nous l'avons vu, en mars 1954, Borduas était encore désorienté par la peinture américaine. L'année qui s'était passée dans l'intervalle avait été déterminante pour sa compréhension de la peinture aux États-Unis. Dans "*Objectivation ultime ou délirante*", il révélait où il en était après un an d'assimilation et d'ouverture à l'école de New York. Pollock y était situé sur une même ligne évolutive que Cézanne et Mondrian, mais au-delà de l'un et de l'autre. Dans cette perspective, l'émergence d'une forme géométrique de peinture abstraite, notamment chez Fernand Leduc pouvait paraître renouer avec des expériences dépassées.

Les choses ne devaient pas en rester là. La réplique vint de la part des peintres d'Espace 55, surtout de ceux que les commentaires de Borduas avaient le plus affectés: Fernand Leduc et Guido Molinari. Le débat fut porté à la presse. Dans L'Autorité du peuple (Saint-Hyacinthe) les 5 et 12 mars, on pouvait lire une déclaration de F. Leduc et une réponse de Borduas. Le 12 avril, le même journal publiait un texte de Guido Molinari. On peut dater de ce moment sinon la première manifestation du plasticisme (certains travaux de la tendance furent montrés aussi tôt que 1953 à l'exposition de La Place des Artistes), du moins la première affirmation de son importance et le déclin définitif de l'automatisme, comme mouvement.

of London, Ontario, and belongs to the end of Borduas' New York period. It made clear that Borduas had finally acquired that "vocabulary" the lack of which had earlier deterred him from writing about himself. However, this text, written on February 26, 1955, comes straight after a particularly significant series of events in Borduas' relation to the Canadian scene.

Corbeil had just organized the exhibition entitled Espace 55 at the Museum of Fine Arts (February 11 to 28, 1955) and had invited Borduas to visit from New York. Borduas arrived on February 18 and, apparently, expressed quite hostile opinions on the works of Noël Lajoie, Fernand Leduc, Rita Letendre and J.-P. Mousseau. This negative reaction came as a shock to the Montreal artists, especially since, only the year before, Borduas himself had selected some of them for an exhibition, La Matière chante, and praised them as being world leaders in picture research. However, Borduas' letter of March 1954, already quoted, indicates that he had not then come to terms with American painting. A year later this was no longer the case, and in "Ultimate and Delirious Creation", he revealed where he stood: Pollock was to be situated in the line of Cézanne and Mondrian, as their successor. In that perspective, the new abstraction with which Borduas was confronted in Espace 55 may well have appeared to him as regressive.

The matter was not easily concluded. A quick response came from Fernand Leduc, the painter most touched by Borduas' remarks, and the matter was brought to public attention in L'Autorité du Peuple (March 5 and 12), with a declaration by Leduc and a statement by Borduas. On April 2, Guido Molinari entered the debate with an article in the same newspaper, "L'Espace tachiste ou Situation de l'automatisme", drawing attention to new critical issues that neither of the antagonists seemed to be confronting.

1. Borduas à G. Corbeil, de New York, le 22 mars 1954.

Quelques pensées sur l'oeuvre d'amour et de rêve de M. Ozias Leduc

C'est un inquiétant plaisir d'exprimer l'admiration que M. Leduc suscite toujours en moi: comme pourrait être l'hommage sans espoir offert à une lointaine étoile du soir mais dont la fine lumière légèrement se troublerait de cet hommage . . . .

Les retours aux "Trente"[1] dans le silencieux atelier adossé au mont Saint-Hilaire, après de telles occasions passées, amenaient M. Leduc à me dire des phrases comme celles-ci: "Est-ce bien utile? Pourquoi parler des artistes dont la carrière n'est pas finie, et qui peuvent encore se modifier, quand il y a tant de grands morts que l'on ignore?" Ou: "Ayez bien soin de moi Paul-Émile!" sur le ton d'un fin reproche. Chaque fois des fibres secrètes de son âme furent froissées. Lesquelles? En vain ai-je tenté de le savoir. Ça me chavire; mais qu'y puis-je?

L'oeuvre et la personnalité de M. Leduc mériteraient, certes, plus de circonspection, de justice et de clarté. Vouloir circonscrire l'influence qu'il eut sur moi depuis plus de trente ans de fidèle amitié m'amène à considérer le champ psychique où évolue l'activité de Leduc comme le lieu d'élection du sentiment: sentiment débordant de toute part les minces couches de la conscience.

Au moment de ma rencontre avec Leduc il était en pleine maîtrise; occupé, sans doute par les circonstances des commandes, aux travaux d'iconographie, de liturgie et du symbolisme chrétien. C'était quelque temps avant son séjour prolongé à Sherbrooke. J'étais dans une phase de douloureuse inquiétude sur l'avenir. Quelques dessins et aquarelles furent l'occasion de cette rencontre. Mais, déjà je connaissais sa peinture par cette petite église de Saint-Hilaire qu'il a généreusement décorée et qui court présentement le danger d'être sabotée par de maladroites réparations. De ma naissance à l'âge d'une quinzaine d'années ce furent les seuls tableaux qu'il me fût donné de voir. Vous ne sauriez croire combien je suis fier de cette unique source de poésie picturale à l'époque où les moindres impressions pénètrent au creux de nous-mêmes et orientent à notre insu les assises du sens critique. Comment trahir par la suite ces directives venant on ne sait plus d'où et que dans notre candeur on est près d'attribuer à la Providence? Ce sera étrange pour quelques-uns d'entendre que je sois resté fidèle à l'essentiel de ces premières impressions. J'en suis convaincu, toutes les admirations picturales subséquentes ont dû s'accorder avec elles: qu'on le croie ou non.

Dès mes premiers contacts avec Leduc, comme beaucoup d'autres, j'ai été séduit par sa simplicité, par son extrême retenue et davantage encore peut-être, par la vivacité — comme anguille sous roche — de son esprit. Très follement,

Some thoughts about the work of love and dream of Monsieur Ozias Leduc

It is a disquieting pleasure to express the admiration that Monsieur Leduc always stirs in me: as it might be to pay hopeless homage to a remote evening star, whose fine ray of light slightly twinkles in response .

After so many missed opportunities, this return to the "Trente",[1] in the quiet studio set against the Saint-Hilaire mountain, brought back to me Monsieur Leduc and his words. He would ask, "Is it any use? Why speak of artists whose careers are not yet completed, and who might still change, when there are so many of the great dead still neglected?" Or he might say, "Take good care of me, Paul-Emile," with a slightly reproachful tone in his voice, each time some hidden fibre of his soul was bruised. Which one? In vain I have attempted to guess. I am still distressed and at a loss for what to do.

The work and the personality of Monsieur Leduc very certainly deserve more justice, careful attention and illumination. The effort to describe his influence on me over more than thirty years of a faithful friendship, brings me to consider the spiritual soil in which the activity of Leduc has developed: the place where feeling dwells — overflowing everywhere the thin confines of consciousness.

At the time of my first encounter with him he was already the full master of his art, and, by virtue of his commissions, busy at work on iconography, liturgy and Christian symbolism. This was just before his prolonged sojourn in Sherbrooke. I was in a stage of painful anxiety about my future, and some drawings and watercolours were the opportunity for our meeting. I already knew about his painting through the tiny church of Saint-Hilaire which he had profusely decorated (and which is now in danger of being ruined by clumsy restoration). From my birth until the age of fifteen, these were the only pictures that I ever saw. You cannot imagine my pride in having experienced this unique source of pictorial poetry at a time when the smallest impressions leave their mark and decide the direction our critical sense will take, without our knowing it. How could one later betray such voices coming from no one knows where, and which, in our inexperience we are ready to attribute to Providence? It will sound strange for some to hear that I have remained faithful throughout my life to those first impressions. Believe it or not, everything pictorial that I have admired since has been in accord with them.

From my first contacts with Leduc, like many others, I was seduced by his simplicity, by his extreme modesty, and maybe even more by the lightning quality of his mind. Foolishly, for many years, in my enthusiasm and ignorance, I tried to emulate him in his too beautiful painting, with

des années longues, dans l'enthousiasme et l'ignorance j'ai tenté de le rejoindre dans sa trop belle peinture. Ombres chaudes, douces lumières craignant le plus petit écart. Ménagement infini d'un narcissisme sublimé dans l'ambiance chrétienne. Combien ai-je désiré embrasser cette beauté familière et cependant si lointaine. Pourtant elle ne s'opposait pas à tout ce qu'il ne fallait pas faire! Mon seul bagage moral d'alors.

Vint un moment où j'eus besoin de l'aide de M. Leduc pour sortir de cette École des beaux-arts où il m'avait fait entrer. Il refusa sans que je comprisse pourquoi. Tout en poursuivant, des années encore, l'espoir de le rattraper dans sa perfection, j'avais conscience, par ma déception, que cette douceur, cette séduction avait un revers. Un revers qui graduellement devint un pôle d'attraction irrésistible.

Je lui dois ce goût de la belle peinture avant même de l'avoir rencontré.

Je lui dois l'une des rares permissions de poursuivre mon destin. Lorsqu'il devint évident que je miserais sur des valeurs contraires à ses espoirs, aucune opposition, aucune résistance ne se fit sentir; sa précieuse et constante sympathie n'en fut pas altérée. Cela suffirait à isoler M. Leduc dans mon admirative reconnaissance, à le situer dans un monde plus parfait que celui de tous les jours.

Je lui dois, on en finit jamais de l'acquérir tout à fait, le goût du travail soigné si à Breton revient celui du risque qui ne me quittera plus. Pourtant le risque est grand chez Leduc, mais il est caché dans l'apparente pondération qui le rend difficile à voir et peut-être, sans Breton, ne l'aurais-je découvert qu'à demi.

Je lui dois enfin de m'avoir permis de passer de l'atmosphère spirituelle et picturale de la Renaissance au pouvoir du rêve qui débouche sur l'avenir.

Toute la vie de Leduc ruisselle de cette magie du rêve. Je le vois façonnant un judas irrémédiablement aveugle appliqué directement à l'intérieur du panneau plein de la porte d'entrée de son atelier; bouchant à la pointe d'un crayon dans la voûte d'une chapelle, à vingt-cinq pieds de hauteur, les minuscules trous blancs laissés dans le plâtre par de fines épingles ayant retenu des pochoirs; remplissant d'un doux labeur, des années durant, les plus petits tableaux.

L'exemple de ce courage, de cette antique sagesse de tout construire avec patience, indéfiniment, inutilement dirais-je, dans la seule exigence de la perfection — qui oublie tout ce qui n'est pas sa propre satisfaction — et pour ne pas

warm shadows and soft lights, avoiding the smallest interval: the infinite economy of a narcissism sublimated in the Christian milieu. How I have desired to embrace this familiar but far away beauty. even though it did not forbid those things which ought not be done! (My moral baggage in those years.)

The day came when I needed the help of Monsieur Leduc to get out of the École de Beaux-Arts which he had helped me enter. He refused, without my understanding why. As I pursued, over further years, the hope of catching his perfection, I became aware, through my own disappointment, that the sweetness, the seduction, had a reverse side — one that gradually became an irresistible pole of attraction.

I owe to him my taste for *belle peinture* from even before we met.

I owe to him that rare permission to pursue one's own fate; when it became evident that I might stand for some values contrary to his hopes, no opposition, no resistance was felt: his precious and steady sympathy did not change. That is enough to gain him a unique place in my gratitude and admiration, to put him in a world more perfect than that of everyday life.

I owe to him, what we never finally achieve, an ambition for the highly finished; though to Breton I owe the propensity to risk which will never leave me. Not that Leduc takes no risks, but that they are concealed by his manifest poise; and maybe, without Breton, I would not have discovered the half of them.

I owe to him, finally, the freedom to pass from the spiritual and pictorial atmosphere of the Renaissance to the power of the dream which opens upon the future.

All of Leduc's life streams from this magic of the dream. I see him fashioning an irretrievably blind peep-hole, stuck flatly on the full panel of the door to his studio; sealing with the point of a pencil, twenty five feet high in a chapel vault, the tiny white holes left in plaster by the needles used to hold the stencils in position; filling with sweet toil, over years, the smallest picture.

His was an example of the courage, the antique wisdom, that constructs everything with infinite patience (uselessly should I say?), for the sake only of perfection — oblivious of all that does not bring such satisfaction — using only the simplest materials that fall to hand, so as to avoid the violation of the rhythm of the waking dream, in an extreme of love. One can always smile; but such an attitude is

fausser le rythme de ce rêve éveillé n'utiliser que les matériaux qui tombent sous la main, les plus simples. Exemple d'une des limites de l'amour; l'on peut toujours sourire, une telle aptitude est la preuve touchante qu'en dernière analyse les buts proposés ne comptent plus beaucoup, que c'est la qualité de l'amour déployé en cours de route qui donne à la vie son sens humain. Tant pis, si, encore une fois, l'amour s'oppose au sens pratique! Il reste assez de grossièreté sur la terre pour sauvegarder l'équilibre de la force brutale.

À n'en pas douter l'oeuvre de Leduc évolue dans l'amour et le rêve; à l'une de leurs extrémités du pouvoir de transfiguration: au terme de l'illusion visuelle, dans la douce tragédie d'un amour replié sur lui-même dans la paix d'un beau soir d'été.

Ses tableaux, comme le maître, sont images de paix; d'une matière onctueuse et légère; d'une plénitude heureuse, vénitienne, de la forme qui est donnée, comme par surcroît, à la suite d'un long travail apparemment destructeur; d'une délicatesse poussée jusqu'au vertige des tons: le moindre éclat aux environs en voile la présence. Tableaux difficiles à bien voir dans les conditions habituelles de nos musées; qui appellent un sanctuaire dédié à la douceur où il serait bon se reposer des luttes nécessaires aux natures plus rudes que celle de leur auteur.

Sa pensée comme son oeuvre est intime. Elle joue avec des idées familières, courantes, très simples, que sa malice et sa ruse vivifient. Étrange et charmante impression où le sentiment d'une exceptionnelle présence s'affirme, comme indirectement, dans le rejet des prérogatives de l'esprit de faire siens les jugements impersonnels qu'il utilise cependant et annule. Où la présence de cet esprit est d'autant plus évidente et rare qu'il met plus de soin à s'effacer. Le charme subtil, le grand pouvoir de séduction de Leduc viennent en partie de ce jeu.

Les plaisirs de sa conversation sont étoilés de petites merveilles d'imprévu. Me parlant un jour d'un de ses anciens aides: ''Vous l'avez connu? Bien oui! Il est mort . . . le pauvre! Il n'en avait pourtant pas l'habitude . . . .''

Il n'est pas surprenant, une fois chez Leduc, que la notion du temps s'abolisse. Vous pouvez imaginer être aussi bien au seizième qu'au vingtième siècle. Vous veniez passer un quart d'heure avec lui, et, le quittant vous êtes surpris d'être deux heures en retard. Si le monde contenait un plus grand nombre de ces personnes-là, l'on aurait jamais eu l'idée du déterminisme historique. Leduc est le fruit mûr de ces trois siècles d'isolement en cette terre d'Amérique: fruit

touching proof that the proposed aims do not count much in comparison with the quality of love manifested en route, and that is what gives life its meaning. So what if, once again, love is opposed to practical sense! Enough vulgarity is left on earth to keep the balance in favour of brute force.

There is no doubt that the work of Leduc develops in love and dream, to the extremity of transfiguration: where visual illusion ends in the sweet tragedy of a love replete in itself in the peace of a beautiful summer evening.

His paintings, like the master himself, are images of peace; of light and grace; of a happy, Venetian fullness of form which is given, as a bonus, after destructively long labour; and of a vertiginous delicacy of tone (indiscernible in the wrong light, hard to see under the ordinary conditions of our museums, and calling for a sanctuary dedicated to that sweetness where it would be good to rest from the hurly-burly of louder personalities).

His thought is as intimate as his work. It plays with familiar, very simple, ordinary ideas to which his mischief and his strategies give life — strange and charming impressions where the feeling of an exceptional presence indirectly asserts itself, by rejecting those prerogatives of mind that make impersonal judgements (which he uses, however, and then cancels out — his presence the more evident and exceptional as he endeavours to efface himself). The subtle charm and great power of seduction of Leduc come partly from this interplay.

His pleasant discourse sparkles with little, unpredictable jewels. Speaking to me one day about a former assistant: ''Did you know him? Well, he died . . . poor fellow! . . . He'd never done that before . . . .''

It is not surprising that, with Leduc, the notion of time disappears. You could be in the sixteenth or the twentieth century. You came to stay a quarter of an hour, but, taking your leave, you are astonished to find you are two hours late. With more of his kind in the world nobody could conceive of historical determinism! Leduc is the mature fruit of three centuries of isolation on this American continent — matured, nobody knows how, at St. Hilaire at the foot of his mountain.

Leduc is the acme of the faculty of feeling. In his ''psychic fecundity'' he is a remote brother of the Douanier Rousseau or the Facteur Cheval; but a brother fearful of dethroning reason — though it is not in its apparent rationality that

qui a mûri, on ne sait trop comment, au pied de sa montagne.

Leduc est le point culminant de la faculté de sentir. Par sa "fertilité d'âme" le frère lointain d'un Douanier Rousseau, d'un Facteur Cheval: mais un frère qui aurait craint de dérouter la raison. Ce n'est donc pas par cette apparente raison que sa peinture est grande; elle l'est par sa vertigineuse délicatesse des tons qui est le miroir de son âme.

Ce vertige émotif en appelle un autre contraire: la conscience qui s'affirme délibérément; le vertige de vouloir savoir à tout prix dans le risque total de l'automatisme: en pleine connaissance, en pleine responsabilité, en pleine violence des certitudes nécessaires à la lutte.

his painting is great; it is in the vertiginous delicacies of tone which mirror his soul.

These vertiginous delicacies call forth their contrary: the consciousness that affirms itself freely — that other vertigo, of the will to know at any cost — through the risk of all in automatism (in full knowledge, in full responsibility, in full violence of those certainties necessary for the struggle).

1. Les "Trente" ici ne désigne pas les années 30 mais "le Rang des Trente" à Saint-Hilaire où O. Leduc avait son atelier. Comme plusieurs autres villages québécois, Saint-Hilaire était divisé en rangs parallèles à la rivière (le Richelieu) et la montagne (le mont Saint-Hilaire).

1. Leduc's studio at St. Hilaire was located on a street with originally thirty acres between it and the river Richelieu.

Paul-É. Borduas nous écrit au sujet de Ozias Leduc

New York,
le 18 juillet 1954.

Mon cher Gilles,

Vous êtes très gentil mais peu serviable! Grand directeur, vous me tracez un beau programme à remplir sur M. Ozias Leduc et vous me dites bonjour. L'amorce d'une bonne discussion n'eût-elle pas été préférable? Sans votre présence je risque, encore une fois, la noyade dans les flots admiratifs! Bon, appréhendons quand même quelques aspects de votre question: ''En quoi Leduc vous semble-t-il Canadien?''

Étrange, je n'y ai jamais pensé. Au début de ma curiosité pour l'art, la critique du temps faisait voir une peinture canadienne selon son coeur et son jugement. Inutile d'ajouter que je ne retrouvais aucune résonance profonde là-dedans. Seul un petit coin de la tête répondait. Pourtant, au fond, il était permis de me croire Canadien aussi, il me semble! Il devait donc y avoir plusieurs façons d'être Canadien? S'il y avait plusieurs façons de l'être, la meilleure me parut encore de l'être sans y penser. Je n'y pensai plus: ni pour moi, ni pour les autres. La question importante était ailleurs. Et les années passèrent . . . Beaucoup plus tard j'eus la reconnaissance d'un sentiment ''nord-américain''; mais, Leduc n'en était pas, mais pas du tout! Ce sentiment venait d'une certaine verdeur retrouvée dans la musique américaine et un peu partout dans les gestes: verdeur lyrique et virginale. Ce sentiment ne m'a pas quitté depuis. Leduc n'en était pas; Morrice n'en était pas. Morrice? Il ne me semble pas Canadien non plus. Il fait du Sud, de Tahiti via la France.

Leduc est le plus doux des fruits d'Europe qui ait mûri en Canada. Fruit dont la fleur n'a conservé que les caractères généraux — sentimentaux, peut-être, comme un souvenir — de son lieu d'origine. Ce n'est pas particulièrement une fleur de France; il s'y ajoute de l'Italie, de l'Allemagne et ce qui est gentil, un peu de l'Angleterre. Dans le temps, elle est sur le circuit Renaissance-Surréalisme. Mais, ce fruit n'a pu prendre forme précise, saveur particulière, qu'après une longue germination à Saint-Hilaire et après 1864.[1] Constatation qui me rappelle ces grains de blé recueillis, après tant de siècles de silence, au creux des Pyramides et que l'on cultive maintenant, je ne sais plus où, au nord de l'Europe.

Alors, en quoi Leduc est-il Canadien? Il est Canadien pour les raisons qu'il est ce doux fruit d'Europe qui a germé, fleuri et mûri au Canada. Il a ce sens canadien parce que sa nature est pleine de sens, c'est-à-dire de présence, de responsabilité, qu'il a assumé généreusement; ne rendant compte qu'à lui-même ou à son Dieu: ce qui est exactement

Paul-É. Borduas writes to us about Ozias Leduc

New York,
July 18, 1954

My dear Gilles,

You are very nice but not very obliging! You, the grand director, outline a beautiful program regarding Monsieur Ozias Leduc, for me to complete, and you say good afternoon! Surely the lure of a good discussion would have been better? (Without you at my side, I am to risk once again drowning in waves of admiration?) Well, let us tackle some of your questions: ''In what sense does Leduc seem Canadian to you?''

Strangely enough, I have never thought of this. When I first became interested in art, the critics of the time made their own judgments about what was Canadian painting. It is hardly necessary to add that I could not echo them with much conviction. Only a part of me responded — although I had been allowed to believe deeply that I was a Canadian too, as it seemed to me. Was there, then, more than one way to be Canadian? Though there might be many, the best way seemed to be so without thinking about it. I never gave it another thought — either for myself or others — the important problems being elsewhere. And although as the years went by I became aware of a ''North American'' feeling, Leduc had no part in it. This feeling came from a certain greenness I found in American music, and here and there in American gesture: a lyrical and virginal greenness. And it has never left me. Leduc had no part in it; Morrice had no part in it. Morrice? He does not seem Canadian either. He seems to come from the south, from Tahiti via France.

Leduc is the sweetest of European fruit to ripen in Canada: fruit which has retained only a general characteristic — like a sentimental souvenir — from its place of origin. It is not particularly a fruit of France: there is something in it of Italy and also Germany, and (what is rather nice) a little bit of England. Historically speaking, it belongs to the cycle from Renaissance to surrealism, but it could take on a definite form, a particular taste, only after a long germination at Saint-Hilaire — and after 1864 [Leduc's year of birth]. Which reminds me of the story of the grains of wheat discovered dormant after many centuries, in the pyramids, and now actually grown somewhere in the north of Europe.

Then, in what way is Leduc Canadian? He is Canadian in as much as he is the sweet fruit of Europe which has sprouted, bloomed and ripened in Canada. He has this Canadian identity because his nature is full of a meaning, that is to say a presence and responsibility, which he has

la même chose. Mon cher Gilles, relisez la fin de son poème ''Assomption'':

> *Pour, en fin de route,*
> *Anéanti,*
> *Voir ouverts, m'attendant, les bras de Dieu,*
> *De mon Dieu,*
> *Le Dieu de mon désire,*
> *Le Dieu d'amour et de beauté*
> *Et, en lui m'abîmer*
> *À jamais!*

et, dites-moi si ''De mon Dieu'' ne sous-entend pas clairement que son Dieu n'est pas celui des autres? Oui, le Dieu de Leduc est reconnu étant sien; est entièrement recréé: patiemment recréé comme tous les éléments de sa pensée. Leduc à lui seul est un monde complet, un monde sans fissure. Rien n'y est emprunté à aucun degré. Il a beaucoup lu, il a voyagé, mais il n'a conservé que ce qu'il a pu revivifier intégralement. Et, sans souci des inconvénients, il a accordé ses actes à ses profondes certitudes. Marie Bouchard[2] m'apparaît de la même lignée; seul le degré de culture, de conscience, les différencie.

Leduc est l'esprit prenant conscience d'un rêve sans prendre conscience de ceux qui l'entourent ni du temps ni de l'endroit où il le vit autrement qu'en les introduisant dans ce rêve. Dans ce seul sens qu'il recrée tout son monde; qu'il revivifie le vieux sommeil canadien: le sommeil de l'esprit en Amérique. Guy de la Haie[3] a aussi pris conscience d'un rêve. Il a eu l'occasion du réveil dans une forme si brutale qu'il ne put l'accepter. Après une boutade magnifique il s'est retourné et a retrouvé en lui un rêve encore plus profond où l'attendait cette terrible et isolante sécurité catholique. Saint-Denys Garneau a vécu l'horreur d'un cauchemar à demi éveillé, à demi-distance entre l'heureuse certitude de son enfance, qu'il ne pouvait ni rejoindre ni quitter, et l'assurance critique, contemporaine, de son impossible poursuite.

Autant de natures exceptionnelles — et combien d'autres qui me viennent à la mémoire dans une vague tragique — qui ont vécu dans des milieux courants. Autant de réponses exactes à ces milieux. De réponses exactes? C'est-à-dire poétiques; c'est-à-dire généreuses; c'est-à-dire spontanées; c'est-à-dire infiniment au-delà de la puissance de volonté; c'est-à-dire strictement accidentelles. Changez quoi que ce soit à l'un quelconque des facteurs déterminants de ces destins — depuis le plus heureux et inconscient, celui de Marie Bouchard, au plus malheureux et conscient, celui de Saint-Denys Garneau — et vous changerez la relation entière; c'est-à-dire toutes les formes, c'est-à-dire tout l'esprit. Voilà, certes, des vies et des oeuvres éminemment

bravely assumed, accounting only to himself or to his God (which is exactly the same thing). My dear Gilles, do read again the end of his poem ''Assumption'':

> *In order that, at journey's end,*
> *Annihilated,*
> *I will see, open, awaiting me, the arms of God,*
> *Of my God,*
> *The God of my desire,*
> *The God of love and beauty*
> *And, in him lose my self*
> *Forever!*

and tell me if ''Of my God'' does not mean clearly that his God is not the God of others . . . ? Yes, the God of Leduc is acknowledged as being his own, as completely and patiently recreated as all the elements of his thought. Leduc's is a world complete unto itself, a world without flaw. Nothing in the slightest is borrowed. He has read a lot, and he has travelled, but he has conserved only that to which he has been able to give a completely new life; and, disregarding difficulties, he has acted in accord with his deepest beliefs. Marie Bouchard [a naive painter] belongs to the same lineage, except that degrees of culture and consciousness distinguish them.

Leduc's is the spirit of the conscious dream, heedless of people, time or place — except that he allows them to enter the dream. It is in this sense only that he recreates his world and gives new life to the old Canadian sleep (the sleep of the spirit in America). Guy de la Haie[1] was also aware of a dream, but he was awakened so brutally that he could never return to it: after a magnificently droll flight he returned to encounter within himself a deadlier dream, where terrible and isolating Catholic security awaited him. Saint-Denys Garneau [a French Canadian poet] lived the horror of a nightmare half-awake: half-way betwen the happy assurance of his childhood (which he was unable either to return to or relinquish) and contemporary critical assurance regarding his impossible quest.

So many exceptional beings — and how many more come to mind in a tragic wave — have lived in ordinary places and made accurate responses to them. Accurate responses? That is to say poetic; that is to say bountiful; that is to say spontaneous; that is to say infinitely beyond the faculty of will; that is to say strictly accidental. Change whatever you wish among the determining factors of these destinies — from the happiest and the most unconscious, of Marie Bouchard, to the unhappiest and most conscious, of Saint-Denys Garneau — and you will change the entire set (that is to say all forms, and the whole spirit). Here are, indeed, some lives and some works greatly to be

valables. Des réponses qui nous informent mieux et davantage sur la valeur de ces milieux que cent mille vies communes. En retire-t-on toute la lumière qu'il serait nécessaire?

Voilà, il me semble, mon cher Gilles, où nous en étions quand j'ai quitté le pays. Tout le reste c'était de la politique. Mais les choses changent. Elles changent toujours un peu. J'ai bien l'impression que ces temps héroïques sont désormais révolus au Canada. Certes il est épatant qu'en Amérique l'on soit si ardent pour les aventures sportives. Nous sommes ainsi en pleine magie du mouvement et Dieu sait si les corps m'intéressent. Il est bon aussi de sentir un enthousiasme collectif quelque part! Il suffirait pour que nous soyons dans le meilleur des mondes, tout simplement, que les âmes généreuses, mieux informées, puissent répandre leur douceur qui est grande autour d'oeuvres vives, au lieu d'être dans la continuelle nécessité de se replier sur elles-mêmes dans une morbidité peu propice à la vigueur d'un peuple. Il semble qu'un noyau assez nombreux, assez bien informé, existe déjà au Canada pour permettre les communications nécessaires au maintien des aventures spirituelles sur le plan social. Ça c'est déjà énorme!

Vous n'êtes pas content? Vous auriez préféré un tour à ''Correlieu''?[4] Comme vous avez raison! L'on ne voit bien que là certains cieux bleus ornés de cumulus rosés. C'est le seul endroit pour y rencontrer ce cher vieillard légendaire d'une légende à peine naissante, se promenant sur cette merveilleuse colline de la plaine de Champlain dans un vêtement incroyable de poésie. Et peut-être aller avec lui à son enclos de pins si verts, en humer la fraîche odeur et goûter là, par terre, le sel de sa conversation: goûter là, la sereine éternité du présent en sa société.

Partout dans ce domaine nous retrouvons la même unité, la même harmonie touchante et imprévue. Dans les tableaux si intimes, si connus d'aspect et pourtant si imprévus de délicatesse exceptionnelle, si humbles d'aspect, tout près de la simple pauvreté et pourtant d'un luxe inouï dans leur dénuement, si solitaires et pourtant si joyeux dans leur solitude. Toujours et partout cette impression, cette certitude de jeunesse invincible dans cet aspect de ruines en perpétuelle édification.

Mon cher Gilles, il y aurait tant et tant de choses à dire. Il faut en prendre son parti: on n'en aura pas fini de sitôt avec tous les sens de cette oeuvre.

Paul

1. L'année de la naissance de Leduc.

---

valued: some responses which give us more and better information on the value of their milieux than a hundred thousand ordinary lives. Are we getting from them all they have to offer?

It seems to me, my dear Gilles, that this is where we stood when I left the country. All the rest was politics. But things change — they are always changing — and I get the strong impression those heroic days are dead in Canada. Granted, in America, we know well that people can get ardent over sports. So at least we are thus blessed with the magic of movement (God knows the bodies attract me), and it is also good to feel that somewhere a collective enthusiasm does exist. It would be enough, for achieving the best of all possible worlds, simply that nobler souls, better informed, were free to spread some gentleness around by means of lively works (instead of being forced to withdraw into themselves in a morbidity that would look bad for any country's health). But, Canada may even have the nucleus of something, well enough informed to generate socially the relationships needed for the spiritual adventure. And that is already a great step!

You are not satisfied? You would have preferred a tour round ''Correlieu''?[2] How right you are! Only there can one see blue skies adorned with pinkish cumulus. It is the only place to meet this legendary, dear, old man (of a legend scarcely born) walking on his marvellous hill of the plain of Champlain, in a garment incredibly poetic — perhaps to accompany him to his copse of green pines to inhale their fresh odour, and to taste there on that ground the salt of his conversation, and sample in his company the serene eternity of the present.

Everywhere in his domain we find repeatedly the same unity, the same touching and unpredictable harmony: the pictures are so intimate, so well-known yet so unpredictable because of their exceptional refinement, so humble in aspect, so close to simple poverty yet of such an incredible luxury in their simplicity, so solitary yet so joyous in their solitude; and always and everywhere, as if with ruins perpetually rebuilt, we experience the certitude of unconquerable youth.

My dear Gilles, there are so many things to say . . . and finally one has to give up: the time is not nearly at hand when all the meanings of his work will be exhausted.

Paul

1. Guy de la Haie was the pseudonym of Dr. Guillaume Lahaise (1888 - 1964) who, having begun a career as a symbolist poet and writer, abandoned it after clerical criticism of his irreverent

2. Peintre naïf du Québec.

3. Guy de la Haie était le pseudonyme du Dr. Guillaume Lahaise (1888-1964) qui, après avoir commencé carrière en poète symboliste et en écrivain, abandonna cette voie durant les années 20, pour se consacrer exclusivement à la médecine.

4. "Correlieu" était le nom qu'O. Leduc donnait à son atelier. Le terme est ancien. Il désignait un type de navire, où on avait "corps et lieu" durant la traversée. Leduc était persuadé qu'un des navires de Cartier, "la Petite Hermine" était un "correlieu".

novel *Mignonne, allons voir si la rose*, which Borduas alludes to in his text as "a magnificent flight", and which Leduc had illustrated.

2. "Correlieu" was the name given by Leduc to his studio at St. Hilaire.

Objectivation ultime ou délirante

Ultimate and delirious creation

La peinture non-figurative, improprement dite abstraction baroque, où se situe ma peinture, évolue dans le champ ouvert plus particulièrement à l'attention par la psychanalyse et le surréalisme.

Dans ce champ psychique deux voies opposées poursuivent leur destin. L'une, figurative, essentiellement illusoire, à fort accent littéraire, qui ne vaut que par l'image délirante. On y trouve De Chirico, Dali, Brauner, Bacon, bientôt de Kooning, et tant d'autres dont la filiation pré-impressionniste remonte à Jérôme Bosch. L'autre, non-figurative, essentiellement matérialiste, qui ne vaut que par le langage plastique délirant, dont la tradition ne remonte qu'à Cézanne et où l'on trouve Mondrian et Pollock.

Cézanne, dans le désir de rejoindre la sensation de matérialité que l'univers lui procure, rompt avec l'illusion impressionniste et nous donne une réalité plastique délirante plus importante que l'occasionnel aspect du monde qui la provoque. Exemple: une pomme peinte par Cézanne n'est pas intéressante par l'interprétation de l'idée de pomme qu'elle garde encore, mais nous émeut par la sensation d'une présence réelle, d'un ordre plastique, indépendamment de l'image évoquée.

Mondrian mis sur la piste d'une profondeur idéale, sans doute par la découverte que les cubistes firent de la "ligne spatiale" toute en lumière de Cézanne, raréfie de plus en plus les éléments de la perspective aérienne et aboutit à une objectivation troublante de l'idée d'espace: sensation d'une profondeur infinie parce qu'inévaluable.

Pollock dans l'exaspération de ne pouvoir exprimer l'intensité d'un sentiment indéterminé, cette fois, par les voies admiratives de Picasso et autres, prend le risque magnifique de faire fi de ce qu'il peut aimer en peinture et donne libre cours à son ardente passion dynamique sans se soucier outre mesure des résultats. L'accident, qu'il multiplie à l'infini, se montre alors capable d'exprimer à la fois la réalité physique et la qualité psychique sans le support de l'image ou de la géométrie euclidienne. Exemple: le moindre accident dans une peinture de Pollock a la réalité et l'imprévu d'un grain de sable ou d'une montagne dans l'univers et nous livre en plus, sans que l'on sache comment, la qualité émotive de son auteur.

C'est à la suite de ces trois expériences capitales du langage plastique que se situe la peinture d'un groupe nombreux de jeunes peintres plus ou moins conscients de ces acquis récents.

Armée d'un moyen d'expression à la fois positif et délirant, le plus objectif, le plus direct et le plus complet de toute

Non-figurative painting, improperly called baroque-abstraction, to which my painting belongs, develops in the field opened by psychoanalysis and surrealism.

In this psychic field, two opposite tendencies pursue their fate. The one, figurative, essentially illusory, and strongly literary, achieves worth only by virtue of the delirious image. One finds there De Chirico, Dali, Brauner, Bacon, de Kooning and so many others for whom pre-impressionist affiliations look back to Hieronomus Bosch. The other, non-figurative, essentially concerned with the material, achieves worth through a delirious, plastic language, the tradition of which goes back only to Cézanne and includes Mondrian and Pollock.

Cézanne, in his desire to express the sensation of materiality which the universe gives him, breaks with impressionist illusion and creates a delirious plastic reality more important than the occasional aspect of the world that provokes it. For instance, an apple painted by Cézanne is not interesting because of his interpretation of the idea of an apple, but because it moves us through the impact of a real presence — a plastic order independent of the image conjured.

Mondrian, set on the way towards ideal depth, perhaps by the cubist discovery of the luminous "spatial line" of Cézanne, rarefies the elements of aerial perspective and arrives at a disturbing objectification of the idea of space: a sensation of depth, infinite because it cannot be evaluated.

Pollock, in the exasperation of not being able to express the intensity of an undetermined feeling, and admiring the route taken by Picasso and others, takes the magnificent risk of rejecting all that he has learned to love in painting, and frees his burning, dynamic passion without caring too much about the result. The accident, which he multiplies infinitely, reveals itself capable of expressing both physical reality and psychic quality — without the support of either an image or Euclidian geometry. For instance, the smallest accident in a painting by Pollock has the reality, and unpredictability in the universe, of a grain of sand or a mountain — and yet, without our knowing how, delivers the emotive quality of its author.

Pursuant to these three capital experiences of plastic language, must be seen the painting of a considerable group of young artists, more or less conscious of these recent realizations.

Armed with a means of expression, both positive and delirious, the most objective, the most direct and the most complete in all history, it would be strange if, with time, painting did not succeed in familiarizing us with some

l'histoire, il serait étrange, qu'avec le temps, cette peinture ne finisse pas par nous rendre familiers les aspects troublants du processus d'assimilation, d'évolution du sens de la réalité, et ne nous livre pas quelques secrets de son pouvoir de séduction. Tout comme la peinture sut, par le passé, nous rendre familiers les aspects troublants ou séducteurs du monde extérieur.

Une société nouvelle s'offre au-delà des cadres des civilisations connues. Elle semble se diriger vers l'auto-fabrication intégrale des objets utilitaires d'une part, et vers une connaissance de plus en plus réaliste des puissances psychiques par l'attentive psychanalyse d'autre part. Jusqu'où ira cette civilisation? Seul le futur le dira. Mais, depuis longtemps déjà, pour quelques-uns, la grande aventure exige une réponse sans restriction à son appel.

New York, le 26 février 1955

disturbing aspects of the assimilation process and of the development of our sense of reality; or did not betray some of the secret power of its seduction — just as painting in the past familiarized us with the disturbing or seductive aspects of the outside world.

A new society is becoming manifest, outside the framework of known civilizations. It seems to direct itself on the one hand towards the completely automated production of useful objects, and on the other towards a more and more realistic understanding of psychic powers through attentive psychoanalysis. How far will this civilization go? Only the future can tell. But, for a long time already, the great adventure has demanded, from some, an unfettered response to its call.

New York, February 26, 1955.

Paris

Paris, Rue Rousselet:
Borduas dans son atelier/Borduas in his studio

Photo: Janine Nièpce
Collection: Musée d'Art Contemporain, Montréal

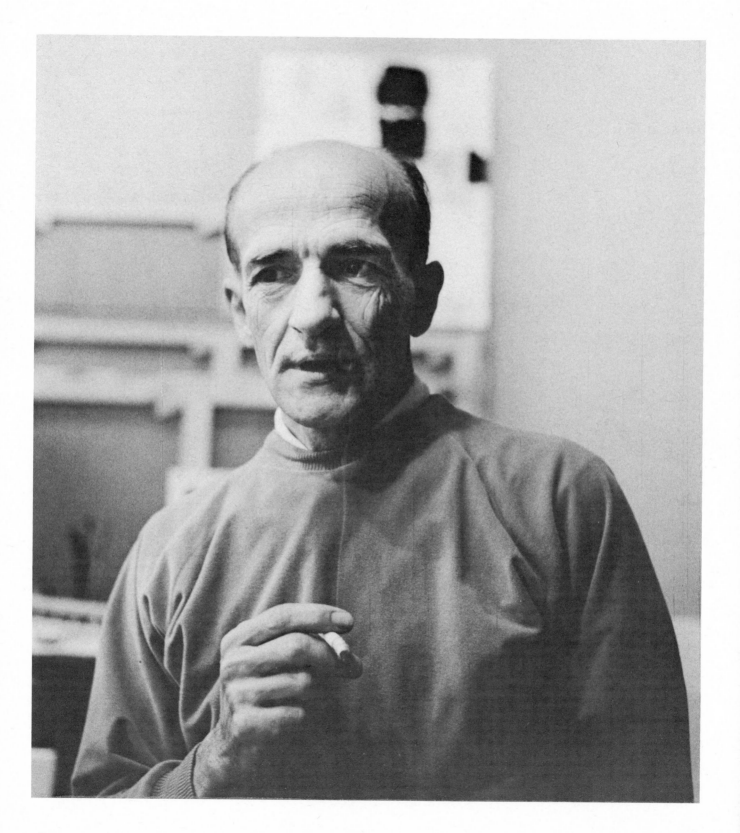

Paris, Rue Rousselet:
Borduas dans son atelier/Borduas in his studio

Présentation

Le 21 août 1955, Borduas, en compagnie de sa fille Janine, quittait New York pour Paris sur le paquebot ''Liberté''. Il s'installait à Paris, 18 rue Rousselet et commençait, après la brillante période de New York, ses dernières années de difficulté, de solitude et de déception.

Trois textes importants appartiennent à cette période. Ils ont tous été publiés à Montréal.

Les deux premiers ont un caractère rétrospectif. Borduas y répond à des enquêtes portant sur son art et sa pensée, moins dans leur état actuel que dans celui où ils étaient quand se fit son passage à l'art non-figuratif et écrivit son manifeste. Ayant rompu définitivement avec le milieu canadien depuis son départ pour Paris, Borduas commençait déjà à y prendre une signification historique, sinon déjà, une dimension mythique.

Ceci dit sur ce qui rapproche les deux textes, il importe aussi de marquer leurs différences. Tout d'abord ils ne procèdent pas des mêmes intentions, vu la situation des enquêteurs dans l'un et l'autre cas. Le premier répond à une enquête de M. Jean-René Ostiguy de la Galerie Nationale. M. Ostiguy préparait alors l'exposition Peintres canadiens de 1956 qui sera montrée tout d'abord à Ottawa, puis dans les Provinces maritimes et finalement l'année suivante, avec le concours de Smithsonian Institution dans huit villes américaines.

Ces circonstances expliquent pourquoi dès le printemps 1956, M. Ostiguy prit l'initiative d'envoyer aux principaux participants à cette exposition le même questionnaire. Borduas y répondait minutieusement le 10 avril 1956. Gilles Corbeil et Noël Lajoie, visitant la Galerie nationale sur les entrefaites, et Jean-René Ostiguy leur ayant communiqué la réponse de Borduas, Noël Lajoie proposa de la publier dans Le Devoir, tant elle leur sembla importante. Le texte de Borduas parut dans ce journal les 9 et 11 juin 1956, précédé d'une courte introduction de Lajoie. E. H. Turner le reproduisit dans son catalogue (1962), mais sans l'accompagner de l'habituelle traduction anglaise.

La deuxième enquête (de Situations) vient d'un autre horizon. Revue de gauche, Situations parut peu de temps: de janvier 1959 à juillet 1962. Au début les collaborateurs lui donnèrent une orientation littéraire et artistique — mais Situations se politisa de plus en plus par la suite. Alignée sur les positions des partis politiques d'où devait sortir le Nouveau Parti Démocratique, la revue ouvrit ses colonnes après 1960 à des auteurs plus engagés politiquement et socialement.

Introduction

On the 21st of August, 1955, with his daughter Janine, Borduas left New York for Paris on the liner Liberté. He settled in Paris, at 18 rue Rousselet, and began what were to be, after the brilliant period in New York, years of hardship, solitude and deception — even though, having definitively broken with the Canadian scene, he now became in Canadian eyes a historical, if not yet mythical, figure.

Of the three texts written in Paris, though published in Montreal, the first two have the similarity of being answers to enquiries about his art and thought, as they had been years earlier when he made the breakthrough to non-figurative painting and when he wrote the manifesto. Nevertheless, they proceed from different intentions, related to the different situations of the two investigators, and reflect Borduas' changing circumstances.

The first one answers an enquiry by M. Jean-René Ostiguy of the National Gallery who was then preparing the exhibition Canadian painters of 1956. This show was to be opened in Ottawa, to travel through the Maritimes, and then, through the Smithsonian Institution, to be presented in eight American cities.

These details explain why, in the Spring of 1956, Ostiguy had the idea of sending to the main participants a questionnaire — which Borduas answered at length, on the 10th of April. Gilles Corbeil and Noël Lajoie, then visiting the National gallery, were shown Borduas' answer and Lajoie proposed to have it published in Le Devoir, where it appeared on the 9th and 11th of June, 1956, with a short introduction by Lajoie. Evan H. Turner reproduces it in his retrospective catalogue of 1962, but without an English translation.

The second Paris text, ''Global Refusal: Ten Years After'', appeared, in response to a request from Situations, a short-lived leftist review, published from January 1959 to July 1962. A literary review at first, Situations became more and more political with time, and, in line with the political parties which finally became the New Democratic Party, it opened its columns after 1960 to writers more committed to social issues. One of five essays on Global Refusal appearing in vol. 1, no. 2 (February, 1959), Borduas' article related more to the literary and artistic orientation of the review at its beginning.

The same review published in its number of March - April, 1961, (vol. 3, no. 2) the third of the Paris texts, ''One Small Corner-Stone in the Turf of My Old Prejudices''. This is in fact a letter written almost three years earlier, in December 1958, to Claude Gauvreau, in which Borduas

La réponse de Borduas parut dans un des tout premiers numéros de la revue (vol. 1, no. 2, février 1959). Elle se situe donc naturellement à un moment où l'orientation de la revue était plus artistique. Le texte de Borduas faisait partie d'un groupe de quatre: Marcel Barbeau, Marcelle Ferron et Claude Gauvreau y ayant situé Refus global dans leur propre développement.

La même revue publiait dans son numéro de mars-avril 1961 (vol. 3, no.2) le trosième texte parisien de Borduas ''Petite pierre angulaire posée dans la tourbe de mes vieux préjugés''. Il s'agit d'une lettre, datée de ''novembre - décembre 1958'' que Borduas adressait à Claude Gauvreau, avec lequel il était lié depuis longtemps. Borduas y définit ses positions politiques d'alors. C'est pour cette raison d'ailleurs qu'au sommaire de la revue son texte paraît avec des articles à caractère politique et non pas dans la chronique des arts.

Ces trois textes appartiennent chacun à des périodes spécifiques du séjour parisien de Borduas. Le premier est du début de son séjour. Les deux autres, datés de novembre-décembre 1958, appartiennent presque à sa fin. Même si, dans l'intervalle, Borduas avait connu les prémisses d'un succès international (il était particulièrement fier de ses expositions à la Martha Jackson Gallery du 19 mars au 6 avril 1957 et à la Tooth Gallery, à Londres du 8 octobre au 2 novembre 1957), son échec sur la scène parisienne (il n'avait pas encore eu d'exposition à cet endroit, à ce moment), son isolement dans le milieu parisien, et bientôt, les difficultés dues à sa mauvaise santé le rendirent plus nostalgique et plus amer avec le temps. Le ton de ces textes reflète ces circonstances.

had defined the latest development of his political thought. It was therefore included in the section of the review devoted to political comment, and not, as the earlier piece, in the section on the arts.

Between the first and the two later writings of this period one can sense a change of mood. The first reflects an optimism generated by his recent arrival in Paris, while the two later ones, in spite of exhibitions in 1957 at the Martha Jackson Gallery in New York and at Tooth's in London, are written after a growing sense of isolation, which had been confirmed by his failure to acquire a one-man exhibition there and exacerbated by ill health.

Questions et réponses (Réponses à une enquête de J.-R. Ostiguy)

Answer to an enquiry by J.-R. Ostiguy

1.

Depuis combien d'années votre peinture affecte-t-elle une forme non-figurative?

À la première exposition du Père Corbeil, à Joliette, en 1941 ou 1942 figurait: ''Harpe brune'', abstraction préconçue à préoccupation géométrique et expressionniste. La dualité interne de cette toile m'a amené à la détruire un jour malgré son succès national[1] de curiosité. Il n'en reste qu'une photo et quelques critiques favorables. Le deuxième tableau était une horrible tête se dressant verticalement sur un plan horizontal en pleine pâte pouvant suggérer une grève. J'ignore pourquoi j'intitulai cette toile ''Le Philosophe''. Il n'en reste rien. Enfin, un troisième petit tableau, ''Abstraction verte'', daté de 1941, se tenait modestement mais fermement sur le mur. Des trois ce fut la seule toile à trouver grâce devant ma rage destructive. Il est le premier tableau entièrement non-préconçu et l'un des signes avant-coureurs de la tempête automatiste qui monte déjà à l'horizon.

Je dois beaucoup à cette exposition de Joliette, à la liberté d'y accrocher sans discussion les dernières toiles. Elle permit une prise de position, trop tragique sans doute, mais qui n'en a pas moins été le point de départ des libérations ultérieures.

2.

Comment situez-vous votre travail dans l'évolution contemporaine en peinture?

Comment savoir? Nos désirs, nos espoirs nous permettent si peu de recul devant les oeuvres récentes. Les jugements de l'extérieur ont plus de chances d'objectivité, et encore! L'exposition des gouaches en 1942, que nous croyions surréaliste, n'était que cubiste. Il a fallu cinq ans pour le voir. Toutes les huiles de 43 à 53 que l'on jugea excessivement ''modernes'' baignent dans une lumière et dans une foi antérieure au christianisme: similaire à l'art étrusque. Il a fallu émigrer à New York pour s'en rendre compte. Comment situer les toiles venues depuis? Devrais-je émigrer au Japon cette fois pour le réaliser? Que ces tableaux soient devenus de plus en plus blancs, de plus en plus ''objectifs'', ils n'en restent pas moins complexes, quand je vois tout autour de moi des oeuvres au sens clair et précis, de l'expressionnisme au graphisme. Toujours les miens semblent faire une synthèse émotive d'éléments très nombreux. C'est ce besoin émotif qui masque tout. Ne sont gardés que les tableaux qui m'échappent. Si par hasard il en vient un au sens clair et facile il devient vite insupportable. Mon seul ''jugement'' valable en face de mon travail est le ''vertige'' d'une reconnaissance essentiellement émotive

1.

For how many years has your painting been non-figurative?

The first exhibition arranged by Father Corbeil, at Joliette, in 1941 or 1942, figured *Brown Harp*, a preconceived abstraction with geometric and expressionistic tendencies. The internal duality of this painting brought me to destroy it, one day, in spite of its national success as a curiosity.[1] Only a photograph and some favourable criticisms remain of it. The second painting was a horrific head emerging vertically from a horizontal plane, in full impasto to suggest a beach. I do not know why I called it *The Philosopher*. Nothing remains of it either. A third small painting, *Green Abstraction*, dated 1941, stood modestly but firmly on the wall. Of the three, it was the only painting which held up in face of my destructive anger. It is my first totally non-preconceived painting and a warning signal of the automatist tempest already gathering on the horizon.

I owe a lot to this show in Joliette, which allowed me to hang these works without dispute. I was able to adopt a definite position, too dramatic no doubt, but nevertheless the origin of the subsequent liberation.

2.

Where do you place your work in the development of contemporary painting?

How should I know? Our desires, our hopes, allow us such little perspective in front of recent works. Outside critics may be more objective; and yet . . . . The gouaches of 1942, which we believed surrealist, were nothing but cubist. It took five years to find that out. All the oil paintings from '43 to '53, which were judged as excessively ''modern'', bask in a light and faith anterior to Christianity (rather like Etruscan art). It was necessary to get to New York to see that. Do I have to emmigrate to Japan to get a perspective on what I have painted since? Though these pictures have become whiter and whiter, more and more ''objective'', they nevertheless seem complex, when I see around me works with a clear and precise meaning, whether expressionist or gestural. Mine seem to strive for the emotive synthesis of numerous elements. This emotional need cuts across everything. Only the paintings which challenge my understanding are kept. One that comes out clear and easy to interpret, fast becomes unbearable. My only worthwhile judgements rely on the ''vertigo'' of an emotional recognition of abundant synthesis. That is the best I can say

provoquée par la sensation d'une synthèse généreuse. C'est le mieux que je puisse dire.

3.

Votre compréhension de l'histoire vous aide-t-elle à orienter ainsi votre peinture? Par exemple de récentes découvertes dans le domaine de la science ou de la psychanalyse vous ouvrent-elles de nouveaux horizons?

L'art véritable n'est-il pas celui qui fait la somme des expériences de la vie sur tous les plans? Il n'est pas contradictoire d'aimer à la fois Bacon à la somme psychique si expressive et Mondrian à la somme rationnelle si révélatrice. L'un et l'autre orientent nos espoirs. L'un et l'autre sont l'occasion de nouvelles permissions. Ainsi, dans un degré approprié, chaque enthousiasme, de la psychanalyse à l'auto-fabrication, trouve son expression exacte dans une rigoureuse échelle de valeurs.

4.

Dans l'histoire de l'art quelles sont les phases ou les artistes qui vous intéressent le plus et pourquoi?

Ici l'on peut s'étendre indéfiniment. Le rythme de nos préférences suivant vraisemblablement celui de nos possibilités de réception qui permettent le don en retour. Depuis longtemps déjà mes préférences vont aux époques archaïques n'ayant ni la mesure, ni la patience, ni la sécurité, ni la prétention classiques. Comme beaucoup de contemporains je suis lancé dans l'univers sans tremplin. Ceux que l'on m'a généreusement proposés s'étant avérés assez tôt incompatibles avec mon aventure. Nous n'avons plus un aspect de l'univers à amenuiser, mais tout un pan de l'univers à découvrir. En somme peu de choses me semblent indispensables au sentiment de communion et de continuité historique: quelques dessins des cavernes, quelques figurines béotiennes, la splendide peau de bison du musée d'Ottawa ou de Toronto, la piéta dite d'Avignon, la crucifixion de Grünewald, le clair-obscur de Rembrandt, la lumière de Cézanne et l'espace de Mondrian. Ajoutons, en contrepartie, la candeur de Rousseau, l'ingéniosité de Klee et le délire de Bacon. Tout ça c'est évidemment quelque chose, mais qui dénombrera ce que j'ai dû voir et goûter pour hisser ces noms et ces oeuvres dans ma reconnaissante admiration?

5.

Croyez-vous que la non-figuration inaugure une forme nouvelle de l'art pictural où le tableau n'aurait plus rien à voir ni dans ses moyens, ni dans ses fins avec les apparences visibles du monde extérieur, pour recourir uniquement aux éléments premiers: lignes, formes, couleurs, dans le but d'exprimer le monde intérieur?

3.

Does your understanding of history help you to give such an orientation to your painting? Do the recent discoveries in science or psychoanalysis, for instance, open new horizons to you?

Isn't true art that which can sum up the experience of life at all levels? It is not contradictory to like Bacon, so expressive with his psychic synthesis, and Mondrian, so revealing with his rational synthesis. Both guide our hopes. Both permit new opportunities. Thus, each advance, from psychoanalysis to automation, finds its expression in a rigorous scale of values.

4.

In the history of art, which periods or artists interest you most, and why?

Here one can elaborate indefinitely. The rhythm of our preferences follows that of our receptivity, which permits us to give in return. For a long time, I have had a preference for the archaic periods — which lack classic measure, patience and security, as well as pretension. Like many contemporaries, I am in the universe without a springboard. (Those provided for me came to be at variance with my project.) We do not have a universe to whittle down any more, but new regions to discover. In short, few works appear to me indispensable when it comes to feelings of communion and historical continuity: some cave drawings, a few Boeotian statuettes, the splendid buffalo skin of the Ottawa or Toronto Museum, the so-called Pietà of Avignon, the crucifixion by Grünewald, the chiaroscuro of Rembrandt, the light of Cézanne and the space of Mondrian — and as a counterpart, Rousseau's ingenuousness, Klee's cleverness and the delirium of Bacon. All this is surely something, but remember what I had to see and sample before those names and works were confirmed in my admiration.

5.

Do you think that non-figuration inaugurates a new form of painting where the picture will have nothing to do in its means or ends with the visible exterior world, and deal only with prime elements like lines, forms and colours, so as to express the internal world?

Lines, forms and colours with no profound justification in the external world would be powerless to express the psyche. The first Mondrian that I saw occupied an obscure corner of that hall of unfortunate contemporary Dutch painting, at one of the two exhibitions of masterpieces at the Montreal Museum, during the war. It was rapture! And God knows how ill-prepared I was for the encounter,

Des lignes, des formes et des couleurs qui n'auraient pas de justifications profondes avec le monde extérieur seraient impuissantes à exprimer le psychisme.

Le premier Mondrian que j'ai vu (c'était à l'une des deux expositions des chefs-d'oeuvre, au musée de Montréal, durant la dernière guerre) occupait un coin obscur dans la grande salle réservée à la si mauvaise peinture hollandaise contemporaine. Ce fut un ravissement! Et Dieu sait comment mal préparé j'étais à cette rencontre: en pleine lutte contre la tyrannie cubiste. J'ai reconnu spontanément la plus fine lumière que je n'avais encore jamais vue en peinture. Et ''lumière'' était dans le temps, pour moi, synonyme d'''espace''. Lumière, espace, sont des phéno-mènes visibles et extérieurs. Avant Mondrian nous avions l'habitude du cheminement dans la lumière d'un dégradé à l'autre. Depuis Mondrian nous gardons toujours notre faculté millénaire mais en plus nous pouvons, à l'occasion, goûter sans l'intermédiaire de la perspective aérienne la totalité imaginable de l'espace. C'était un fait visuel constant: seul le sens, l'appréhension, en est changé. Pollock libère son exaspération en utilisant les formes les plus dynamiques et les plus humbles qui soient: ''the little drops''.[2] Ces petites gouttes sont-elles oui ou non des phénomènes constants du monde visible et extérieur? Avant Pollock elles étaient sans pouvoir expressif. Maintenant elles sont chargées de sens. C'est une nouvelle addition. Nous croyons tous posséder le monopole du visible et nous le croyons immuable. Chaque nouvel acquis de l'art provoque une perturbation dans notre équilibre qui, pour être confortable, doit être sans problème. La découverte est alors niée, ou déviée, inutilement: la tranquillité est perdue. Coûte que coûte il faut l'assimiler et retrouver un nouvel équilibre qui encore une fois sera ressenti immuable.

Non! . . . Depuis le début il y a l'homme dans un univers insondable. Où l'homme n'est qu'une des manifestations de cet univers. Comment cela peut-il être changé? . . . Seule la somme de nos expériences change.

L'expression du ''monde intérieur'' n'a pas de sens si elle n'est pas, comme toujours, la plus exacte relation possible avec le visible. Dans ce visible infini nous choisissons les aspects les plus dignes d'intérêts, les plus frais ou les plus troublants. L'aventure de la conscience se poursuit sans déviation. L'on est ou l'on n'est pas de l'aventure.

Ce que l'on appelle l'art abstrait ou non-figuratif est le successeur de l'art concret ou figuratif. L'art figuratif nous a conduit lentement, d'addition en addition, à un nouveau sens de la réalité. À un sens si aigu que nous exigeons des équivalences exactes: similitude des processus de la vie dont les fruits sont strictement accidentels, similitude de notre

struggling as I was then against the tyranny of cubism. I spontaneously recognized the finest light I had ever seen in painting. And ''light'' was then, for me, a synonym for space. Light and space, are visible and exterior phenomena. Before Mondrian, we were in the habit of proceeding in light from one gradation to the next. Since Mondrian, we maintain our millennial faculty but we can also enjoy, with no intrusion of aerial perspective, the imaginable totality of space. It was always there; its meaning and the apprehension of it have simply changed. Pollock releases his exasperation through the most dynamic and, at the same time, most humble forms: ''the little drops'' [Borduas uses this English phrase himself]. These little drops, have they not always been around in the visible world? Yet before Pollock they were without expressive power. Now they are replete with meaning. And this is something new. We each believe that we possess a monopoly on the visible and we believe it immutable. Each new conquest in art thus disturbs the equilibrium, which for our comfort's sake we try to keep from problems; and so the conquest is negated, or uselessly travestied (it must be assimilated and a new equilibrium found that, once again, will be felt immutable).

No! Since the beginning, man has been in an unfathomable universe, of which he is but one manifestation. There is no way we can change that. Only the sum of our experience can change.

The expression of our ''interior world'' is meaningless unless we give it the most exact possible relationship with the visible. From this visible infinite we choose the most pertinent aspects: the freshest or the most disturbing. The adventure of consciousness follows its inevitable course. You are either part of it or you are not.

What is called abstract or non-figurative art succeeds concrete or figurative art. Figurative art has led us slowly, by one addition and another, to a new sense of reality: to a sense so acute that we demand exact equivalences, in art, of the process of life (allowing its fruits to be strictly accidental): similitudes of our concept of unlimited space, similitudes of light — no longer used as a means to imitation but as its own justification — similitudes of matter itself — which may no longer be illusory.

So doing, we pursue, like the savage in his cave, beasts as yet untamed; and as he expressed for the first time not only one visible aspect of the world but, unconsciously, his psychic state, we express for the first time not only one more visible aspect of the world but also our phychic state. The same ends, the same means, always — only the viewpoint changes, as when you move around a complex object. At

concept d'un espace illimité, similitude de la lumière qui n'est plus imitative mais tend à sa parfaite objectivité, similitude même de la matière qui ne peut plus être illusoire.

Ainsi faisant nous poursuivons, comme le sauvage dans sa caverne, les bêtes non encore apprivoisées, et comme il exprimait pour la première fois non seulement l'un des aspects visibles du mond mais inconsciemment son état psychique, nous exprimons pour la première fois non seulement l'un des aspects visibles du monde mais aussi notre état psychique. Les mêmes fins, les mêmes moyens, toujours. Seuls les aspects changent comme lorsqu'on tourne autour d'un objet complexe. Au train où va la conscience générale il est probable que l'art dit non-figuratif poursuive sa marche victorieuse longtemps avant que l'on ne s'avise, en certain milieu, qu'il ne s'agissait que d'une figuration nouvelle! Plus intime, certes! Plus immédiate, plus troublante parce que plus au coeur du réel. Cet objet qu'est l'univers serait-il spiral? Des imitations nous sommes passés aux équivalences exactes. Nous jouons les étoiles!

6.
Certains critiques d'art parlent d'avant-gardisme en peinture, selon vous cette expression a-t-elle un sens, lequel?

Il y a toujours eu des hommes pour chasser, à leurs risques et périls, la rare poésie et d'autres pour profiter confortablement des résultats de la chasse. Il y a toujours eu des hommes au dégoût facile, ainsi poussés à la recherche de nouvelles possessions, et d'autres moins difficiles. Que l'on nomme "avant-garde" cette équipe de la perpétuelle recherche et "pompiers" ceux qui pour mieux profiter tentent d'éteindre la fine flamme animant la petite équipe, c'est une question de vocabulaire où je n'ai aucune autorité. Personnellement je déteste notre langage d'art qu'il serait bon de réviser complètement, mais que faire? Ici on emploi, entre initiés, un langage vertigineux. Peut-être est-il encore plus détestable que le langage courant? Qui sait?

7.
Vos recherches et celles de confrères canadiens vous paraissent-elles bien différentes de celles des peintres à tendance non-figurative les plus réputés de l'Europe et des États-Unis?

On travaille sur les mêmes problèmes lucides à Tokyo, Montréal, New York ou Paris. Ce qui n'est pas encore élucidé ce sont les réponses partout différentes.

La recherche en art procède d'un clair concept, qui est l'ultime rationalisation d'une découverte antérieure déterminant un champ d'espoir, ou, d'une assimilation strictement émotive déterminant un champ de désespoir.

the pace of present general awareness, so-called non-figurative art will develop its victorious advance still further before it is seen as a new figuration — more intimate, certainly, but more immediate and disturbing because belonging more to the heart of reality. This object which is the universe, could it be spiral? From imitations, we have passed on to exact equivalences. We challenge the stars!

6.
Some art critics speak of avant-garde painting; according to you, does this expression have a meaning in painting, and, if so, what?

There have always been men to seek out, at their own risk and peril, the rarest poetry, and others to profit comfortably by the result. There have always been people who are prone to easy disgust, and compelled to search for new possessions where others are less fussy. It is this team of the ceaseless search that one calls "avant-garde"; and as for those who would for personal advantage extinguish the fine flame of such a team, one calls them "pompiers": it is a question of vocabulary — where I have no authority. Personally, I hate our art language, which it would be good to revise entirely, but what can we do? Here, the initiated use a vertiginous language. Maybe it is even more detestable than the common jargon? Who knows?

7.
Do your researches and those of your Canadian colleagues seem to you very different from those of the most reputed non-figurative painters in Europe and in the United States?

People work on the same clear problems in Tokyo, Montreal, New York or Paris. What is not yet understood is that the answers are different for each place.

Research in art proceeds first from a clear intention, which is the ultimate rationalization of a previous discovery that marks out a field of hope, or delimits a field of despair. Hope or despair: one seems as dynamic as the other. They are the two poles of universal consciousness, the two positive reactions to interconnecting vessels: Cézanne, Klee, Kandinsky, Mondrian and Pollock are all internationally known and assimilated. Secondly, research proceeds from a psychic state proper to the place where the work is done; this psychic state is the unconscious of the place. Who will ever know all its wide ramifications? Research in art is a vital response, beyond the seductive capacities of reason, in which nothing can be hidden — not even the period in which it occurs. The psychic state determines the spontaneous choice of the materials needed. Tokyo plays on minimal values; Montreal uses heavily maximal ones; New York proceeds by monumental simplifications; Paris is all

Espoir, désespoir, semblent aussi dynamiques l'un que l'autre. Ce sont les deux pôles de la conscience universelle, les deux réactions positives aux vases communicants. Cézanne, Klee, Kandinsky, Mondrian, Pollock sont universellement connus et assimilés; et d'un état psychique propre au lieu où le travail s'opère. Cet état psychique est l'inconscient du lieu. Qui connaîtra jamais l'ensemble de ses profondes ramifications . . . ? C'est la réponse vitale bien au-delà des possibilités de captation immédiate de la raison. Où rien ne peut être dissimulé: pas même l'âge de l'agglomération. Cet état psychique détermine le choix spontané des matériaux utilisables en vue de la recherche à faire. Tokyo joue sur des notes minimums, Montréal utilise lourdement des maximums, New York procède par simplifications monumentales, Paris est toute subtilité, complexité, et il faut bien le dire, morbidité. Des réponses significatives naîtront les nouveaux champs d'espoir.

Sur ce plan les réponses canadiennes ne sont pas encore dans le cycle de la discussion mondiale.

Pourquoi?

L'intégrité de la jeune école du Canada est au moins égale à toute autre. Les problèmes dont l'on tente la solution sont aussi les mêmes, à peu de chose près. La recherche y est suffisamment collective pour affronter la confrontation mondiale. Pourquoi nos fières et ardentes réponses canadiennes, une fois sorties du pays, ne déclenchent-elles pas la discussion? Elles semblent, de l'extérieur, entachées de fixations inutiles. Les matériaux utilisés n'ont pas encore assez brûlé au feu de la lutte. Elles semblent lourdement chargées de sentimentalité. Elles ne sont vraiment valables que chez nous, ou, à l'extérieur, que pour les couches sociales non complètement évoluées.

Face à cette prise de conscience douloureuse que reste-t-il à faire? Lui tourner le dos et poursuivre la table rase de 43 en créant la plus parfaite étanchéité possible autour du mouvement et refaire à notre seul profit, au cours du temps, des expériences formelles depuis si longtemps révolues? Nous aurions ainsi un art original, la preuve en est faite par ces tableaux anachroniques, petits cousins inconscients d'un art étrusque et par ceux d'un de mes amis, qui s'autorisant de la même attitude de 43 a produit des oeuvres apparentées à l'art des Incas qu'il ignore, et par cet autre jeune Canadien à la série de tableaux juxtaposant inconsciemment en quantité égale un art africain et indien. Ces trois faits, pour ne mentionner que ceux-là, sont sans exemple connu dans le monde. Ils mériteraient une étude approfondie. Ils sont certes des réponses imprévues aux préoccupations de l'art contemporain, mais des réponses inutilisables hors de chez nous. Si je les crois typiquement canadiennes, malgré leurs

subtlety, complexity, and, it must be also said, morbidity. From responses which are meaningful, new fields of hope will be born.

In this regard, Canadian answers are not yet in the cycle of world discussion.

Why?

The integrity of the young Canadian school is at least equal to any other. The problems for which a solution is attempted are also the same, with few exceptions. The research is sufficiently collective to face world confrontation. Why do not our proud and ardent Canadian answers, once out of the country, start any discussion? Because from outside they seem to be fixated on irrelevancies: the materials used have not been forged through an intense struggle, they seem loaded with sentimentality, and they have meaning only at home — or, if elsewhere, only for the under-developed social classes.

Faced with this painful state of affairs, what is to be done? Do we turn our back to pursue the *tabula rasa* of '43, creating an ivory tower around ourselves and recapitulating, just for our own benefit, formal notions done with so long ago? That would give us original art: the proof is in certain anachronistic pictures (the unconscious cousins of an Etruscan art); in one of my friends, who, acting on the authority of the attitude of '43, has produced works akin to the art of the Incas without knowing it; and in another young Canadian who unconsciously juxtaposes equal measures of African and Indian art. Such works, to mention three kinds only, are without known parallel. They could justify careful study. They are, for sure, unexpected answers to the preoccupations of contemporary art, and answers useless outside home. And if I think them typically Canadian, in spite of their foreign sources, it is first because they are produced only at home, and then that they show the same archaism, the same plastic unconsciousness, the same pre-chiaroscuro light, the same apparently unjustifiable barbarian faith. We understand contemporary problems theoretically, but our senses and our mind, not completely attuned, communicate through the most primary factors of the physical world. Justly we pay the price of our past truancy — our voluntary spiritual slumber. It is the art of a rough soul which has just been reborn. To pursue the adventure in that perspective seems egoistic, and, in any case, is already impossible for those who are conscious of it. There is however another solution: to accept the cruel but fruitful truth, to accept it courageously and

lointaines accordailles, c'est d'abord qu'elles ne sont produites que chez nous, ensuite elles ont le même archaïsme, la même inconscience plastique, la même lumière antérieure au clair-obscur, la même foi barbare sans apparente justification. Nous comprenons théoriquement les problèmes contemporains, mais nos sens et notre esprit, non complètement affinés, communiquent aux aspects les plus primaires du monde physique. C'est le juste prix de nos escamotages passés, sans doute, de notre sommeil spirituel volontaire. C'est l'art d'une âme fruste qui vient à peine de renaître. Poursuivre l'aventure sous cet angle-là semble égoïste, d'ailleurs c'est déjà impossible au moins pour ceux qui en ont pris conscience. Il y a cependant une autre solution, celle d'accepter la cruelle mais fructueuse prise de conscience, de l'accepter généreusement et de flamber davantage. Aucun archaïsme ne peut longtemps résister à une extrême exigence. Nos symboles, qui sont l'expression spontanée de notre contact avec l'univers, se clarifieront d'eux-mêmes et résonneront aux plus fines vibrations actuelles.

Paris, le 10 avril 1956.

to burn more intensely. No archaism can stand up long under extreme pressure. Our symbols, which are the spontaneous expression of contact with the universe, will clarify, and will respond to the finest vibrations of our present time.

Paris, April 10, 1956.

---

1. Allusion probable au fait qu'*Harpe brune* fut présentée aussi à Toronto (cabinet d'estampes de la galerie The Art Gallery of Toronto, 6 février au 2 mars 1942) et à Montréal (Montreal Art Association, 7 au 29 mars 1942), sous les auspices du groupe The Canadian Group of Painters.

2. En anglais dans le texte.

1. *Harpe Brune* was exhibited in a show by the Canadian Group of Painters in the Print Room of the Art Gallery of Toronto, from February 6 to March 2, 1942, and later with the same group at the Montreal Art Association. This would have been a sufficient basis for Borduas' claim that *Harpe Brune* was a ''national success''.

Refus Global: dix ans après

Il serait souhaitable, monsieur, que l'on cesse de flatter la vanité des peintres en leur posant des questions. Ils prennent tant de plaisir à répondre qu'ils risquent bientôt de ne plus peindre. Bon! Allons, pour une fois encore.

Si le manifeste "Refus global" a exercé une influence sur la pensée au Canada, cette influence devrait être visible dans la modification du sens critique en général et par une nouvelle orientation du mouvement de l'art en particulier. À d'autres les réponses. Voilà une question d'éliminée.

Comment puis-je assurer que l'informel, le tachisme, le plasticisme, se situent dans la filiation de l'automatisme? Ne faudrait-il pas un fameux toupet, ayant quelques titres à la paternité, pour s'en prévaloir publiquement? Cependant, plus humblement, je sais qu'au Canada l'automatisme est antérieur à ces différentes facettes d'une même liberté initiale. La revendication énergique de cette liberté dans "Refus global" a été, sans doute, une large permission, voire pour des recherches contraires à certaines attitudes du manifeste.

Si je tiens pour universelle la portée de "Refus global"? Non! La peste, les guerres mondiales, notre vertigineuse mécanique ont cette portée: le sort de tous les peuples en dépend plus ou moins. Au fait, qu'entendez-vous par universel? On en parle beaucoup au pays, il me semble. La matière (et les lois qui la régissent) est universelle. Qu'elle soit animée ou non. L'esprit, qualité pensante de la matière, l'est également bien sûr. Pour la portée de l'esprit c'est éminemment un autre problème. Dieu sait combien lentement ses manifestations se généralisent; et encore: en perdant toute valeur poétique. Malgré les éléments spirituels de "Refus global" sa portée mondiale est nulle en dépit d'échos français, anglais, japonais et américains. Les réponses étrangères ont situé spontanément ce texte dans la lignée surréaliste, alors en pleine actualité, sans en voir l'aspect divergent. La critique canadienne n'a pas été plus lucide, au contraire. Les contacts en sont restés là. Par la suite, d'un peu partout, monta une vague similaire, heureusement cette fois, dégagée du surréalisme. Cette vague a une portée universelle. Le mérite en revient particulièrement à New York: sans rien nous devoir évidemment. Reste les cheminements invisibles aux conséquences imprévisibles dont personne ne puisse parler; mais dont les communications les plus étranges nous parviennent de temps à autre.

Les raisons débordant, j'ai écrit — et signé — dans le temps "Refus global" sans trop savoir pourquoi. Peut-être uniquement parce qu'il était nécessaire à mon équilibre intérieur dans sa relation avec l'univers, exigeant une correction aux formes inacceptables d'un monde imposé

Global Refusal: ten years after

It would be just as well, monsieur, that one stopped flattering the vanity of painters by asking them questions. They take so much pleasure in answering that they will soon run the risk of not painting anymore. Well, let's go, once again:

If the manifesto *Global Refusal* has had an influence on Canadian thinking, this influence should be felt in the improvement of the critical sense in general and in a new orientation for art in particular. Let others be the judge of this. That is one question out of the way.

How can I assert that *art informel,* tachism and plasticism are outgrowths of automatism? What enormous effrontery would be needed to make such a claim by someone with title to fatherhood of the automatist movement. However, more humbly, I know that in Canada automatism precedes these different facets of the same initial liberty. The energetic proclamation of this liberty in *Global Refusal* has given, perhaps, a general impetus to research — even in directions contrary to those proposed in the manifesto.

Do I think that *Global Refusal* has a universal importance? No! Plagues, world wars, our giddy mechanisation have this: it is on these that the fate of nations more or less depends. But, tell me, what do you mean by "universal"? (It seems that people speak a lot about it, at home.) Matter, whether animated or not, and also the laws which govern it, can be called universal, and spirit, the thinking modality of matter, is also universal, for sure. As regards the extent of the spirit, that is another problem altogether: God knows how slowly its manifestations may spread (while, even so, losing all poetical value). Notwithstanding the spiritual elements of *Global Refusal,* its worldly impact is nil, in spite of some French, English, Japanese and American echoes. Foreign response has been thoughtlessly to identify the text with the Surrealist line then current, without perceiving its divergent character; and Canadian criticism has not been more lucid — quite the contrary. And that is about it. A bit later, pretty well everywhere, a similar wave arose, happily disengaged from surrealism. This wave has a universal significance, and the credit for it must go particularly to New York — which owes us nothing, of course. What remains are invisible progressions with unpredictable effects, of which nobody can speak; but of which from time to time the strangest news reaches us.

In full flood, I wrote and signed "Global Refusal" without knowing too much why. Maybe because it was necessary to my inner equilibrium, which required me to change the unbearable forms of a world arbitrarily imposed. Written today, without denying its essential value (which still remains), it would proceed from very different promptings:

151

arbitrairement. Aujourd'hui, sans répudier aucune valeur essentielle, toujours valable, de ce texte, je le situerais dans une toute autre atmosphère: plus impersonnelle, moins naïve, et je le crains, plus cruelle encore à respirer. J'avais foi, en cette tendre jeunesse, en l'évolution morale et spirituelle des foules. Un voyage en Sicile, entre autres, aurait suffi à lui seul à me guérir de cette détestable senti-mentalité d'esclavage. Certes, je brûle d'amour, à ma limite, pour la Terre entière et ses habitants. Mais, je n'ai foi qu'en peu d'hommes. Plus urgent apparaît la reconnaissance dans la foule des âmes ardentes susceptibles de transformer profondément l'aventure humaine que de se lier aux quantités sans espoir.

Puissent, monsieur, vous servir ces quelques approximations.

Paris, 11 novembre 1958.

more impersonal, less naive, and, I am afraid, even more cruel to breathe. I had faith in young people, in the moral and spiritual evolution of the crowd. My trip to Sicily, among others, would alone have been enough to cure me of such disgusting sentimentality over slaves. Certainly, I still burn with love, to my utmost, for the whole Earth and its inhabitants. But I believe only in a few men. More urgent seems to be to locate in the crowd those burning souls profoundly able to transform the human adventure, instead of relying upon the many without hope.

I hope these few approximations may be of some use to you, monsieur.

Paris, November 11, 1958.

Petite pierre angulaire posée dans la tourbe de mes vieux préjugés

One small corner-stone in the turf of my old prejudices

À mon cher Claude, en ces mois de novembre-décembre 1958[1].

J'aimerais être aussi en forme que vous l'étiez en écrivant votre dernière lettre. Si franche, claire et puissante, qu'elle semble comme écrite du sommet de notre "Pain-de-Sucre"[2] qui ne craint ni le vent, ni les tempêtes. Loin de ces hauteurs je barbote: dépression, trouble respiratoire, pas de soleil dans le ciel ni dans la tête, pas de peinture. Je me laisse soigner gentiment sans grand résultat. Le temps passe. La lumière reviendra, un jour ou l'autre, avec sa joie de vivre. Familières et banales ces perturbations diverses suivent hélas un cycle trop connu. Un peu de pêche, un peu d'amour et de chasse dans mon clair pays seraient le traitement indiqué, mais somptuaire! Plus modestement (et inlassable) je vous écris depuis des semaines ma longue lettre sans en trouver l'expression juste. Aussitôt formulées, malicieuses, les pensées prennent une tournure inquiétante, une excessive généralisation où elle s'égarent. Je désirais vous rendre compte du chemin parcouru, de Saint-Hilaire à Paris, et vous n'aurez, je crains, que les rares certitudes fondamentales accrochées en cours de route. Aucun fait nouveau dans tout ça. Rien dont nous n'ayons parlé à maintes occasions. Seule la conséquence prise à la longue est nouvelle. Valent-ils la peine (ces faits anciens) d'en reparler? C'est douteux. Peu sage je poursuis quand même mon épître. Excusez-moi. Vous méritiez mieux, mon cher Claude, que ce traitement. En ces parages il est de bon ton de médire de Montréal et de New York, de les calomnier même sans vergogne. Mauvaises paroles — souvent des bons mots — qui m'irritent de jour en jour davantage quoique je les sache inconséquentes: "Ce qui doit être sera!" Je ne suis pas, non plus, sans réserve, comme vous savez, envers mon pays et les États-Unis. Malgré tout, la seule foi que je puisse conserver en l'homme se situe en terre d'Amérique. Et, cette foi devient chatouilleuse. Voyez-vous ça? Il ne fallait pas jurer de rien!

Au Québec nous vivons — particulièrement au niveau des intellectuels; uniquement à ce niveau peut-être? — les deux termes de Canadien et de Français. Ici, après un stage suffisamment long il faut choisir l'un des deux; au besoin trahir l'autre. Notre défectueuse évaluation historique de nous-mêmes, de la France, devrait être corrigée de telle sorte qu'en venant ici l'on ne se croie plus sottement Français. Le leurre d'une abusive actualisation de notre passé n'est viable qu'au pays. Ici cela semble ridicule. Certes des compatriotes habitant la France deviendront Français avec le temps (et la bonne volonté qu'ils y mettent!). Mais n'est-ce pas une autre histoire?

À New York (dans un milieu canadien — d'expression anglaise — où je fus reçu une fois) j'ai eu la surprise de reconnaître une certaine unité psychique canadienne en

To my dear friend Claude,[1] in these months of November- December 1958.

I would like to feel as good as you did when you wrote your last letter: so frank and clear and strong that it seems written from our Sugarloaf [crowning Mont. St.-Hilaire], which fears neither wind, nor storm. Far from those heights, I am troubled — with depression and breathing problems — without sun in my sky or in my head, and without paintings. I obey all good advice, without very much improvement. But time will pass and the light will come back one day or another, and joie de vivre with it; these familiar and commonplace perturbations follow an all too evident cycle, alas. A little hunting and fishing, a little affection in my luminously beautiful country would be the correct treatment, but expensive! More modestly (and untiringly) I've been writing to you for weeks now, a long letter, without finding the words for what I want to say. As soon as I put down something it seems to rebel maliciously, looks too generalized, and finally gets out of control. I set out to acquaint you with the road I have travelled from Saint-Hilaire to Paris, but you will receive, I fear, only the few basic discoveries made on the way. There is nothing new in them, nothing we have not talked about many times. The one thing that is new is the reappraisal that time has prompted. There is no point in going over that old stuff once more, and if I go on it may not be very wise, and you must excuse me. You deserve better treatment than this, my dear Claude. Over here, it is good form to sneer at Montreal and New York, or even to slander them shamelessly, and from day to day I am irritated by smart remarks, although I know they are inconsequential ("Whatever will be, will be"), and, as you know, I have my own reservations about Canada and the United States, although, in spite of everything, the only faith I can maintain in man is located on American soil. And I am increaingly sensitive about it. Can you imagine that? It never does to trust people too much!

In Quebec one lives two identities, Canadian and French, particularly at the level of the intellectuals — uniquely at that level perhaps? Here [in Paris], eventually one has to choose between them, and if necessary betray one of them. Our defective historical evaluation of ourselves and France, should be corrected — so that on arrival here we might no longer stupidly take ourselves for Frenchmen. The error of believing that the past still applies, is viable only at home; here it just looks ridiculous. Of course some of our fellow-countrymen living in France will become French after a while (and how!) but that is another story!

In New York, in an Anglo-Canadian milieu where I was invited once, I was surprised to find a certain "psycho-

découvrant "mes chers ennemis héréditaires" aussi semblables à moi-même que possible. J'en fus littéralement bouleversé. Surprise désagréable tranchant dans le vif de mon sentiment de "Canadien" comme nous disons, réservant injustement ce qualificatif à notre "supériorité française". Coûte que coûte il fallait encaisser le fait de ce jugement ou le jugement de ce fait: comme vous voudrez.

À l'étranger un Canadien de bonne souche — entendre assez ancienne — d'où qu'il vienne, se reconnaît immédiatement, sans méprise possible, au-delà ou en deçà des particularités d'origines au même degré d'évidence qu'un Espagnol, un Italien ou un Français. C'est énorme. Je l'ignorais candidement. Nous avons conscience au Canada de l'unité géographique, économique, politique; non de cette unité psychique. Sans doute doit-elle rester inconsciente, masquée qu'elle est, pour la foule, par les orgueils raciaux, culturels, linguistiques, religieux; par les attachements sentimentaux au passé français ou anglais, par l'opposition de vainqueur à vaincu, encore! par nos luttes politiques. Soit! Reste que nos luttes, notre climat et tout ce que l'on voudra nous ont rendus assez semblables, en somme, les uns les autres, si peu aimable que l'idée en soit. Sur notre unité ethnique se fonde le premier article de ma foi en l'avenir. Sa découverte exigeant l'éloignement aurait suffi à justifier mon départ du pays. L'esprit maintenant est qu'un nombre accru atteint à une conscience profonde du présent. Des accords imprévisibles sont attendus. Tant que les plus doués n'iront pas au-delà de certains préjugés nous ne serons intéressants qu'entre nous. Il fut une autre découverte: celle de la peinture de New York et par elle de l'aventure américaine. Mon ignorance crasse des États-Unis (malgré quelques voyages antérieurs à mon séjour prolongé) était impardonnable. Une équipe nombreuse de peintres exceptionnels a donné au Monde les deux éléments indispensables à l'élaboration d'un futur prestigieux: la libération de l'accident "objectif" personnel (contrairement à l'accident psychique "personnel" de Wols) et un nouveau concept de l'espace. Pour une fois, de toute l'histoire de l'art, l'appréhension méditerranéenne (visuelle) du Monde éclate. Et pour une fois tout signe peut rejoindre ses inconnus. Quelle aventure et combien débordante! Un vertigineux début de synthèse (des races d'abord: des éléments de tous les peuples de la Terre réunis en Amérique épousent spontanément un même enthousiasme — de la connaissance ensuite — de toute l'expérience historique) s'élabore dans une étendue vierge à l'échelle cosmique laissant infiniment loin en arrière les exemples du passé. Comment, devant ces réalisations, attacher encore d'importance à nos petites misères entachées d'archaïsme quand en plus, tragiquement, nous poursuivons le même destin? Et voilà le deuxième article de ma foi: l'Amérique du Nord poussera suffisamment la synthèse universelle pour rayonner sur la Terre entière où

logical" unity which was Canadian (I discovered that my "hereditary enemies" were absolutely identical to me). I was literally bowled over. It was a jolt, shaking to the core my assumptions about being "Canadien" — as we say when we unreasonably identify this epithet with our "French superiority".[2] Painful as it was I had to swallow the fact of this judgment or the judgment of this fact (take your choice).

In a foreign country, a true Canadian — someone from an old family — is immediately and unmistakably recognized as such, from whatever part of the country he comes in spite of regional particularities, just as a Spaniard, an Italian or a Frenchman is recognized. It's true! I was naive enough never to have realized it. In Canada, we are conscious of our geographic, economic and political unity, but not of the psychological unity. It must be unconscious, hidden as it is from the majority, by racial, cultural, linguistic and religious pride, by our sentimental ties to our French or English past and by the opposite psychologies of victor and vanquished, not to mention our political struggles. So be it. The fact remains that our struggles, our climate and so on, have made us all fairly similar, however distasteful the idea may be. The first article of my faith in the future is based on our ethnic unity. If my departure from the country had gained me only this it would have been a sufficient reason for leaving. Today's trend suggests that more people are becoming aware of it. Unpredictable harmonies are in the offing. Unless the more gifted can get beyond certain prejudices, the only people who will find us interesting, will be ourselves. I have made another discovery — New York painting — and through it, the whole American story. My stupid ignorance of the United States (in spite of a few trips before my prolonged stay) was unforgivable. A group of many exceptional painters has given the world the two elements indispensable to the creation of a marvellous future: the liberation of the accident, personal and "objective" (opposite to the personal and "psychic" accident of Wols), and a new concept of space. For once in the whole history of art, the Mediterranean perception of the world has collapsed. For the first time, every sign has acquired a new dimension of meaning. What a prospect! How exhilarating! A heady new synthesis of elements of all the nations of the world to be found in America (the races first of all), who spontaneously share the same enthusiasm and have the same knowledge of its entire historical experience, has been developing in that virgin land, on a huge scale, leaving far behind all lessons of the past. Given this realization, how tragic to go on attaching importance to our petty archaic antagonisms, when after all we share the same destiny? Which brings me to the second article of my faith: North America will intensify this universal synthesis until

nous n'existerons pas; ni elle, ni nous. C'est l'enjeu capital de l'Histoire.

Il n'y a plus d'avenir français possible nulle part au Monde. Il y aura un avenir américain ou russe. Pour moi les jeux sont faits.

Ambitieusement je souhaite, mon cher Claude, que cette lettre ne provoque pas l'ennui qu'elle me donne. J'ai trop rabâché ces choses pour en éprouver maintenant la moindre fraîcheur. Je me devais de vous les exprimer encore une fois ayant le sentiment, grâce à vos textes, d'être plus près de votre pensée que vous de la mienne. Ne voyez surtout pas dans mon attitude critique le moindre reproche. Elle n'est valable que pour moi-même. Qu'elle soit généralisable, je le crois, mais pour les cas, aux circonstances particulières, semblables au mien. Je reste sans conseil.

Quelques lignes encore et je termine. Le surréalisme, l'automatisme ont pour moi un sens historique précis. J'en suis maintenant très loin. Ils furent des étapes que j'ai dû franchir. En expectation qualifierait mieux l'état présent, où le fruit attendu compte plus que le mouvement qui le produit: restant d'ailleurs toujours le signe témoin de ce mouvement.

J'attends les textes annoncés avec impatience. Vous savez toute l'importance que j'y attache et l'affection que je vous porte.

Vôtre de tout coeur,
Paul

it comes to radiate throughout the world. The alternative is that it cease to exist, and we with it. That is what history has at stake.

A French future is no longer possible anywhere in the World. The future will be American or Russian. As I see it, the die is cast.

Optimistically, I hope my dear Claude that this letter will not bore you as it does me. I have echoed these matters too often to feel the slightest freshness in them now. However, I felt I should go over them again for your sake, since, thanks to your writings, I know your position better than you know mine. Above all, do not imagine the least censure in my critical attitude. It applies only to myself. I believe that it could apply more generally, but only for those in special circumstances similar to my own. I am not trying to give you advice.

A few lines more and I shall finish. For me, surrealism and automatism have a precise historical meaning. I am pretty far from them now. They were stages I had to pass through. My present position is best described as one of "expectation" in which the work itself counts more than the movement from which it derives, although it bears witness to that movement.

I await your promised manuscripts impatiently. You know what importance I attach to them and in what affection I hold you.

Ever yours,
Paul

1. Claude Gauvreau.
2. Le sommet du Mont Saint-Hilaire.

1. Claude Gauvreau.
2. Borduas here refers to the former custom among French Canadians of reserving the word *Canadien* for themselves and regarding all Anglophones as simply "English" intruders.

Index

Pour les pages en langue française voir les numéros en italique.
For English language pages see numerals in Roman type.

Table des matières